Contents

LIVRE DIX-NEUVIÈME

1814

SOMMAIRE.--Triste position de l'armée française.--Épidémie à Mayence.--Espérances de Napoléon.--Organisation de l'armée.--Marmont établit son quartier général à Worms.--L'armée ennemie passe le Rhin à Bâle (20 décembre) et à Manheim (1er janvier 1814).--Retraite du corps de Marmont sur Metz et Bar-le-Duc.--Retraite du duc de Bellune sur Nancy (26 janvier).--Arrivée de Napoléon à Vitry.--Mouvements des autres corps de l'armée française.--Ordres donnés au prince Eugène.--Désobéissance du prince Eugène.--Positions occupées par les alliés.--Bataille de Brienne.--Bataille de la Rothière.--Rôle de Marmont pendant cette bataille.--Retraite sur Troyes.--Combat de Rosnay (2 février).--Découragement général.--Lettre de Marmont au prince de Neufchâtel.--Champaubert.--Courage du soldat français.--Anecdotes.--Paroles de l'Empereur.--Napoléon et M. Mollien.--Bataille de Montmirail.--Combat de Vauchamps.--Marmont surprend les Russes à Étoges.--Anecdote.--Grouchy et l'épée du général Ourousoff.

Les revers de 1813 nous avaient ramenés sur le Rhin. Cette résurrection si étonnante de l'armée française au commencement de l'année, le développement de forces si prodigieuses, opéré pendant l'armistice, ne laissaient plus que des souvenirs. Tout avait péri ou avait disparu. Les garnisons, restées sur l'Elbe et la Vistule, les pertes éprouvées dans de si nombreux combats, les désastres de Leipzig, enfin une misère toujours croissante, avaient réduit l'armée à n'être plus que l'ombre d'elle-même. La retraite avait présenté le spectacle de la même confusion que celle de Russie. Des soixante mille hommes environ qui avaient atteint le Rhin, à peine quarante mille avaient des armes.

L'armée arriva à Mayence, les 1er et 2 novembre, dans cet horrible état. Comme de pareils revers n'avaient pas été prévus, rien n'avait été préparé pour la recevoir. Des besoins de toute nature, des embarras de toute espèce, vinrent l'assaillir. Ce fut le prélude de nouveaux malheurs.

Une armée dans un désordre aussi grand, après avoir éprouvé de semblables souffrances, porte avec elle le germe des plus cruelles épidémies. Quand rien n'est prêt pour combattre ces funestes prédispositions, on est assuré de voir arriver les plus affreux ravages.

Cette multitude de jeunes soldats, exténués, découragés, fut rapidement atteinte du fléau épidémique [1]. La mortalité, dans des établissements formés à la hâte, presque entièrement dépourvus de moyens de traitement, s'éleva rapidement à un nombre tel, que, dans le seul bâtiment de la douane, converti en hôpital, il mourut jusqu'à trois cents hommes en un seul jour.

Note 1: (retour) Le typhus. (*Note de l'Éditeur.*)

La terreur s'étant mise parmi les médecins et les employés des hôpitaux, les malades furent menacés de ne recevoir aucune espèce de secours. Pour remettre l'ordre, je pris le parti de diriger tout par moi-même. Je m'imposai l'obligation d'aller, chaque jour, faire la visite des hôpitaux. Ma présence ranima, dans le coeur de chacun, le sentiment de ses devoirs, et une sorte de pudeur força à les remplir.

Les malades reprirent confiance. Si le mal ne fut pas détruit, ses funestes effets furent au moins diminués. Le devoir d'un général ne se borne pas seulement à commander et à mener ses troupes au combat. Chef d'une grande et nombreuse famille dont la conservation est à sa charge, il doit, s'il veut se montrer digne du commandement, remplir à son égard toutes les obligations d'un père, et en donner la preuve par ses soins. Il doit l'aimer s'il veut en être aimé lui-même. Le moindre instinct de ses hautes fonctions doit lui faire comprendre que l'amour des soldats pour leur général est le premier gage de ses succès. C'est, avant tout, par la réciprocité d'affection que s'établit l'accord entre le chef et ses subordonnés, et cet ensemble de volontés nécessaire pour l'exécution des projets les plus difficiles. Aussi, quand un chef s'occupe, au prix des plus grands sacrifices, et même au péril de ses jours, de la conservation de ses soldats, il ne remplit pas seulement son devoir, il fait encore une chose utile, tout à la fois morale et politique.

Je donnerai quelques détails assez curieux sur cette épidémie de Mayence, en 1813, qui enleva quatorze mille soldats et un nombre presque égal d'habitants. Les observations dont je vais rendre compte se trouveront applicables à toutes les circonstances semblables qui peuvent malheureusement se reproduire.

Les grandes souffrances et la disette produisent sur le corps humain à peu près les mêmes effets que la peur. Elles l'affaiblissent et le disposent aux plus horribles contagions.

L'encombrement des hôpitaux et le manque de soins firent naître le typhus, qui enleva nos soldats par milliers. Les habitants de Mayence et des environs, qui n'étaient pas sortis de chez eux et n'avaient éprouvé aucune souffrance, frappés de terreur à la vue de cette mortalité, en furent victimes comme les soldats. Enfin, les officiers de l'armée, n'ayant pas éprouvé les terreurs des habitants, et autant de souffrances physiques que les soldats, en furent moins attaqués.

Cette double observation me donna la confiance de braver le typhus, et je l'affrontai effectivement impunément.

Autre chose digne de remarque. Beaucoup de soldats semblèrent avoir eu les pieds gelés pendant cette retraite, et cependant jamais le thermomètre ne tomba au-dessous de zéro. L'épuisement avait enlevé la vie aux extrémités. Les doigts des pieds frappés de mort tombaient en gangrène, comme il serait arrivé par suite d'un froid violent.

Peindre le découragement et le mécontentement des esprits dans l'armée et dans toute la France, à la vue de tant de maux; dire le triste avenir que chacun entrevoyait, ce me serait impossible! Cette consommation de près d'un million d'hommes, faite en si peu de temps, la disparition de notre puissance et de son prestige, les fautes grossières de la campagne, appréciables pour les hommes de l'intelligence la plus vulgaire, cette désorganisation de l'empire annoncée de toutes parts, soit par les révoltes, soit par les défections; enfin, les périls qui menaçaient le coeur même de l'État, périls si nouveaux pour nous, et que l'on ne s'imaginait plus possibles, accoutumé que l'on était depuis si longtemps a voir la victoire suivre constamment nos drapeaux, et notre influence politique aller toujours en augmentant, tout cela décourageait les esprits les plus vigoureux, et donnait à penser que nous n'étions pas à la fin de nos malheurs.

Napoléon lui-même, tout disposé qu'il était à s'abandonner aux plus étranges illusions, ne pouvait se cacher les dangers actuels, le mécontentement universel et la faiblesse des moyens qui lui restaient.

Les divisions parmi les alliés avaient longtemps fait son espérance; mais les souvenirs récents de ses injures et de sa tyrannie avaient réuni, par un lien solide, tant d'intérêts divers, et confondu toutes les passions dans une seule, celle de son abaissement. Il y avait eu en outre une grande habileté dans l'organisation militaire de cette coalition. Les corps d'armée étant presque tous composés de troupes de différentes nations, la condition de chacun était égaie, sauvait les amours-propres, et établissait, au contraire, chaque jour, l'occasion de développer une émulation utile. De plus, elle empêchait l'action immédiate d'une politique particulière à chaque souverain, qu'une circonstance fortuite aurait pu développer. Cette réunion constante des trois souverains au même quartier général avec les chefs des cabinets établissait une harmonie complète et rendait faciles et promptes toutes les décisions. Enfin le caractère de sagesse, de bienveillance et de douceur du généralissime faisait disparaître jusqu'aux plus légères aspérités dans le contact des hommes et des choses. Encore une fois, la haine que Napoléon avait développée contre lui donnait la plus grande énergie et le plus grand accord aux volontés de ses ennemis.

Napoléon resta à Mayence jusqu'au 7 novembre. Pendant ce séjour, il arrêta les dispositions nécessaires pour la garde de la frontière. Il divisa les commandements et pourvut, autant qu'il était en lui, à la réorganisation de l'armée, qui, au quatrième corps et à la vieille garde près, n'existait plus que de nom.

Je passais mes journées presque entières avec lui. Morne et silencieux, il plaçait toutes ses espérances dans des délais et se livrait à l'idée que l'ennemi n'entreprendrait pas contre nous une campagne d'hiver. Il comptait, s'il pouvait disposer de six mois, parvenir à recréer une nouvelle armée assez nombreuse pour disputer avec succès le territoire sacré (c'est ainsi qu'il nommait le sol français). Effectivement, les levées s'exécutaient encore dans l'ancienne France avec facilité; et, bien que la désertion en diminuât les effets, partout on obéissait au sénatus-consulte rendu par la régente. Les soldats, levés en conséquence, reçurent le surnom de Marie-Louise.

On put les reconnaître, pendant la campagne, d'abord à leur ignorance des premiers éléments du métier, et ensuite à leur habillement; car, n'ayant eu le temps de recevoir qu'une capote, un bonnet de police, des souliers, une giberne et un fusil, ils furent constamment sans uniforme. On les reconnaissait encore à un courage calme et sublime qui semblait dans leur nature. Je raconterai, en son lieu, divers traits qui montrent de quel intérêt et de quelle estime était digne cette héroïque jeunesse.

Napoléon convenait, dans le tête-à-tête, de sa fâcheuse position, et puis concluait toujours, à la fin de chaque conversation, par espérer. Quand nous étions plusieurs avec lui, son langage d'espérance dans l'avenir était plus fier et plus décidé; le nôtre constamment le même, et fondé sur une conviction profonde d'être à la veille d'une catastrophe. Quand je dis nous, je parle de moi, de Berthier, du duc de Vicence, et de quelques autres généraux que l'Empereur admettait familièrement, le soir, auprès de lui. Nous cherchions, à tout prix, à l'amener à faire la paix. L'Empereur avait entre les mains beaucoup de places, en Allemagne et en Pologne. L'ennemi avait éprouvé de grandes pertes. La France pouvait s'associer franchement aux intérêts de Napoléon, quand elle verrait sa liberté et son honneur compromis. Ces considérations devaient être puissantes aux yeux des souverains. Il était donc possible, et il est effectivement vrai qu'ils n'étaient pas éloignés de terminer la lutte. Aussi pensions-nous qu'il fallait saisir avidement la première occasion de négocier de bonne foi, et de faire la paix sans retard; mais Napoléon n'entrait pas dans ces calculs, et semblait, au moins par ses discours publics, se bercer des plus vaines espérances.

Un soir, vers le 4 ou 5 novembre, on discutait les projets probables de l'ennemi. Je dis qu'il allait remonter le Rhin avec une grande partie de ses forces, violer le territoire suisse, et passer le Rhin à Bâle. Ce calcul était basé sur la nécessité où il était d'avoir un pont à l'abri des glaces pendant l'hiver. Le pont de Bâle remplissait parfaitement ce but. L'Empereur s'impatienta et dit: «Et que fera-t-il ensuite?--Il marchera sur Paris! répondis-je.--C'est un projet insensé, répliqua l'Empereur.--Non, Sire, car où est l'obstacle qui peut l'empêcher d'y arriver?» Là-dessus, Napoléon se mit à déblatérer et à se plaindre du peu de zèle dont les chefs de ses armées étaient maintenant animés, et certes il s'adressait mal; car ce zèle de tous les instants, ce feu sacré, tel qu'il rappelait, n'a pas cessé de m'animer jusqu'à la catastrophe accomplie.

Le silence le plus complet, parmi les auditeurs, approuvait ce que je venais de dire. L'Empereur voulut mendier un suffrage au prix d'une flatterie, et, tout à coup, il se tourna vers Drouot; puis, le frappant à la poitrine, il lui dit: «Il me faudrait cent hommes comme cela!» Drouot, homme de sens et honnête homme, repoussa ce compliment avec un tact admirable et avec cette figure austère qui donne un poids particulier à ses paroles. Il répondit: «Non, Sire, vous vous trompez: il vous en faudrait cent mille.»

La Hollande, dès ce moment en insurrection, obligeait le général Molitor, qui y commandait avec un faible corps de troupes, de l'évacuer. Louis Bonaparte, ancien roi de Hollande, écrivit à l'Empereur pour lui proposer de retourner dans ce pays, dans le but d'employer à son profit l'influence qu'il supposait y avoir conservée. Napoléon me donna sur-le-champ connaissance de cette lettre, et ajouta: «J'aimerais mieux rendre la Hollande au prince d'Orange que d'y renvoyer mon frère!»

Voici comment furent divisés les commandements de la frontière.

Le duc de Bellune, envoyé à Strasbourg, eut le commandement de la ligne du Rhin, depuis Huningue jusqu'à Landau.

Je fus placé à Mayence, et je commandais depuis Landau jusqu'à Andernach.

Le duc de Tarente, chargé du Bas-Rhin, plaça son quartier général à Cologne.

Le duc de Tarente avait avec lui le onzième corps, et le deuxième corps de cavalerie, commandé par le général Sébastiani. Toutes les autres troupes se trouvaient sous mes ordres. Elles se composaient:

Du deuxième, commandé par le général Dubreton, à Worms;

Du troisième, commandé par le général Ricard, à Bertheim;

Du quatrième, commandé par le général Bertrand, à Hochheim et Castel;

Du cinquième, commandé par le général Albert, à Nieder-Ingelheim;

Du sixième, commandé par le général Lagrange, à Oppenheim;

Toute la garde, les dragons venant d'Espagne, commandés par le général Milhaud.

Deux régiments de gardes d'honneur furent placés aux pieds des montagnes, à Datesheim; le premier corps de cavalerie, commandé par le général Doumerc, dans le Hundsrück: et le duc de Padoue, avec sa cavalerie, près d'Andernach. Le matériel d'artillerie de campagne, qui avait pu être ramené, fut déposé, en partie à Mayence, et en partie évacué sur Metz.

Une nouvelle organisation étant donnée aux troupes, le troisième corps devint une seule division, sous le n° 8: le sixième, une autre, sous le n° 20: mais l'usage prévalut, et les troupes que je commandais pendant la campagne de France furent habituellement connues sous le nom du sixième corps.

Napoléon attachait beaucoup de prix à occuper Hochheim. Il voulait avoir une apparence offensive. Singulière prétention, quand nos moyens étaient réduits à si peu de chose, ou plutôt étaient tous à créer. J'y plaçai une division du quatrième corps. Le reste, mis en échelon, était appuyé à quelques retranchements intermédiaires, entre ce village et Castel.

Le 9 novembre, j'étais à Oppenheim, occupé à faire, sur le terrain, l'organisation de la vingtième division, lorsque l'ennemi se présenta devant Hochheim, et força la division Guilleminot, qui l'occupait, à l'évacuer après un léger combat. Appelé par le bruit du canon, j'arrivai au galop: mais la retraite était au moment de s'achever. Je fis occuper en force Costheim, et ordonner les dispositions que le nouvel état de choses commandait.

Je rendis compte de cette affaire à Napoléon. Dans sa réponse, il m'écrivit ces propres paroles, bien remarquables: «qu'il regrettait la perte de Hochheim, attendu que la présence de l'ennemi sur ce point avantageux serait un obstacle de plus pour déboucher au printemps prochain.»

Cependant la ville de Mayence était encombrée par la garde et le quartier général impérial. Des consommations immenses en étaient la conséquence, et empêchaient la formation des approvisionnements de réserve, que la prudence prescrivait d'y rassembler.

Je fus enfin débarrassé de l'un et de l'autre sur mes pressantes sollicitations. Ils furent dirigés sur Metz. On établit forcément un système d'évacuation des malades; mais ces évacuations, poussées à une beaucoup trop grande distance, parce que chacun était bien aise d'éloigner de lui les foyers de la contagion, furent funestes. Au mépris des intérêts de l'humanité, des soldats, atteints du typhus, étaient envoyés jusqu'en Bourgogne. Une partie mourut dans le voyage, et le reste apporta en Bourgogne l'épidémie qu'ils avaient déjà semée sur leur route.

Les opérations de la campagne paraissant devoir bientôt commencer, je réclamai avec instance l'établissement de magasins de subsistances sur le revers des Vosges; mais ils n'eurent pas le temps d'être formés.

En conséquence du mouvement de l'ennemi pour remonter le Rhin, je reçus l'ordre d'envoyer au maréchal duc de Bellune le deuxième corps et la cavalerie commandée par le général Milhaud. D'un autre côté, les débris du cinquième corps, commandés par le général Albert, et la cavalerie du duc de Padoue, furent donnés au maréchal duc de Tarente.

J'établis mon quartier général à Worms pendant quelque temps. Le Necker pouvant servir à réunir un grand nombre de bateaux pour le passage du Rhin, et donner le moyen de déboucher avec ensemble et facilité, je fis faire, pour y mettre obstacle, une bonne redoute en face de l'embouchure. Elle fut armée avec une nombreuse artillerie de gros calibre dont le feu enfilait le cours de cette rivière.

J'ordonnai aussi des travaux à Coblentz. Je fis fortifier la position qui domine cette ville, afin de protéger la retraite des troupes en cas d'offensive et de succès de la part de l'ennemi. Enfin j'envoyai un officier intelligent à Bâle, en lui donnant l'ordre d'y rester et de me faire un rapport journalier sur les mouvements de l'ennemi. Cette ville étant ouverte à tous les partis, on y était bien informé. Les nouvelles de quelque importance m'étaient transmises par estafette.

Les conscrits commençaient à arriver; mais leur nombre, loin d'être suffisant pour remplir nos cadres, n'égalait pas même les pertes journalières causées par le typhus. Si l'hiver entier eût pu être consacré à la formation d'une armée, nous aurions au printemps présenté à l'ennemi des forces imposantes, au moins par le nombre. Mais les événements se pressèrent, et rien n'était ni prêt ni organisé quand nous fûmes forcés d'entrer en campagne.

L'ennemi exécuta le plan que je lui avais supposé. Dès le 20 décembre, il viola le territoire suisse, s'empara du pont de Bâle et passa le Rhin. Le duc de Bellune se porta sur-le-champ, avec le deuxième corps, dont la force pouvait s'élever à sept ou huit mille hommes, et les dragons d'Espagne, sur le haut Rhin. La grande armée des alliés, entrée en Suisse et arrivée sur la rive gauche du Rhin, marcha en avant en trois directions divergentes. La gauche, sous les ordres du général Bubna, se porta sur Genève, dont elle s'empara. Dès ce moment, cette partie de l'armée alliée opéra constamment, pendant toute la campagne, sur le Rhône et la Saône, contre le corps du maréchal Augereau, qui était chargé de la défense de cette partie de notre frontière.

La masse des forces ennemies, c'est-à-dire le centre, prit les directions de Langres et de Dijon. La droite de l'armée alliée entra en Alsace et se porta dans la direction de Colmar.

On a vu plus haut le placement des troupes françaises. Ainsi la grande armée ennemie n'avait personne devant elle dans son mouvement offensif.

Napoléon donna l'ordre au duc de Trévise de partir, avec la vieille garde, pour se rendre à Langres, où il prit position et attendit l'ennemi.

Ce corps, alors en marche pour la Belgique, avait une force de huit ou neuf mille hommes. Napoléon me fit donner l'ordre de partir avec le sixième corps et ma cavalerie pour me rendre dans le haut Rhin. Le duc de Bellune devait aller de sa personne à Strasbourg, dont il aurait été gouverneur, avec une garnison de bataillons de gardes nationales qu'on y avait rassemblées. Après avoir réuni à mon commandement le deuxième corps et les dragons du général Milhaud, j'avais ordre de défendre les défilés des Vosges. Mais, pendant ce mouvement préparatoire, le passage du Rhin, exécuté par l'ennemi sur tous les points, me força à m'arrêter. Chacun de nous fut obligé de manoeuvrer pour son compte.

Par suite du mouvement préparatoire dont je viens de parler, j'étais arrivé, le 31 décembre, à Neustadt, près Landau. J'y attendais le général Ricard, qui venait de Coblentz et devait m'y rejoindre. J'avais jugé qu'un séjour de trois jours était nécessaire pour réunir mes différentes colonnes. Je devais donc, le 4 janvier seulement, continuer ma marche avec toutes mes troupes réunies et formées en corps d'armée.

Le 1er janvier, l'ennemi effectua brusquement le passage du Rhin devant Manheim. Il surprit et enleva la redoute construite en face de l'embouchure du Necker, et s'occupa immédiatement à construire un pont, pour lequel tout était préparé dans le Necker. Instruit de cet événement par l'arrivée des fuyards de la petite ville d'Ogersheim, située à peu de distance du point où le passage s'était effectué, je fis monter à cheval toute la cavalerie qui était près de moi, mettre en marche l'infanterie que j'avais sous la main, et je me portai sur Mutterstadt.

L'ennemi avait mis tant de diligence dans son opération, qu'à une lieue de Neustadt nous rencontrâmes une centaine de Cosaques auxquels nous donnâmes la chasse. Déjà l'ennemi occupait en force Mutterstadt. Nous l'obligeâmes cependant à évacuer le village; mais j'eus bientôt la preuve de la supériorité des forces que nous avions devant nous, et j'appris en même temps que la construction du pont était déjà très-avancée. Je me rapprochai des montagnes et pris position à la tête des gorges de Turkheim, observant les vallées voisines, afin de couvrir les troupes en marche pour me rejoindre et de favoriser leur réunion. Je me déterminai à rester dans cette position jusqu'à ce que l'ennemi vînt ou me chasser de vive force, ou me forcer à l'évacuer en la tournant.

Le général Ricard avait eu l'ordre de quitter Coblentz aussitôt après l'arrivée des troupes du quatrième corps, commandées par le général Durutte. Au moment où il commençait son mouvement, le 1er janvier, le corps prussien du général York exécutait son passage de vive force. Le général Ricard retourna au secours du général Durutte; mais, voyant à quelles forces il avait affaire, il réunit à sa division le général Durutte et les troupes placées entre Coblentz et Bingen, et se porta, en traversant le Hundsrück, sur la Sarre, où plus tard il me rejoignit. Les troupes du quatrième corps, qui occupaient Oppenheim d'un coté et Bingen de l'autre, ainsi que les gardes d'honneur qui étaient avec elles, se retirèrent dans Mayence.

Les troupes réunies devant moi étaient le corps de Sacken et celui de Saint-Priest. J'allai les reconnaître jusqu'à la vue d'Ogersheim. Le corps de Langeron, faisant partie de la même armée, fut dirigé immédiatement sur Mayence et chargé du blocus de cette place. D'un autre côté, le corps de Wittgenstein passait le Rhin au-dessous de Strasbourg.

Je restai à Turkheim jusqu'au 4. Me voyant alors menacé sur mes flancs, j'opérai ma retraite sur Kayserslautern, et de là sur la Sarre, où j'arrivai le 6. Le 7, je fis sauter le pont de Sarrebrück, et j'envoyai un détachement sur Bitche, avec un convoi, pour ravitailler cette place. Je fis couler tous les bateaux sur la Sarre. Ayant alors rallié les généraux Ricard et Durutte, mes forces, à cette époque, s'élevaient à:

Huit mille cinq cents hommes d'infanterie;

Deux mille cinq cents chevaux et trente-six pièces de canon.

Je mis, le 8, mon quartier général à Forbach. Le corps de York, après avoir traversé le Hundsrück, se porta sur Sarrelouis. Il força le passage de la Sarre à Rechling, construisit un pont, et passa également à Sarralbe. Il continua sa marche sur Pettelange et les défilés de Sain-Avold, tandis que Sacken, arrivé aux sources de la Sarre, manoeuvrait par les montagnes.

D'après cela, je me retirai sur Saint-Avold, et le lendemain, 10, je pris position à Longueville, laissant une arrière-garde à Saint-Avold. Enfin je me retirai sous Metz, où j'arrivai le 12. Dans cette marche, la désertion se fit sentir de la manière la plus forte parmi mes troupes. Tous les soldats qui n'appartenaient pas à l'ancienne France quittèrent leurs drapeaux. Le 11e régiment de hussards, composé en grande partie de Hollandais, se fondit en un moment, et, comme les déserteurs emmenaient leurs chevaux, je me vis forcé de faire mettre à pied ce qui restait et de donner les chevaux à des soldats plus fidèles. Mon infanterie, le 13 janvier, ne se composait plus que de six mille hommes appartenant à quarante-huit bataillons (terme moyen, cent vingt-cinq hommes par bataillon, y compris les cadres de quatre-vingt-quatre hommes). On voit ce qu'était cette troupe pour le service et pour combattre.

Pendant ces mouvements, le duc de Bellune avait un moment tenu tête aux troupes qui, venues de Bâle, étaient entrées en Alsace. Dans un combat à Sainte-Croix, près de Colmar, sa cavalerie avait pris quatre cents chevaux à l'ennemi. Le comte de Wittgenstein ayant passé le Rhin au-dessous de Strasbourg et marché sur les Vosges, le duc de Bellune, afin de ne pas être acculé sur cette ville, se retira, par Mutrig et Framonth, sur Baccarach. Après les combats d'Épinal et de Saint-Dié, il se retira sur Nancy. Là il fit sa jonction avec le prince de la Moskowa, le 13 janvier. Le 15, il continua son mouvement sur Toul, tandis que le prince de la Moskowa se portait sur Void et Ligny.

Malheureusement, en évacuant Nancy, on oublia de détruire le pont de Frouard sur la Moselle. Il en résulta que la ligne de cette rivière, sur laquelle j'avais compté pour arrêter l'ennemi pendant quelques jours, ne put être défendue.

Quant à moi, du 12 janvier jusqu'au 16, je m'étais occupé avec activité de toutes les dispositions nécessaires pour assurer la défense de Metz. J'y plaçai le général Durutte comme commandant supérieur. Je lui donnai des cadres pour recevoir et instruire les conscrits qui y étaient rassemblés. Une centaine de pièces de canon, mises en batterie sur les remparts, et une grande quantité de boeufs pour l'approvisionnement, assurèrent la conservation de cette place. Ensuite, après avoir fait occuper Pont-à-Mousson, j'ordonnai la destruction du pont sur la Moselle, et j'établis mon quartier général à Gravelotte. Ce fut alors que je fus informé que l'on avait laissé subsister le pont de Frouard en évacuant Nancy, ce qui donnait à l'ennemi un passage sur cette rivière. La destruction du pont à Pont-à-Mousson n'ayant, dès ce moment, plus d'objet, je retirai mes ordres et le laissai subsister. De Gravelotte, je me portai sur la Meuse. J'établis mon quartier général à Verdun le 18, laissant une forte arrière-garde, et faisant occuper Saint-Michel, dont le pont fut rompu.

Je m'occupai aussitôt à mettre Verdun en état de défense, et je pris des mesures pour garder quelque temps la ligne de la Meuse. Des pluies abondantes, qui grossissaient les eaux, venaient en aide à ce projet. Mais il se trouva que le duc de Bellune avait encore omis de faire couper les ponts de la Meuse au-dessus de Vaucouleurs. L'ennemi s'en saisit et passa la rivière. Le maréchal fut forcé de se retirer sur Ligny pendant que moi-même je me portais, avec la plus grande partie de mes troupes, sur Bar-le-Duc, et que j'envoyais, avec l'autre partie, le général Ricard occuper le défilé des Islettes.

De Ligny, le duc de Bellune se retira sur Saint-Dizier, et ensuite sur Perthes, où il prit position le 26. Pendant ce temps, je me retirais sur Vitry-le-Brûlé, le prince de la Moskowa sur Vitry, et Napoléon arrivait à Vitry, où il rejoignit l'armée.

Comme je l'ai dit précédemment, le duc de Trévise s'était arrêté à Langres. Il y resta jusqu'au moment où l'ennemi parut en force devant lui; alors il se retira sur Bar-sur-Aube. Il fut attaqué dans cette nouvelle position; il recula de nouveau et se replia, le 25 janvier, sur Vandoeuvre, laissant une forte arrière-garde à Magny-le-Fouchar.

Enfin, le duc de Tarente, parti des bords du Rhin, s'était d'abord porté sur Juliers et sur Liége, où il avait réuni toutes ses forces; mais là il reçut de Napoléon l'ordre de se rendre à Châlons-sur-Marne. Il y arriva en effet le 30 janvier. A Namur, il fut abandonné par le général Wintzingerode, qui, jusque là, l'avait suivi. Ce général s'arrêta sur la basse Meuse. Ainsi, le 26 janvier, jour de l'arrivée de Napoléon à Vitry, toutes les forces françaises dont l'indication a été donnée plus haut étaient placées de la manière suivante:

Le duc de Trévise à Vandoeuvre avec la vieille garde;

Le duc de Bellune à Perthes;

Le prince de la Moskowa en avant de Vitry avec la jeune garde;

Et moi à Heils-Luthier, également en avant de Vitry.

Aussitôt après l'arrivée de Napoléon à Vitry, je me rendis près de lui. Le *Moniteur* avait annoncé la formation d'un camp à Châlons. Je lui pariai des renforts que, sans doute, il nous amenait. Il me répondit: «Aucun; il n'y avait pas un seul homme à Châlons.--Mais avec quoi allez-vous combattre?--Nous allons tenter la fortune avec ce que nous avons; peut-être nous sera-t-elle favorable!»

C'était à ne pas se croire éveillé que d'entendre pareilles choses; et cependant il y eut un enchaînement de circonstances si extraordinaire, que la balance a failli pencher en notre faveur. Il ajouta, au surplus, des détails importants donnant du crédit à ses paroles et quelque base à ses espérances. Il avait donné l'ordre au prince Eugène d'évacuer l'Italie, après avoir fait un armistice, ou bien trompé les Autrichiens et fait sauter toutes les places, excepté Mantoue, Alexandrie et Gênes. J'ai eu, dans le temps, quelques doutes sur la vérité de ces dispositions; mais elles m'ont été certifiées et garanties depuis par l'officier porteur des ordres et des instructions, le lieutenant général d'Antouard, premier aide de camp du vice-roi. Il est entré avec moi dans des détails circonstanciés dont je vais rendre compte.

Les armées françaises et autrichiennes en Italie étaient sur l'Adige. Eugène avait l'ordre de négocier un armistice en cédant les places de Palma-Nuova et d'Osopo; de faire partir la vice-reine pour Gênes ou Marseille, à son choix, en lui donnant deux bataillons de la garde italienne; de former les garnisons de Mantoue, Alexandrie et Gênes avec des troupes italiennes; de faire sauter les autres places simultanément, et de rentrer en France avec l'armée à marches forcées, après avoir tout préparé pour exécuter ce mouvement avec célérité.

Il aurait amené avec lui trente-cinq mille hommes d'infanterie, cent pièces de canon attelées et trois mille chevaux. Après avoir passé le mont Cenis, dont il aurait détruit la route, il aurait rallié quelques milliers d'hommes en Savoie et le corps d'Augereau, fort de quinze mille hommes. Ses forces se seraient alors élevées à plus de cinquante-cinq mille hommes. Ensuite, après avoir battu et chassé devant lui le corps de Bubna, il se serait porté en Franche-Comté et en Alsace. En tirant des garnisons du Doubs, du Rhin et de la Moselle un supplément de troupes, son armée aurait été forte de quatre-vingt mille hommes et placée sur la ligne d'opération de l'ennemi, avec l'appui de nos meilleures places.

Quand on pense à la résistance incroyable que nous avons opposée avec nos débris, qui jamais, en totalité, n'ont formé quarante mille hommes, on peut supposer ce qui serait advenu à l'arrivée subite d'un renfort pareil et par l'exécution d'un semblable mouvement. Eugène éluda les ordres de l'Empereur; il fit cause à part; il intrigua dans ses seuls intérêts. Il s'abandonna à l'étrange idée qu'il pouvait, comme roi d'Italie, survivre à l'Empire: il oubliait qu'une branche d'arbre ne peut vivre quand le tronc qui l'a portée est coupé. Il a été la cause la plus efficace, après la cause dominante, placée, avant tout, dans le caractère de Napoléon, la cause la plus efficace, dis-je, de la catastrophe; et cependant la justice des hommes est si singulière, qu'on s'est obstiné à le représenter comme le héros de la fidélité! Je tiens à conscience d'établir ces faits, dont la vérité m'est parfaitement connue, et qui ne sont pas sans intérêt pour l'histoire.

La désobéissance du prince Eugène aux ordres formels de Napoléon a eu de si funestes conséquences, des conséquences si directes, et ses amis ont si habilement déguisé sa conduite, que l'historien sincère et véridique doit tenir à bien constater les faits tels qu'ils se sont passés. Non-seulement Eugène n'a rien exécuté de ce qui lui était prescrit; mais il n'en eut jamais l'intention. Il s'est même occupé à se mettre dans l'impossibilité d'obéir, ou au moins à créer des prétextes pour s'en dispenser. De nouveaux documents tombés entre mes mains me donnent le moyen d'en apporter la preuve.

Les ordres de mouvements pour opérer sur les Alpes ont été, comme je l'ai déjà dit, apportés à Eugène par le général d'Anthouard, à la fin de 1813. Une lettre de l'impératrice Joséphine à son fils, très-pressante, pour accélérer son mouvement, a été envoyée par l'ordre de Napoléon par un courrier le 10 février [2]. Le 3 mars, nouvelle lettre lui a été adressée dans le même objet par le ministre de la guerre [3]. Ainsi il est démontré que jamais ni contre-ordre ni modifications aux premiers ordres ne lui ont été envoyés. On lui a dit de venir, de venir vite, d'accélérer son mouvement, et il n'a ni commencé ni même préparé ce mouvement. Il avait l'ordre de faire sauter simultanément toutes les places d'Italie, excepté Mantoue, Alexandrie et Gênes, et il n'a pas fait construire un seul fourneau de mine dans ce but.

Note 2: (retour) : LE ROI JOSEPH A L'EMPEREUR

«10 février 1814.

«Sire, la lettre de l'impératrice Joséphine est partie par l'estafette de ce matin; elle est aussi pressante que possible.»--Il s'agissait de faire exécuter sans délai l'ordre donné par l'Empereur au prince Eugène de marcher avec son armée sur les Alpes. (*Extraits* publiés en 1841 par un ancien officier du roi Joseph.)

Note 3: (retour) : Voyez la même publication.

Il avait l'ordre de chercher à conclure un armistice avec M. de Bellegarde, et il n'a entamé aucune négociation de ce genre avec le général autrichien. Il avait l'ordre de masquer son mouvement, de manière à pouvoir marcher sans embarras, sans être inquiété, et rapidement. Il devait donc cacher son projet avec soin à M. de Bellegarde, dont le devoir eût été, dans ce cas, de le suivre avec activité, avec ardeur, dans le but de le retenir et de l'empêcher, dans l'intérêt des opérations générales, de se joindre à Napoléon. Au lieu de cela, que fait-il? Il écrit à M. de Bellegarde une lettre dans laquelle il annonce ses intentions, et le provoque ainsi indirectement à s'y opposer. Il lui mande que peut-être les événements de la guerre le mettront dans le cas d'évacuer l'Italie, et il lui demande s'il peut laisser en sûreté la vice-reine à Milan, en la confiant à ses soins. Quelle ridicule question! Il a affaire à des ennemis civilisés; il est sûr que protection, sécurité et soins ne lui manqueront pas. C'est une demande d'usage à faire, en pareil cas, quelques heures avant de quitter une ville, et en présence d'une avant-garde ennemie; ce n'est pas même une question à adresser; mais ici il est clair qu'une démarche aussi précoce, aussi inopportune n'a d'autre objet que de donner l'éveil au général autrichien.--Eugène évacue Vérone, opère sa retraite lentement. Il est suivi par l'armée autrichienne avec mollesse, et sans que de la part de celle-ci il y ait aucun engagement; car le général autrichien, qui n'a pas soif de bataille, croit à une convention tacite d'évacuation, et, pour son compte, à une simple prise de possession.--Mais les choses, se passant ainsi, ne remplissent pas les intentions d'Eugène. Il ne peut faire valoir, pour rester, les obstacles que les Autrichiens mettent à son départ. Leur conduite semble le favoriser. Aussi tout à coup il profite de leur sécurité pour les attaquer brusquement et d'une manière peu loyale. Il remporte sur eux un succès de peu d'importance. Il espère ainsi jeter de la poudre aux yeux de Napoléon, et égarer son jugement. Puis, après l'action de Valleggio, il reprend sa même impassibilité et reste étranger aux événements de la guerre de France, sur les résultats de laquelle il aurait pu avoir une si grande influence.--La crise arrive, l'Empire croule, et Eugène s'empresse de se déclarer souverain. Il publie une proclamation aux habitants du royaume d'Italie, où il leur annonce que désormais le seul devoir de sa vie sera de s'occuper de leur bonheur.--Mais, à cette démarche ambitieuse, les peuples répondent par une insurrection. Prina, ministre des finances, odieux pour sa dureté et ses exactions, est victime des fureurs du peuple. Eugène se réfugie à Mantoue au milieu des troupes françaises, et échappe à un sort semblable. Sa vie politique est terminée. Tels sont les faits.

Je reviens à Vitry, à notre entrée en campagne, et au commencement de cette offensive dont les résultats furent d'abord si imprévus et si extraordinaires. On a vu de quelle manière étaient groupés les divers corps d'armée autour de Vitry. Voici comment l'ennemi était placé. La grande armée, après avoir passé à Bâle, arrivait par la route de Chaumont. Le corps de Wittgenstein marchait sur Joinville. Le corps de Sacken, à la suite du duc de Bellune, s'était porté sur Saint-Dizier, et avait continué son mouvement sur Brienne-le-Château, pour faire sa jonction avec la grande armée. Le corps d'York, encore en arrière, suivait la même direction.

Napoléon mit ses troupes en marche le 27. Il fit attaquer Saint-Dizier par le duc de Bellune et la jeune garde, commandée par le maréchal Ney. Il se dirigea ensuite sur Brienne, en passant par Montier-en-Der et Ésélaron. Il me laissa à Saint-Dizier pour couvrir son mouvement. Je m'éclairai, avec soin, dans les directions de Bar-sur-Ornain, Ligny et Joinville, et partout j'envoyai l'ordre aux gardes nationales de prendre les armes. Le 29, informé que le corps d'armée de Wittgenstein arrivait à Joinville, je me mis en marche avec la plus grande partie de mes forces, afin de garder le débouché de Joinville sur Vassy et Montier-en-Der. Je laissai le général Lagrange, avec le reste de mes troupes, à Saint-Dizier, en lui donnant pour instructions de se retirer sur Vassy, quand l'ennemi se présenterait en force devant lui.

Le 30, le corps de York arriva à Saint-Dizier. Il en chassa l'arrière-garde que j'y avais laissée. Le général Lagrange se replia sur moi; mais pendant ce temps des troupes, venues de Joinville, m'attaquèrent dans la position que j'avais prise sur les hauteurs en avant de Vassy. Je tins ferme; j'arrêtai l'ennemi, et donnai au général Lagrange le temps de me rejoindre. Cette avant-garde ennemie avait particulièrement eu pour objet de couvrir le mouvement du corps de Wittgenstein, en marche sur Doulevent. Le général Duhesme, du deuxième corps, qui avait occupé Doulevent, l'ayant évacué à l'approche de l'ennemi, celui-ci jeta de nombreuses troupes de cavalerie dans la vallée de la Blaise, sur mon flanc droit.

Ayant réuni mes troupes à Vassy, j'évacuai cette ville et me portai sur Montier-en-Der, pour de là continuer mon mouvement et me réunir à Napoléon, à Brienne.

Pendant ce temps, Napoléon était arrivé sur Brienne au moment où Blücher, avec le corps de Sacken et d'Olsouffieff, se mettait en marche pour se porter sur Arcis. Blücher arrêta son mouvement et prit position à Brienne, où Napoléon l'attaqua et le battit. Le combat fut opiniâtre, et les pertes à peu près égales de part et d'autre. Blücher se retira dans la direction de Bar-sur-Aube, et prit position à peu de distance de la Rothière, tandis que la grande armée arrivait à son secours.

Le résultat de ce combat et de ces mouvements fut la réunion de toutes les forces de l'ennemi en présence des nôtres, qui étaient si inférieures. Les conséquences semblaient devoir amener notre destruction.

Le 31, au matin, après avoir fait reposer mes troupes, je continuai mon mouvement sur Brienne, en laissant une forte arrière-garde, commandée par le général Vaumerle, à Montier-en-Der. Elle était composée principalement de cavalerie, et soutenue par huit cents hommes d'infanterie du corps de l'artillerie de la marine. Sa position, derrière les eaux abondantes qui couvrent ce pays, était très-bonne.

Suivre la même route qu'avait prise l'Empereur était chose impossible, à cause de l'état des chemins devenus tout à fait impraticables. Je me dirigeai par Anglure sur Soulaine, où je retrouvai la chaussée de Doulevent à Brienne.

A mon arrivée à portée de Soulaine, les habitants étaient aux prises avec les Cosaques et je les dégageai; mais, en arrière de Soulaine, sur les hauteurs et parallèlement à la route, je vis tout le corps de Wrede en position.

Je dus me former en face de lui et en arrière de Soulaine, sur les hauteurs qui dominent ce village, afin d'attendre la nuit pour exécuter ma marche sur Brienne, non par la grande route, alors au pouvoir de l'ennemi, mais par les chemins de traverse, au milieu des bois.

A peine en position, ma situation devint très-critique, par deux circonstances fort graves. Le corps de Wittgenstein débouchait par la route de Doulevent, et vint prendre position sur mon flanc gauche. D'un autre côté, le corps de York avait surpris, culbuté et mis en fuite l'arrière-garde que j'avais laissée à Montier-en-Der, aux ordres du général Vaumerle, qui fut fait prisonnier. Ainsi j'avais en face, à portée de canon, le corps de Wrede; sur mon flanc gauche le corps de Wittgenstein, et derrière moi, sur ma piste, celui d'York. Un engagement devait avoir lieu très-probablement au moment même, et ma perte entière en être le résultat infaillible, quand une neige abondante survint et produisit une nuit précoce. La nuit véritable succéda. Aussitôt venue, je me mis en marche par les bois, et j'arrivai à une heure du matin à Morvilliers, d'où j'envoyai mon rapport à l'Empereur. En communication avec l'armée, j'avais échappé comme par miracle, avec une nombreuse artillerie, aux trois corps qui m'environnaient, et je pouvais entrer en ligne.

La force de mes troupes, réunies à Morvilliers, ne s'élevait pas au delà de trois mille hommes d'infanterie. Mon arrière-garde, culbutée à Montier-en-Der, s'était retirée directement sur Brienne, et ne m'avait pas rejoint. Je reçus, à huit heures du matin, l'ordre de l'Empereur de partir de Morvilliers, pour aller prendre position à Chaumesnil. Ces ordres me prescrivaient de me retrancher, et ajoutaient que, lorsque nous aurions fait des travaux convenables dans cette position, nous serions inexpugnables. Cette disposition et les illusions qui l'accompagnaient sont étrangement bizarres. On ne peut concevoir que pareilles idées aient pu entrer dans l'esprit de Napoléon. En effet, notre ligne occupait une lieue et demie environ, et nous n'avions pas vingt mille hommes sous les armes. Les corps d'armée, dont l'existence imaginaire ne consistait que dans des noms, n'étaient liés entre eux que par des postes. Il n'y avait rien de compacte, rien qui ressemblât à une formation pour livrer bataille, rien qui fût en état de présenter la moindre résistance. Ensuite aucun obstacle ne s'opposait à ce que l'ennemi ne tournât cette ligne par notre gauche, qui n'était appuyée que par un bois de facile accès. Enfin il parlait de huit jours employés à se retrancher; et l'ennemi, avec toutes ses forces réunies, était à une portée de canon de lui!

Le général Ricard m'avait quitté pour occuper le débouché des Islettes, au moment où je m'éloignais de la Meuse et me portais sur Bar-le-Duc. Arrivé à Vitry après mon départ, il avait été dirigé sur Brienne directement, et placé à Dienville où était appuyée à l'Aube la droite de l'armée; mon faible corps, ainsi divisé, se trouvait occuper ses deux extrémités.

Je reviens à l'ordre de quitter Morvilliers et d'occuper Chaumesnil.

Nos corps d'armée, si faibles, avaient beaucoup d'artillerie, et les canons seuls leur donnaient un peu d'apparence, et aussi quelque réalité.

Cette artillerie nombreuse, et tout à fait hors de proportion, imposait à l'ennemi quand elle était en position; mais dans la marche elle était fort embarrassante, toutes les troupes étant insuffisantes pour lui composer une escorte convenable. J'avais à Morvilliers environ trois mille six cents hommes de toutes armes, et mon artillerie s'élevait à quarante pièces de canon. Morvilliers est à près de trois quarts de lieue de Chaumesnil. Je mis en mouvement la brigade du général Joubert, et j'ordonnai à mon artillerie de la suivre. La deuxième brigade, formant le reste de l'infanterie, devait fermer la marche, et évacuer Morvilliers quand cette artillerie en serait sortie en entier.

Je donnai l'ordre à ma cavalerie, soutenue par du canon, d'aller prendre position à une ferme située à une petite distance de Morvilliers et à portée de la grande route, pour couvrir le flanc gauche de ma colonne, exposée aux attaques de l'ennemi; mais, comme il arrive souvent à la guerre, cet ordre ne fut pas exécuté immédiatement. La fatigue de la nuit, la nécessité de laisser manger les chevaux, servirent d'excuses, et cette colonne s'était mise en mouvement sans avoir son flanc protégé ni couvert.

Prévenu de la sortie de Morvilliers des dernières voitures d'artillerie, je montai à cheval pour suivre le mouvement des troupes. Je venais de quitter le village quand je vis trois escadrons de cavalerie bavaroise déboucher inopinément, se précipiter sur cette colonne d'artillerie et enlever six pièces de canon. Je n'avais pas de troupes sous la main pour courir dessus et aller les reprendre; mais je fis mettre en batterie les premières pièces à ma portée et tirer sur les Bavarois. Ils abandonnèrent deux des pièces qu'ils avaient, pour ainsi dire, escamotées, et en emmenèrent quatre.

La grande proximité de l'ennemi, la faiblesse de mes troupes et la grande quantité de matériel que j'avais à mouvoir, rendaient impossible l'exécution du mouvement prescrit. Le général Joubert, marchant en tête de colonne, était arrivé à Chaumesnil et y avait pris position. Ainsi une partie du but que Napoléon s'était proposé d'atteindre était remplie. Je me décidai à garder et à défendre la position de Morvilliers, susceptible d'être occupée avec assez peu de troupes. Cette position, formée par un mamelon en pain de sucre, isolé, mais d'une faible élévation, a des pentes régulières. De nombreuses haies défendent les accès du village et composent comme autant de retranchements.

Le plateau étant assez vaste pour y recevoir une nombreuse artillerie, j'y plaçai une batterie imposante. L'ennemi attaqua le deuxième corps, à la Rothière, placé au centre. Il attaqua Dienville. Il attaqua ensuite Chaumesnil; mais partout il attaqua mollement et sans intelligence. S'il eût pénétré par les intervalles des points occupés, notre retraite eût été nécessaire à l'instant même. Le corps du général de Wrede resta en présence de Morvilliers, et se contenta d'abord d'attaquer Chaumesnil.

Je remplissais bien ma tâche en tenant en échec avec un corps de troupes aussi faible dix-huit ou vingt mille hommes qui composaient les forces dont ce général disposait. J'engageai du plateau de Morvilliers, avec les Bavarois, un feu d'artillerie soutenu, dans le but de faire diversion et de les occuper; mais tout annonçait qu'ils allaient transformer cette canonnade en une action plus vive, et se disposaient à une attaque régulière de ce poste. En effet, des détachements s'approchaient dans les différentes directions, et les reconnaissances préliminaires se multipliaient sur tous les points.

L'Empereur, ayant senti l'importance de Chaumesnil, avait fait soutenir la brigade Joubert, qui l'occupait, par la division Meunier, de la jeune garde. Ce poste, au moment d'être enlevé, se soutint encore pendant quelque temps; mais tout faisait prévoir que cette résistance ne serait plus de longue durée.

Il était trois heures environ; un épouvantable chasse-neige eut lieu, et vint obscurcir le temps. Je profitai de cette circonstance favorable pour renvoyer jusqu'à Brienne tous mes équipages et une partie de mon artillerie, afin de rendre ma retraite plus facile et plus légère quand le moment de l'effectuer serait arrivé. Comme je ne me souciais pas, ainsi qu'il était arrivé au maréchal Davoust en 1812, de voir mon bâton de maréchal, qui était placé dans mes bagages, devenir la proie de l'ennemi, pour figurer ensuite dans quelque église de Saint-Pétersbourg ou de Vienne, je donnai l'ordre de l'emporter et d'en séparer les diverses parties.

Le combat continua jusqu'à quatre heures. Chaumesnil fut enfin emporté. La Rothière l'avait été précédemment. Ma retraite se trouvait compromise, car l'ennemi pouvait, par le bois d'Ajou, se porter avec facilité sur mon unique route de communication. D'un autre côté, toutes les colonnes d'attaque du général de Wrede étaient formées et se mettaient en mouvement pour enlever Morvilliers. Je donnai l'ordre à mes troupes de se retirer. La sortie de ce village se fit avec tant d'ordre, tout avait été si bien prévu, que les troupes bavaroises ne trouvèrent plus personne à leur arrivée. Je n'éprouvai aucune perte. J'allai prendre position en avant de Brienne, à l'embranchement de la route de Morvilliers avec la chaussée. J'y arrivai à la nuit close.

Telle fut cette bataille de Brienne. Aucun raisonnement ne saurait la justifier de la part de Napoléon. Elle ne pouvait lui donner aucun résultat favorable, à cause de l'immense supériorité de l'ennemi, car presque toutes ses forces étaient réunies. Les localités ne nous offraient aucun avantage particulier, et nous combattions dans un pays ouvert. Enfin, si quelque chose doit étonner, après l'idée de donner cette bataille, c'est d'avoir vu l'ennemi si mal profiter de ses avantages, et l'armée française échapper à une destruction complète.

J'allai trouver, dans la soirée, l'Empereur au château de Brienne. Il me fit connaître ses intentions pour le lendemain. L'armée devait se retirer sur Troyes en passant l'Aube au pont de Lesmont. Afin de faciliter sa marche et d'empêcher l'ennemi de la poursuivre trop vivement, Napoléon m'ordonna de me retirer, avec mon infanterie, qui ne s'élevait pas à plus de deux mille hommes, ma cavalerie et six pièces de canon, par Perthes et Rosnay. La masse de mon artillerie et de mes bagages suivrait la chaussée. Je devais prendre position à Perthes avant le jour, et me montrer avec ostentation, afin d'attirer l'attention de l'ennemi, passer ensuite, à Rosnay, la Voire, rivière étroite, mais profonde, et la défendre. Un pont, au-dessous de Rosnay, devait servir à la retraite d'un petit corps commandé par le général Corbineau, chargé de le détruire après l'avoir franchi. Je me rendis donc à Perthes pendant la nuit. Ce village est situé au milieu d'un sol marécageux, mais qui, en ce moment, était très-solide, à cause du froid excessif qui régnait. Il est placé sur une petite élévation. A la pointe du jour, je plaçai mes troupes de manière à les faire paraître nombreuses et à donner de l'inquiétude à l'ennemi.

La masse des troupes de l'armée se retirait, mais en désordre, et le mouvement s'accéléra, au pont de Lesmont, de manière à rappeler les désastres de la campagne précédente, et à faire craindre les plus grands malheurs.

Tout à coup l'ennemi, apercevant sur son flanc droit, et à portée, un corps de troupes stationnées, changea la direction de sa marche et porta presque toutes ses forces sur moi. C'était remplir mon objet. Je me mis en mouvement pour me rapprocher du défilé; mais, voulant occuper autant que possible l'ennemi, je ne me hâtai pas de le franchir. Je fis garnir, par des détachements d'infanterie, des bouquets de bois situés à une petite distance en avant, et je restai, sous cet appui, avec ma cavalerie.

L'ennemi se présenta avec des forces immenses. Il commença par établir une batterie de vingt pièces de canon. Ce fut seulement quand cette batterie eut commencé à jouer que j'effectuai le passage du défilé avec ordre, sans confusion, et comme je l'aurais exécuté à une grande manoeuvre. Une fois de l'autre côté de la rivière, je m'occupai à faire détruire les ponts placés, à la suite les uns des autres, sur les divers bras de cette rivière. Nous étions malheureusement dépourvus de toute espèce d'outils. La force de la gelée avait donné la dureté de la pierre à la terre qui recouvrait ces ponts. Ce ne fut qu'avec une peine extrême que l'on parvint à y faire une coupure. Les longerons mêmes restèrent intacts, faute de haches et de scies pour les détruire.

Pendant ces travaux, je remarquai, sur la rive droite de la Voire, à quelque distance, plusieurs hommes à cheval qui paraissaient ennemis. Je supposai qu'il existait un gué sur la Voire, à un point plus bas, et qu'il avait été franchi par quelques éclaireurs. Comme je n'avais que faire de ma cavalerie en ce moment, je lui donnai l'ordre d'aller balayer le bord de la rivière. Un peu plus tard, pensant qu'un peu d'infanterie pouvait être utile, j'ordonnai au général Lagrange de partir, avec huit cents hommes, pour suivre le mouvement de la cavalerie. Enfin, le pont étant détruit autant qu'il pouvait l'être, je me décidai à descendre la rivière, et à aller voir moi-même ce qui se passait de ce côté. Arrivé à moitié chemin du lieu où étaient les troupes, j'entendis une fusillade assez vive. Je courus sur la hauteur, et je vis cinq cents hommes de mes troupes que le général Lagrange avait portés en avant, se retirant en désordre, à la vue d'une masse de trois à quatre mille hommes d'infanterie marchant à eux, après avoir passé la rivière sur le pont abandonné par le général Corbineau, sans l'avoir détruit.

Je courus aux fuyards, et cherchai à les rallier, mais inutilement. Alors je pris le parti de me rendre avec rapidité au 131e, fort de trois cents hommes environ, en réserve, et formé en colonne. Quelques paroles suffirent pour l'exalter. Immédiatement après il fut mis en mouvement en battant la charge. Je me plaçai à dix pas en avant avec quelques officiers. J'envoyai l'ordre à ma cavalerie de faire simultanément une charge sur le flanc de la montagne. Ceux qui auparavant fuyaient et avaient été sourds à ma voix revinrent sur leurs pas à la vue de ce mouvement offensif. Nous arrivâmes ainsi, avec impétuosité, à l'extrémité du plateau au moment même où la tête de la masse ennemie l'attaquait du côté de la rivière. La culbuter fut l'affaire d'un moment. Abîmée par notre feu et sabrée par la cavalerie, ce qui ne fut pas tué fut pris ou noyé. L'ennemi y perdit environ trois mille hommes.

Presque toute l'armée ennemie vint se former de l'autre côté de la rivière. Quatre-vingt mille hommes étaient en vue. Une nombreuse artillerie, déployée contre nous, ne produisit aucun effet. Tout, de notre côté, pièces et troupes, était embusqué et mis à couvert.

L'ennemi tenta de nouveau de passer le pont; mais mes six pièces de canon, placées à portée de mitraille, le battaient avec succès. Beaucoup de tirailleurs y dirigèrent leur feu, et l'ennemi, après deux tentatives inutiles, y renonça. Un tiraillement insignifiant s'engagea ensuite d'une rive à l'autre.

Mais l'ennemi ne voulait pas renoncer à venger ce revers. Il porta une portion de ses troupes en face de Rosnay et essaya d'enlever le pont sur lequel nous avions passé.

Les longerons étaient découverts et sans tablier. Il fallait passer en équilibre, un à un, sur les poutres. Je plaçai en embuscade, en arrière et à couvert par l'église, un officier de choix avec trois cents hommes. Je lui donnai l'ordre de laisser l'ennemi s'avancer: cent hommes au moins devaient franchir la coupure. Quand ils seraient en deçà, les trois cents hommes embusqués marcheraient sur eux, les prendraient ou les jetteraient dans l'eau.

Ce brave officier, nommé Salette, avait été longtemps mon aide de camp. Il exécuta ponctuellement sa consigne, et le détachement ennemi, en tête de la colonne, fut détruit, mais il y perdit la vie.

L'ennemi renonça alors à faire de nouvelles tentatives. Sur ces entrefaites, on me prévint qu'une colonne se montrait sur la route de Vitry, et allait nous prendre à dos. Le moment était critique. Faire retraite dans un pays ouvert, ayant devant soi des forces si considérables, et en commençant son mouvement de si près, était fort périlleux. Un peu d'avance était nécessaire. La mauvaise saison vint a mon secours; la neige, tombant à gros flocons, obscurcit le temps. Mes troupes se portèrent à un quart de lieue en arrière, je laissai les mêmes tirailleurs au pont pour répondre à l'ennemi, en leur recommandant de diminuer successivement leur feu, et ensuite de venir nous joindre. L'ennemi ne s'apercevant ni de notre silence ni de leur départ, ils nous avaient rejoints, et nous étions en pleine marche pour Dampierre et Arcis, lorsque nous entendions encore ses décharges multipliées.

J'allai prendre position, le soir, à Dampierre. Rarement un général s'est trouvé dans une circonstance aussi difficile. Si j'étais arrivé quelques minutes plus tard sur le point où l'ennemi venait de passer la rivière, ou que j'eusse hésité un instant à me mettre à la tête de cette poignée de soldats, seule troupe sous ma main, c'en était fait de mon petit corps: personne n'échappait. Il y a un grand charme et une grande jouissance à obtenir un succès personnel, à sentir, au fond de la conscience, que le poids de sa personne, et, pour ainsi dire, de son bras, a fait pencher la balance et procuré la victoire. Cette conviction, partagée par les autres, et exprimée par un sentiment d'admiration et de reconnaissance, cause une félicité dont on ne peut guère avoir l'idée quand on ne l'a pas éprouvée.

L'Empereur, extrêmement satisfait de ce succès, récompensa les officiers que je lui désignai. Ce coup de vigueur, fait avec si peu de monde contre des troupes si supérieures en nombre et en moyens, prouvait qu'il y avait encore un reste d'énergie en nous-mêmes, et que, si le nombre nous accablait, nous n'avions pas dégénéré.

Pendant ces divers mouvements, le général York, dont l'avant-garde avait été, le 31, à Montier-en-Der, au lieu de continuer sa marche pour opérer sa jonction avec l'armée, se dirigea sur Vitry, qui d'abord se défendit, de là sur Châlons, où le duc de Tarente était le 31 janvier.

Le duc de Tarente ayant évacué Châlons et envoyé au général Mont-Marie, commandant à Vitry, l'ordre de quitter cette place, le corps d'York passa la Marne et suivit le duc de Tarente dans son mouvement sur Épernay, Château-Thierry, et la Ferté-sous-Jouarre. Le duc de Tarente, en se retirant constamment contre des forces très-supérieures, retarda, autant qu'il était possible, la marche de l'ennemi; mais sa retraite était en outre nécessitée par la marche du reste de l'armée de Silésie, qui se portait sur la Ferté-sous-Jouarre, par la route directe de Montmirail.

Le lendemain du combat de Rosnay, 3 février, je me portai à Arcis-sur-Aube, où je pris position. L'Empereur s'était placé en avant de Troyes, où il réunit au reste de ses forces le maréchal duc de Trévise, qui s'y trouvait déjà. Là il s'arrêta. L'ennemi ne fit aucune entreprise sérieuse; il n'y eut que quelques engagements insignifiants.

Pendant toute la journée du 4, je pus voir, d'Arcis, les colonnes ennemies descendant la rivière par la rive droite, et se portant dans la direction de Fère-Champenoise. Malgré les efforts de courage si récents dont les soldats devaient être glorieux, un découragement général se faisait sentir par un symptôme effrayant. Deux cent soixante-sept soldats du 37e léger désertèrent pendant la même nuit; des cuirassiers en firent autant avec un officier supérieur prisonnier, qu'ils étaient chargés de garder.

La division Lagrange, par suite des combats livrés et de cette désertion continuelle, se trouvait, après avoir reçu des renforts en apparence considérables, réduite à dix-huit cent vingt-quatre baïonnettes.

Le 5, d'après les ordres de l'Empereur, je me portai sur Méry, au confluent de l'Aube avec la Seine, et, le 6, à Nogent-sur-Seine.

Le mouvement décousu de l'ennemi; les rapport faisant connaître la marche des colonnes ennemies à distante l'une de l'autre, et sans se soutenir; la probabilité qu'une partie des troupes composant l'armée de Silésie était sur la Marne, à la suite du duc de Tarente; enfin, la certitude de la présence, devant Troyes, de la grande armée, toutes ces considérations me firent naître la pensée que la fortune nous présentait une occasion favorable pour faire un grand mal à l'ennemi en agissant avec promptitude. En débouchant rapidement par Sézanne, et coupant la route de Montmirail, on avait la chance de rencontrer ses corps éparpillés. Autant par leur faiblesse que par la surprise, on pouvait les écraser et même les détruire. J'envoyai mes réflexions à l'Empereur, et lui proposai cette opération. Elle me paraissait si utile, que j'insistai. Je lui écrivis trois fois dans la journée sur le même sujet. Comme mes idées furent adoptées, et qu'un résultat brillant en a été le prix, je consacrerai ces souvenirs en insérant ici la lettre que j'écrivis au prince de Neufchâtel, le 6 février au soir, de Nogent.

«Monseigneur, j'ai l'honneur de vous rendre compte que les renseignements fournis par les habitants donnent pour certain l'arrivée hier, à Pleurs, de cinq mille hommes d'infanterie prussienne. Ces troupes, ainsi que celles qui les ont précédées, filent sur la Ferté-Gaucher. D'autres troupes ennemies marchent sur Montmirail par Étoges. Il semblerait que celles-ci sont russes, et appartiennent au corps de Sacken.

«Ces nouvelles me confirment dans l'opinion que je vous ai déjà émise aujourd'hui. L'Empereur obtiendrait un grand résultat d'un mouvement rapide que l'on pourrait faire après-demain avec douze ou quinze mille hommes, en marchant par Sézanne sur la trace de l'ennemi, et le coupant jusque sur Fromentière et Champaubert. L'ennemi est sans défiance, parce qu'il ne croit pas à l'existence d'un corps d'armée considérable ici. Cependant il va y avoir moyen de le former. En ne perdant pas un moment, on pourrait obtenir les plus grands avantages. La présence de l'Empereur à Troyes attire les regards et arrête les principales forces de l'ennemi. Pendant ce temps, on peut détruire les troupes qui s'éloignent et marchent inconsidérément.»

Mes instances convainquirent l'Empereur. Le 7, je reçus l'ordre de commencer mon mouvement. Ce même jour, j'arrivai dans la nuit à Fontaines-Denis. Le 8, j'entrai à Sézanne, d'où je chassai huit cents chevaux ennemis qui se retirèrent dans la direction de la Ferté-Gaucher.

Informé par les habitants de la marche des principaux corps ennemis par la route d'Étoges à la Ferté-sous-Jouarre, je plaçai mes troupes en avant de Chapton. J'envoyai des reconnaissances sur Bayes pour avoir des nouvelles, afin de déboucher avec connaissance de cause aussitôt que je serais appuyé. Les rapports annonçaient la présence de l'ennemi ayant des troupes assez nombreuses à Montmirail, à Champaubert et à Vertus. L'Empereur n'arrivant pas, je rapprochai mes troupes de Sézanne pour ne pas donner l'éveil à l'ennemi; mais le 9, ayant reçu l'avis de la marche de Napoléon avec sa garde, je me reportai en avant. Le 10, je passai le défilé de Saint-Gond, et je marchai sur l'ennemi occupant Bayes.

Le corps d'Olsouffieff s'y trouvait placé en intermédiaire entre le corps de Sacken et Montmirail, et le corps de Kleist à Vertus, où Blücher était en personne. J'attaquai immédiatement. Les Russes firent bonne contenance, et se battirent avec courage. Leur artillerie était nombreuse; mais ils n'avaient point de cavalerie. Bayes fut emporté. Le corps principal, placé en avant de Champaubert, fut culbuté et se mit en retraite. Présumant qu'il la ferait dans la direction de Vertus, je fis placer toute ma cavalerie à ma droite et la dirigeai en arrière du village de Champaubert, où la tête de la colonne en retraite arrivait déjà. Jetée hors de la communication principale, dans un pays difficile et boisé, à un mouvement régulier succéda le désordre et la confusion. Tout fut pris ou détruit, à l'exception de sept ou huit cents hommes qui atteignirent Vertus par détachements. Quinze pièces du canon tombèrent en notre pouvoir. Nous fîmes plus de quatre mille prisonniers, et, entre autres, le général Olsouffieff en personne, commandant ce corps. La force de mon corps d'armée, en hommes présents sous les armes, était ce jour-là de trois mille deux cents hommes d'infanterie, représentant cinquante-deux bataillons différents, et de quinze cents chevaux. Aucune autre troupe que les miennes ne fut engagée.

Je me portai sur Étoges qui, pour nous, était la position défensive. Le plateau élevé de la Brie-Champenoise domine les immenses plaines stériles et dépouillées qui le précédent, et composent tout le pays, depuis Étoges jusqu'à Châlons.

Les troupes montrèrent une grande valeur. Des conscrits, arrivés de la veille, entrèrent en ligne, et se conduisirent, pour le courage, comme de vieux soldats. Oh! qu'il y a d'héroïsme dans le sang français! Je ne puis me refuser au plaisir de citer deux mots de deux conscrits qui peignent, tout à la fois, l'esprit de cette jeunesse et les instruments dont il nous était donné de nous servir.

Deux conscrits étaient aux tirailleurs. Ils avaient été commandés par l'ordre de service. Je m'y trouvais aussi. J'en vis un qui, fort tranquille au sifflement des balles, ne faisait cependant pas usage de son fusil. Je lui dis: «Pourquoi ne tires-tu pas?» Il me répondit naïvement: «Je tirerais aussi bien qu'un autre si j'avais quelqu'un pour charger mon fusil.» Ce pauvre enfant en était à ce point d'ignorance de son métier.

Un autre, plus avisé, s'apercevant de l'inutilité dont il était, s'approcha de son lieutenant et lui dit: «Mon officier il y a longtemps que vous faites ce métier-là; prenez mon fusil, tirez, et je vous donnerai des cartouches.» Le lieutenant accepta la proposition, et le conscrit, exposé à un feu meurtrier, ne montra aucune crainte pendant toute la durée de l'affaire.

Après avoir établi mes troupes à Étoges, je revins de ma personne à Champaubert, où Napoléon avait mis son quartier général. Je m'étais fait précéder par le général Olsouffieff.

Je trouvai Napoléon à table, ayant avec lui Olsouffieff, le prince de Neufchâtel, le maréchal Ney. J'y pris place. Nous étions cinq. Le général russe ne savait pas un mot de français; ainsi le discours que Napoléon nous tint n'était pas à son adresse.

L'Empereur était ivre de joie. Cependant ce succès obtenu, glorieux pour le sixième corps si peu nombreux, ne pouvait pas être d'un grand poids dans la balance de nos destinées, et néanmoins voilà la réflexion qu'il inspira à Napoléon:

«A quoi tient le destin des empires! dit-il: si demain nous avons, sur Sacken, un succès pareil à celui que nous avons eu aujourd'hui sur Olsouffieff, l'ennemi repassera le Rhin plus vite qu'il ne l'a passé; et je suis encore sur la Vistule.»

Ainsi c'était à Champaubert que son imagination embrassait encore l'Europe. Il vit faire la grimace à ses auditeurs, et dit, pour détruire le mauvais effet de ces paroles: «Et puis je ferai la paix aux frontières naturelles du Rhin.» Chose dont il se serait bien gardé! Et cependant cet homme, si rempli d'illusions, si déraisonnable, avait encore les aperçus du génie quand ses passions ne parlaient pas! Son esprit était profond et pénétrant, sa tête la plus féconde qui fût jamais. Je l'ai vu souvent prédire et juger d'une manière surnaturelle, et puis le jugement disparaissait dans l'action, quand la passion venait le combattre: alors il n'était plus lui-même. Je vais en apporter, dans cette circonstance, une nouvelle preuve. Avant son départ de Paris, M. Mollien, ministre du trésor, lui dit: «Le peu de moyens avec lesquels vous commencez la campagne peut faire redouter que l'ennemi ne vienne dans le coeur de la France, et que les Cosaques ne gênent les communications avec Paris; ne serait-il pas convenable de transporter le trésor sur la Loire, afin que le service ne pût pas manquer?»

L'Empereur lui répondit ces propres paroles, en lui frappant sur l'épaule, geste qui lui était familier: «Mon cher, si les Cosaques viennent devant Paris, il n'y a plus ni empire ni empereur.» Et, à peine à quinze jours de distance, le même homme a tenu un propos si différent à l'occasion de quelques prisonniers faits à une armée de deux cent mille hommes!

Le lendemain l'Empereur marcha sur Montmirail avec la garde, une division venant d'Espagne, commandée par le général Leval, et les troupes de Ricard qu'il m'enleva. Je restai à Étoges avec deux mille cinq cents hommes d'infanterie et quinze cents chevaux.

L'Empereur, dont les troupes furent augmentées d'une division de jeune garde, amenée par le duc de Trévise, battit Sacken à Montmirail. Celui-ci se retira sur Château-Thierry, fut recueilli par le corps de York et passa la Marne. Le soir même de l'affaire de Montmirail, le comte de Tascher, aide de camp du vice-roi, arriva d'Italie pour annoncer à l'Empereur le succès du combat du Mincio, où les Autrichiens avaient été battus. Quand on annonça Tascher à Napoléon, il dit: «Il vient sans doute m'apprendre qu'Eugène a commencé son mouvement.»

Ce mot de Napoléon prouve, encore une fois de plus, qu'il n'avait point donné contre-ordre à Eugène. Les amis de celui-ci ont prétendu que l'Empereur le lui avait envoyé après les affaires de Montmirail et de Vauchamps, c'est-à-dire vers le 15 février; mais ce raisonnement ne le justifie pas le moins du monde et tombe dans l'absurde. On convient qu'Eugène a reçu l'ordre de venir dès le commencement de janvier; mais qui l'a autorisé à différer, non-seulement l'exécution, mais encore les préparatifs. Pour quelle époque Napoléon le demandait-il? Sans doute pour la plus rapprochée, c'est-à-dire pour celle où il combattait avec des débris contre des forces immenses, où il était sur le bord du précipice, où il devait tout sacrifier pour ne pas succomber. Cette lutte ne pouvait pas se prolonger hors de mesure. Si Eugène était nécessaire, c'était tout de suite. On ne pouvait pas concevoir autrement son concours. Eh bien, depuis le 1er janvier jusqu'au 25 février, époque à laquelle le contre-ordre prétendu aurait pu lui parvenir, a-t-il fait la moindre disposition pour rentrer en France, et cette marche, pour réussir, en exigeait beaucoup! A-t-il fait sauter les places qu'il avait l'ordre d'abandonner? En a-t-il fait même miner une seule? Non; Eugène a désobéi; il a contribué plus que qui que ce soit à la catastrophe. Rien ne peut l'excuser [4].

Note 4: (retour) Le général d'Anthouard m'a raconté depuis que, se trouvant, quelque temps après la Restauration, à Munich, et travaillant avec le prince, dans son cabinet, à mettre en ordre ses papiers, il retrouva l'ordre écrit qu'il lui avait porté pour exécuter le mouvement dont je viens de parler. Il le lui montra, et lui dit: «Croyez-vous, monseigneur, qu'il soit bien de conserver ce papier?--Non, reprit Eugène;» et il le jeta au feu. (*Note du duc de Raguse.*)

Je reviens aux opérations sur la Marne. J'étais resté à Étoges pendant le mouvement de Napoléon sur Château-Thierry, et Blücher, avec vingt mille hommes qu'il avait sous la main à Vertus, allait reprendre l'offensive. Tous les rapports l'annonçaient. J'occupais le beau plateau d'Étoges, en étendant ma gauche pour mieux m'éclairer. Dès le 13, Blücher commença son mouvement et marcha sur Étoges. Quand toutes ses colonnes se furent montrées, quand il eut fait ses dispositions d'attaque et amené du canon contre ma gauche, je fis ma retraite en bon ordre, et facilement, parce que tout avait été prévu. Quoique l'avant-garde ennemie marchât à très-petite distance de mon arrière-garde, il n'y eut que des engagements de troupes légères. Je pris position, le soir, en avant de Fromentière, appuyé aux bois voisins de ce village. Aussitôt après avoir commencé mon mouvement, j'avais envoyé, en toute hâte, un officier à l'Empereur pour le lui annoncer. Cet officier le trouva à Château-Thierry. Napoléon se mit en marche avec ses troupes pour revenir à Montmirail.

Je partis le 14, à quatre heures du matin, de Fromentière, et me rapprochai de Montmirail, où je devançai mes soldats.

L'Empereur venait d'y arriver. Il me dit que ses troupes le suivaient, et que je pouvais m'arrêter et attaquer l'ennemi à l'improviste. Il y a, en arrière du village de Vauchamps, du côté de Paris, une position avantageuse et facile à défendre. C'est la pente du plateau qui borde le vallon dans lequel Vauchamps est bâti. A la gauche, un bois, dans une position avantageuse, donnait les moyens de prendre à revers tout ce qui se serait avancé par la grande route. Je le fis occuper par mes troupes, et toute mon artillerie fut mise en batterie sur le front de cette position.

L'ennemi, dont les forces étaient si supérieures aux miennes, croyait n'avoir rien à redouter. Aussi marchait-il avec une entière confiance, ses troupes en colonnes se touchant, n'ayant aucune distance entre elles, et sans même se faire éclairer. Je lui avais abandonné le village de Vauchamps. Il le traverse: tout à coup, en débouchant, il est assailli par un feu meurtrier d'artillerie et de mousqueterie; je porte mes troupes en avant, et j'enveloppe le village, dans lequel l'ennemi se rejette en confusion et dont il sort dans le même état.

J'ordonne au colonel des cuirassiers Morin, qui était sur le flanc gauche du village avec un escadron que je renforçai de mon escorte, de charger; et plus de deux mille cinq cents hommes sont faits prisonniers, tandis que le général Laferrière, qui commandait la cavalerie de la garde, chargeant par la droite, culbute l'ennemi, complète le désordre, et fait aussi des prisonniers.

Dès ce moment, l'ennemi, qui n'avait aucune formation, dut se retirer, et il le fit avec autant de célérité que possible.

D'un autre côté, deux bataillons ennemis, détachés pour occuper un bois qui couvrait sa droite, se trouvant surpris et brusquement isolés par la retraite de la masse des Prussiens, furent enveloppés, capitulèrent, et mirent bas les armes.

Napoléon avait mis sous mes ordres le corps de cavalerie de Grouchy, fort de deux mille cinq cents chevaux; j'y avais ajouté, de ma propre cavalerie, tout ce dont je pouvais disposer. Je lui avais en même temps ordonné de faire un détour par la plaine, c'est-à-dire à notre gauche, de prévenir l'ennemi sur son point de retraite, et d'aller se mettre en bataille derrière lui, à cheval sur la route de Champaubert et d'Étoges. Ce mouvement fut exécuté, quoiqu'un peu tardivement. La division Ourousoff reçut avec valeur les charges dirigées contre elle: elle continua sa marche, et s'ouvrit un passage pour se rendre à Étoges, où elle s'arrêta. Cette dernière action se passa à la chute du jour. Quand nous fûmes arrivés à Champaubert, l'Empereur me fit envoyer l'ordre de m'y arrêter: mais rien n'était plus mal entendu. Nous ne pouvions laisser l'ennemi à une aussi petite distance de nous. La position de Champaubert n'offre d'ailleurs rien de défensif, et celle d'Étoges, détestable pour l'ennemi, était excellente pour nous.

J'allais être évidemment abandonné avec une poignée de troupes sur ce point, et il était bon de le nettoyer auparavant de s'affaiblir. Je me décidai donc à marcher sur Étoges, à y faire une attaque de nuit, afin d'y entrer par surprise. Des tentatives semblables, après un premier succès, devraient être faites plus souvent à la guerre: elles réussiraient presque toujours.

Mais, mes troupes ayant combattu seules pendant toute la journée, tous mes soldats avaient été engagés; je n'avais pas trois cents hommes ensemble. Je demandai au maréchal Ney de me prêter un de ses régiments de la division d'Espagne, commandée par le général Leval, qui me suivait. Il me le refusa.

Sentant l'urgence des circonstances, je donnai l'ordre direct à un régiment de cette division, de huit ou neuf cents hommes, de me suivre. Je le plaçai en colonne sur la route, lui prescrivis de se faire éclairer, seulement à cent pas, à droite et à gauche, par cinquante hommes, de marcher ainsi formé sans bruit, de ne pas tirer, et de se jeter, quand il serait à portée, sur Étoges sans répondre au feu de l'ennemi. Quant à moi, je marchai, de ma personne, à la queue de cette colonne.

Ce que j'avais prévu arriva. L'ennemi, occupé à faire son établissement de nuit, n'était pas sur ses gardes. Surpris, il n'opposa aucune résistance et s'enfuit. On fit plus de trois mille prisonniers, parmi lesquels se trouvait le prince Ourousoff, commandant cette division, qui avait été blessé à la cuisse d'un coup de baïonnette. Il me fut amené au château d'Étoges, où je m'établis. L'entrée de ce général donna lieu à deux scènes, l'une fort plaisante, la seconde fort curieuse, et qui fait connaître une nature d'hommes moins rare qu'on ne pense dans les armées.

Le prince Ourousoff, en entrant, me tint le discours suivant:

«Monsieur le maréchal, je vous demande mille pardons de ce qui s'est passé et de ce que nous nous sommes si mal défendus. En voyant la nuit arrivée, en entendant vos trompettes sonner le rappel, je me suis dit: Les Français font la guerre comme nous et ne se battent pas la nuit. En conséquence, j'ai cru que l'on pouvait aller, sans danger, à l'eau et à la paille. Dans le cours de la journée, vous avez dû être content de nous, et nous avons, j'espère, mérité vos éloges. Certes nous avons bien repoussé les charges de votre cavalerie et traversé ses lignes avec vigueur; mais ensuite nous avons été surpris, et je vous renouvelle mes excuses.»

C'est une chose tout à fait digne de remarque pour l'observateur que de voir, dans certaines armées, l'esprit militaire l'emporter sur tous les autres sentiments, et mettre avant tous les autres intérêts ceux du métier et l'estime qu'on y acquiert. J'ai revu le prince Ourousoff depuis à Moscou, et il me parla encore sur le même ton de sa mésaventure.

Voici l'autre trait. Ma maison, toujours bien fournie, était dans l'occasion la ressource de tout le monde. Le général Grouchy, dont la cavalerie était restée à Champaubert, vint, de sa personne, me demander à souper, ce qui était fort bien fait. J'avais sur ma table l'épée du prince Ourousoff. Le général Grouchy me pria de lui en faire cadeau pour remplacer son sabre, qui le gênait, me dit-il, par suite d'une ancienne blessure. Je n'attachais pas beaucoup de prix à cette dépouille opime, et je la lui abandonnai sans y mettre la plus légère importance; mais quel fut mon étonnement quand je lus peu de jours après, dans le *Moniteur*, un article ainsi conçu: «M. Carbonel, aide de camp du général Grouchy, est arrivé à Paris, et a remis, de la part de son général, à Sa Majesté l'Impératrice l'épée du prince Ourousoff, qu'il a fait prisonnier à la bataille de Vauchamps.» Un fait pareil ne suffit-il pas pour peindre un homme?

CORRESPONDANCE ET DOCUMENTS RELATIFS AU LIVRE DIX-NEUVIÈME

LE MAJOR GÉNÉRAL AU MARÉCHAL MARMONT.

«Mayence, le 2 novembre 1813.

«Monsieur le maréchal, je désire que vous m'envoyiez, sans retard, un état nominatif de tous les officiers généraux, supérieurs et autres, de l'état-major, qui ont fait partie du sixième corps d'armée depuis le 21 septembre, époque à laquelle vous m'avez fait le dernier envoi de l'état de situation. Il faut avoir soin d'indiquer, sur celui que je vous demande, les causes d'absence ou de mutations. Je joins à cette lettre l'état du 21 septembre; il pourra servir à la fois de base et de modèle.

«Le prince vice-connétable, major général,

«ALEXANDRE.»

LE MAJOR GÉNÉRAL AU MARÉCHAL MARMONT.

«Mayence, le 2 novembre 1813.

«J'ai donné l'ordre au troisième corps d'armée de traverser aujourd'hui la ville, d'aller coucher au delà, et de se rendre demain à Bechtheim, qui est le lieu assigné pour son cantonnement.

«Faites pareillement traverser la ville au sixième corps d'armée; faites-le coucher au delà, et faites-lui continuer sa marche demain pour se rendre à Oppenheim, qui est le lieu assigné pour son cantonnement.

«Le cinquième corps d'armée est cantonné entre Mayence et Bingen, à Ober et Nieder-Ingelheim.

«Quant au septième corps d'armée, commandé par M. le général Durutte, donnez-lui l'ordre, monsieur le maréchal, de se réunir à Castel, où il restera jusqu'à nouvel ordre.

«Laissez ici, en passant, quelques officiers de confiance pour réunir tous vos isolés.

«Faites-moi parvenir le plus tôt possible, monsieur le maréchal, l'état de situation très-détaillé et par bataillon de votre corps d'armée, afin que je puisse le mettre sous les yeux de l'Empereur.

«Le prince vice-connétable, major général,

«ALEXANDRE.»

LE MAJOR GÉNÉRAL AU MARÉCHAL MARMONT.

«Mayence, le 3 novembre 1813.

«L'Empereur ordonne, monsieur le duc, que vous preniez le commandement de la rive gauche du Rhin, depuis Coblentz jusqu'à Landau.

«L'intention de Sa Majesté est que le général de division et les généraux de brigade commandant dans les départements de la vingt-sixième division militaire soient continués dans leurs fonctions; mais ils devront correspondre chacun avec vous, qui êtes chargé de la surveillance supérieure de cette partie de la frontière. J'écris à cet égard au général commandant la vingt-sixième division.

«Je vous préviens que, d'après les intentions de Sa Majesté, je donne l'ordre à M. le duc de Bellune de se rendre à Strasbourg et d'y prendre le commandement de la frontière, depuis Huningue jusqu'à Landau.

«M. le duc de Tarente a déjà eu l'ordre d'aller prendre le commandement de la frontière depuis l'embouchure de la Moselle jusqu'à Zwoll.

«Ainsi, vous, M. le duc de Bellune et M. le duc de Tarente, vous vous trouverez avoir le commandement supérieur depuis la Hollande jusqu'à la Suisse.

«Prenez la surveillance supérieure de tout ce qui concerne le service et la sûreté de cette partie de la frontière, et correspondez journellement avec moi, afin que Sa Majesté soit parfaitement instruite de l'état des choses. Je donne avis de ces dispositions au ministre de la guerre.

«Vous correspondrez avec M. le duc de Bellune et M. le duc de Tarente quand cela sera nécessaire.

«Le prince vice-connétable, major général,

«ALEXANDRE.»

LE MAJOR GÉNÉRAL AU MARÉCHAL MARMONT.

«Mayence, le 5 novembre 1813.

«J'ai mis sous les yeux de l'Empereur, monsieur le duc, la lettre par laquelle vous rendiez compte qu'on n'a pu s'emparer que d'une très-petite quantité des bateaux du Necker, et que, l'ennemi ayant ainsi sur ce point des moyens de passer le fleuve et de jeter des partis sur la rive gauche, il paraissait urgent de placer une batterie de trois ou quatre pièces de canon sur la digue en face du Necker, pour empêcher les bateaux de descendre dans le Rhin.

«Sa Majesté approuve cette proposition. Elle me charge de vous faire connaître que cela ne lui paraît pas même suffisant, et qu'il faudrait y construire une bonne redoute où l'on pût placer du canon de gros calibre. J'écris à cet égard aux généraux Rogniat et Sorbier. Donnez de votre côté, monsieur le maréchal, les ordres qui vous concernent pour remplir à cet égard les intentions de l'Empereur, et rendez-m'en compte.

«Le prince vice-connétable, major général,

«ALEXANDRE.»

LE MAJOR GÉNÉRAL AU MARÉCHAL MARMONT.

«Oppenheim, le 10 novembre 1813,
cinq heures du matin.

«J'ai reçu votre lettre d'hier à neuf heures du soir.--Il est fâcheux que le général Bertrand n'ait pas eu le temps de finir ses ouvrages. Je pense que Votre Excellence rend compte et correspond journellement et directement avec l'Empereur. Le général Lagrange me dit qu'il n'a pas une pièce de canon. L'Empereur a ordonné des dispositions pour l'artillerie des corps d'armée. Il est nécessaire que vous fassiez venir le général Sorbier pour savoir où en est l'exécution des ordres de Sa Majesté.

«Ce matin je passe la revue, c'est-à-dire je nomme aux emplois vacants du troisième corps, qui maintenant fait partie du sixième; de là je me rends à Worms, pour voir le deuxième corps, et suivrai ma route sur Landau. Je vous préviens, monsieur le maréchal, que je me borne aux emplois vacants, et que je ne donne aucun ordre dans l'étendue de votre commandement; tout doit émaner de vous. Je m'empresserai de vous faire part de ce que je remarquerai d'ici à Landau.

«Le prince vice-connétable, major général,

«ALEXANDRE.»

NAPOLÉON AU MARÉCHAL MARMONT.

«Saint-Cloud, le 12 novembre 1813.

«Mon cousin, le duc de Valmy avait placé des hommes isolés dans plusieurs cadres du 113e régiment, et des Hollandais dans quatre bataillons; je crois que j'en ai disposé pour d'autres corps. Il convient que vous me fassiez connaître l'état des cadres qui restent à Mayence; car il importe que tous les hommes isolés rejoignent leurs corps respectifs et qu'on puisse disposer des cadres. Envoyez-moi l'état de tous ceux qui seront disponibles.

«Dans l'organisation naturelle, plusieurs dépôts de cavalerie et d'infanterie étaient placés à Mayence. J'ai ordonné de les en retirer pour faire place aux troupes actives. Faites-moi connaître où ces dépôts ont été envoyés. Il faut que le général commandant la division en instruise exactement le ministre de la guerre; sans quoi on serait exposé à faire faire de faux mouvements aux conscrits.

«NAPOLÉON.»

NAPOLÉON AU MARÉCHAL MARMONT.

«Saint-Cloud, le 12 novembre 1813.

«Mon cousin, j'ai reçu votre lettre du 9 novembre. Je regarde comme très-utile que vous puissiez occuper Ehrenbreitstein; mais il faudrait avoir auparavant les sapeurs, les outils, l'artillerie et les vivres, pour une quinzaine de jours tout prêts, afin de pouvoir, quand on l'aurait occupé, s'y mettre, en vingt-quatre heures, en état de défense, et continuer, tous les jours, à se renforcer.

«NAPOLÉON.»

NAPOLÉON AU MARÉCHAL MARMONT.

«Saint-Cloud, le 12 novembre 1813.

«Mon cousin, vous me dites, dans votre lettre du 9 novembre, qu'il y a sept cents voitures d'artillerie de campagne et aucun moyen de les atteler. Je pense que c'est une opération très-convenable que de diriger une partie de ces voitures sur Metz. Au reste, le ministre de la guerre donne des ordres à l'artillerie sur cet objet.--Le cinquième corps est si peu de chose, que je pense convenable que vous le dirigiez tout entier sur Coblentz, avec le corps du duc de Padoue; cela donnera l'infanterie et la cavalerie nécessaires pour la garde du Rhin. Donnez des ordres en conséquence.--La garde se trouve trop resserrée. Il me semble que j'ai ordonné à la vieille garde à cheval de se rendre à Kreuznach; elle pourrait s'étendre jusque du coté de Simmern et de Trèves. J'ai également envoyé les soixante-huit bouches à feu attelées de la garde à Kreuznach.

«Le cinquième corps se rendant à Coblentz, une division de la jeune garde pourra s'appuyer à Bingen; la garde pourra même s'étendre du côté de Kayserslautern. Le principal est que la cavalerie et l'infanterie se refassent; pour cela, il faut prendre plus de terrain.

«On m'annonce que le général Bertrand a évacué Hochheim; cela est très-fâcheux. Il sera alors impossible à tout son corps de rester sur la rive droite; et, comme je n'avais laissé la vieille garde à la proximité de Mayence que pour soutenir le général Bertrand dans la position de Hochheim, je pense qu'elle peut maintenant se rendre à Kayserslautern. Le duc de Trévise y portera son quartier général.

«La jeune garde sera entre Bingen et Mayence et Kayserslautern; la cavalerie sera à Kreuznach et s'étendra dans les vallées de Kayserslautern et de Deux-Ponts; la vieille garde à pied sera, comme je l'ai dit, à Kayserslautern et aux environs.

«Faites connaître ces dispositions au duc de Trévise en vous servant, pour éviter toute collision d'étiquette, de l'intermédiaire du général Belliard, aide-major général, auquel vous communiquerez cette lettre.

«On me fera connaître quand la garde pourra être rendue dans ses nouveaux cantonnements, afin que je puisse ordonner les dispositions ultérieures. Vous pourrez alors rappeler une ou deux divisions du général Bertrand à Mayence, puisqu'une ou deux divisions suffisent pour la défense de Castel.

«NAPOLÉON.»

LE MAJOR GÉNÉRAL AU MARÉCHAL MARMONT.

«Strasbourg, le 12 novembre 1813.

«Monsieur le maréchal duc de Raguse, je suis arrivé ici ce matin après m'être arrêté à Landau. J'ai ordonné au directeur de l'artillerie de cette place de faire partir tout de suite quatre pièces de 16 et deux obusiers, approvisionnés à cent coups seulement (parce qu'il manque de poudre à Landau) pour armer la redoute sur la rive gauche, en face de l'embouchure du Necker. Je crois vous avoir dit qu'ayant trouvé le général Curto à Worms je l'ai chargé du commandement supérieur de la cavalerie entre Worms, Spire et Neustadt.

«On dit que le corps de de Wrede que nous avons battu à Hanau, renforcé des Wurtembergeois et des Badois, se dirige sur Kehl; on fait des réquisitions; ces bruits pourraient bien avoir pour but de faire une diversion de ce côté. On dit également que l'armée du prince de Schwarzenberg se divise en deux corps, l'un sur Mayence, l'autre sur Wezel; mais tous ces bruits se répandent vaguement.

«A Landau, j'ai trouvé sept cents hommes appartenant aux corps d'armée, et ici huit cents que je fais diriger sur leurs corps d'armée. Je pense qu'on en trouvera beaucoup d'autres. Demain, je continue ma route pour Paris où je rendrai compte à l'Empereur de ma tournée sur le haut Rhin. Si ma santé continue à être bonne, j'espère vous voir bientôt, mon cher duc: vous connaissez mon attachement.

«Le prince vice-connétable, major général,

«ALEXANDRE.»

NAPOLÉON AU MARÉCHAL MARMONT.

«Saint-Cloud, le 16 novembre 1813.

«Mon cousin, envoyez-moi, le plus tôt possible et directement, l'état de situation des cinquième, sixième et deuxième corps, tels qu'ils se trouvaient au 15 de ce mois, bataillon par bataillon, afin que je connaisse bien l'état des choses.

«NAPOLÉON.»

NAPOLÉON AU MARÉCHAL MARMONT.

«Saint-Cloud, le 16 novembre 1813.

«Mon cousin, je reçois votre lettre du 12 qui m'est apportée par mon officier d'ordonnance Laplace.--Vous aurez reçu l'ordre que j'ai donné pour faire filer toute ma garde sur Kayserslautern et sur la Sarre. Vous aurez reçu également l'ordre que j'ai donné pour réunir tout le cinquième corps à Coblentz. Il vous reste donc le deuxième corps, le sixième et le quatrième.--Je ne pense pas que le deuxième soit nécessaire à Strasbourg où les gardes nationales qu'on a levées seront suffisantes.--Il paraît que notre mouvement doit avoir lieu du côté de la Hollande, et que c'est de ce côté que l'ennemi a des intentions.--Le ministre de la guerre a donné des ordres pour ôter tous les dépôts de Mayence. On a ordonné que tous les dépôts des équipages militaires fussent envoyés à Sampigny.--On a ordonné que les dépôts de la garde fussent réunis à Metz. On a ordonné que toute l'artillerie qui ne serait pas attelée et en état se rendît sur Metz.--Quant aux gardes d'honneur, vous êtes le maître de les faire descendre un peu plus bas, si vous le jugez convenable.--Faites-moi connaître si le second pont est établi à Mayence: j'y attache de l'importance, afin de pouvoir déboucher rapidement [5].--Soignez les gardes nationales qui sont sous vos ordres. Passez-les en revue, et organisez-les le mieux possible.--Je pense qu'il sera nécessaire que vous passiez la revue de tous les corps, afin de pouvoir me présenter des nominations aux emplois vacants, et de faire distribuer des armes et des habits à ceux qui en manqueraient.--J'espère que tous les bataillons ne tarderont pas à être portés à huit cents hommes. Je vous ai mandé que vous aviez beaucoup de cadres de bataillons qui avaient reçu des Hollandais et des hommes isolés. Les uns et les autres ayant été depuis incorporés dans les cadres de l'armée, je désire que vous me fassiez connaître ce que sont devenus ces premiers cadres, afin que je leur donne une destination.--Il est convenable que vous visitiez la position de Kayserslautern et la liaison avec Sarrelouis et Landau, puisque, si jamais l'ennemi voulait bloquer Mayence, le quatrième corps formerait la garnison de la place, et votre position d'observation paraîtrait devoir être naturellement Kayserslautern.--On me rend compte qu'on a établi la redoute que j'ai ordonnée à l'embouchure du Necker. Faites-en établir une à l'embouchure de la Lahn.--Faites occuper, du côté de Coblentz, l'île du Rhin où il y a un couvent de religieuses. Nous l'occupions dans les autres guerres, et l'on m'assure que ce point peut nous être utile.--Si la compagnie du train du génie ne vous sert à rien, vous pouvez la diriger sur Metz où elle se complétera plus facilement.--Le ministre de l'administration de la guerre aura fait connaître à l'intendant Marchand les dispositions que j'ai faites pour les six compagnies du train qui me restaient dans l'intérieur. Comme les ministres sont toujours lents à expédier, vous trouverez ci-joint: 1° copie de mes ordres pour ces compagnies; 2° des ordres que j'ai donnés pour les différents dépôts d'infanterie.--J'ai placé le quartier général de la garde à Kayserslautern; je le ferai aller plus loin. Quant au grand quartier général impérial, je ne verrais pas de difficultés à l'éloigner. J'attends l'arrivée du prince de Neufchâtel pour prendre une détermination à cet égard.--Je suppose que vous n'avez pas d'embarras pour les chevaux de ma maison. J'ai ordonné qu'ils fussent envoyés sur les derrières.

«NAPOLÉON.»

Note 5: (retour) Quelle singulière prévision, fondée sur la plus étrange illusion! (*Note du duc de Raguse.*)

NAPOLÉON AU MARÉCHAL MARMONT.

«Saint-Cloud, le 18 novembre 1813.

«Mon cousin, je viens de nommer le comte Bertrand grand maréchal de mon palais, et je l'autorise à se rendre à Paris pour y prendre possession de sa place. Il laissera le commandement de son corps au général Morand, sous vos ordres.

«NAPOLÉON.»

LE MAJOR GÉNÉRAL AU MARÉCHAL MARMONT.

«Paris, le 18 novembre 1813.

«Monsieur le maréchal duc de Raguse, l'Empereur me charge de vous écrire pour vous faire connaître que son intention est que vous envoyiez un officier intelligent auprès du prince de Schwarzenberg, pour offrir de traiter de la reddition de Dantzig, de Modlin, de Zamosc, de Stettin, de Custrin et de Glogau. Les conditions de la reddition de ces places seraient que les garnisons rentreraient en France avec armes et bagages, sans être prisonnières de guerre; que toute l'artillerie de campagne aux armes françaises, ainsi que les magasins d'habillement qui se trouveraient dans les places, nous seraient laissés; que des moyens de transport pour les ramener nous seraient fournis; que les malades seraient guéris et, au fur et à mesure de leur guérison, renvoyés. Vous ferez connaître que Dantzig peut tenir encore un an; que Glogau et Custrin peuvent tenir également encore un an, et que, si l'on veut avoir ces places par un siége, on abîmera la ville; que ces conditions sont donc avantageuses aux alliés, d'autant plus que la reddition de ces places tranquillisera les États prussiens. Si l'on parlait de la reddition de Hambourg, de Magdebourg, d'Erfurth, de Torgau et de Wittenberg, Sa Majesté désire que vous répondiez que vous prendrez ses ordres là-dessus, mais que vous n'avez pas d'instruction; qu'il n'est question, actuellement, que de traiter pour les places de l'Oder et de la Vistule. Ces communications, monsieur le maréchal, serviraient aussi à avoir des nouvelles.

«Le prince vice-connétable, major général,

«ALEXANDRE.»

NAPOLÉON AU MARÉCHAL MARMONT.

«Saint-Cloud, le 18 novembre 1813.

«Mon cousin, vous avez sous vos ordres les deux divisions du sixième corps; les quatre divisions du quatrième et la division du deuxième corps: ce qui fait cinq divisions d'infanterie.--J'ai donné le commandement du cinquième corps au général Sébastiani, qui sera sous les ordres du duc de Tarente. Comme son corps s'approche de Cologne, il faudra le remplacer du côté de Coblentz.--J'ai ordonné la formation de magasins à Sarrebrück, Trèves et Sarrelouis.--Veillez à ce qu'on paye aux officiers de l'armée les mois de solde que je leur ai accordés par mon ordre du jour, et à ce que la masse de ferrage et de harnachement soit payée à la cavalerie. Dites-moi un mot là-dessus dans votre prochaine lettre.--La garde doit être partie pour Kayserslautern, le cinquième corps doit être également parti, et vous avez envoyé la division du sixième corps sur Coblentz. Par ces dispositions, Mayence doit être déblayé. Laissez toujours la division du deuxième corps entre Mayence et Strasbourg, parce que les deux autres divisions de ce corps vont se réorganiser à Strasbourg, sous le commandement du général Dufour. Il est donc nécessaire que le corps soit toujours là à portée pour qu'on puisse réunir les bataillons du même régiment, au fur et à mesure que ces divisions se réorganiseront.--Tous les corps d'armée vont recevoir leur complet, et les détachements sont partout en route pour rejoindre les bataillons sur le Rhin.--J'ai déjà arrêté l'organisation de l'armée, qui sera composée de six corps; savoir:

«Du premier et treizième *bis*, à Anvers;
«Du onzième et du cinquième, le duc de Tarente;
«Du sixième, du quatrième et du deuxième.

«Chacun de ces corps sera de quatre divisions et de plus de cinquante bataillons. Il est à espérer que cette organisation aura déjà une couleur en janvier.--Aussitôt que le sixième et le troisième corps auront plus de neuf mille hommes, il faudra prendre mes ordres pour les former en deux divisions.--Le quatrième corps est plus spécialement destiné à Mayence. Faites connaître que je dirige onze mille conscrits sur Mayence, où on les habillera.--Trois mille seront donnés au treizième, deux mille au vingt-troisième et le reste aux bataillons du quatrième corps, qui ont leur dépôt au delà des Alpes.

«NAPOLÉON.»

NAPOLÉON AU MARÉCHAL MARMONT

«Saint-Cloud, le 19 novembre 1813.

«Mon cousin, je reçois votre lettre du 16.--Je viens d'ordonner que le duc de Trévise porte son quartier général à Trèves, où se rendra toute la vieille garde; que les deux divisions composées de tirailleurs se placent dans la direction de Trèves à Mayence et de Trèves à Coblentz;--que les deux divisions composées de voltigeurs se rendent à Luxembourg et aux environs, afin d'être à portée de leur dépôt, qui est à Metz;--que chaque brigade ait avec elle son artillerie; les batteries de douze et celles à cheval seront avec la vieille garde;--enfin que toutes les administrations de la vieille garde se rendent à Trèves. Par ce moyen vous serez parfaitement débarrassé, et il n'y aura plus rien sur la grande route.--Je me fais faire un rapport sur la situation de la cavalerie, afin de la placer définitivement dans les lieux les plus convenables.--Il partira d'ici, tous les huit jours, douze cents hommes pour les tirailleurs, et de Metz, tous les huit jours, douze cents hommes pour les voltigeurs. Ainsi ma garde fera, avant le 15 janvier, un corps de quatre-vingt mille hommes.--Je crois n'avoir pas encore donné d'ordre pour le grand quartier général. Je crains qu'il n'y ait quelque inconvénient à éloigner le payeur et l'intendant de Mayence. Je crois vous avoir mandé que onze mille cinq cents conscrits étaient dirigés sur Mayence, où ils étaient destinés à recruter la partie du quatrième corps qui a ses dépôts en Italie, et comme les autres dépôts du quatrième corps qui sont en France mettent en mouvement les conscrits destinés à aller compléter leurs bataillons, je compte que ce corps sera incessamment fort de trente à quarante mille hommes.--Faites partir la division de la jeune garde que vous avez gardée à Mayence. Je suppose que le cinquième corps est en route pour Cologne. Faites partir la division de l'ancien troisième corps pour Coblentz.--Le deuxième corps et la division du sixième corps paraissent suffisants du côté de Manheim.--Et, en Alsace, les gardes nationales me paraissent également devoir suffire. J'ai ordonné la formation d'un deuxième corps bis à Strasbourg. Je crois vous avoir déjà instruit de ces différentes dispositions.--Nous ne sommes dans ce moment-ci en mesure pour rien. Nous serons dans la première quinzaine de décembre déjà en mesure pour beaucoup de choses. La grande affaire aujourd'hui, c'est l'armement et l'approvisionnement des places.--A moins de nécessité absolue, la division du deuxième corps doit rester sous votre commandement. Le duc de Bellune voudrait l'attirer à lui: mais il n'y a rien à craindre pour Strasbourg. Il faudrait que l'ennemi fût fou pour aller attaquer de ce côté. C'est sur Cologne et Wezel qu'il est naturel de penser que l'ennemi doit se porter [6].--Avez-vous rallié au sixième corps douze à quinze cents hommes de la marine qui se trouvaient du côté de Cologne? Avez-vous fait partir des officiers pour parcourir les différents régiments, en retirer les isolés qui y avaient été momentanément incorporés et les faire revenir à leur régiment?--Le ministre a décidé où devaient être placés les dépôts du 30e et du 33e. Quant aux 8e, 27e, 70e et 88e régiments, renvoyez les cadres à leur dépôt. Le 8e est du côté de la basse Meuse. Ôtez du cadre tous les hommes disponibles et placez-les dans le 13e de ligne.--Le 88e a aussi son dépôt dans le Nord.--Il n'y a que le 70e qui a son dépôt à Brest. Placez ce bataillon dans celui de vos corps où se trouvent déjà des hommes du 70e.--J'ai donné des ordres pour que six cents conscrits lui fussent envoyés à Mayence pour le compléter. Il serait trop long de l'envoyer se recruter du côté de Brest.--Le 28e ayant son dépôt dans le Nord, renvoyez-le à son dépôt.--Vous aurez donc ainsi à Mayence deux dépôts: celui du 133e et un bataillon du 70e.--Quant au 33e léger, vous l'avez dirigé sur Sarrelouis, et il m'y paraît bien. Instruisez de ces dispositions les commissaires des guerres de Metz, de Châlons et de la route, afin que les conscrits qui se rendent à ces différents dépôts puissent être bien dirigés.

«NAPOLÉON.»

Note 6: (retour) Ce plan de campagne convenait à Napoléon; et il voulait y croire! (*Note du duc de Raguse.*)

LE MARÉCHAL MARMONT A NAPOLÉON.

«Bords du Rhin, le 19 novembre 1813.

«J'ai l'honneur de rendre compte à Sa Majesté que j'ai parcouru la ligne du Rhin jusqu'à la frontière de mon commandement. Je me suis assuré que toutes les mesures de surveillance et de défense étaient bien prises, et je les ai complétées autant que possible. J'ai ordonné quelques travaux à Worms, qui est un point de passage très-favorable à l'ennemi. La redoute en face du Necker sera terminée et armée après-demain. J'ai ordonné un semblable travail en face de l'embouchure de la Lahn. Ce point est également important. Il sera couvert par un poste défensif et une bonne batterie.

«Nous avons un grand nombre de malades, qui augmente avec une rapidité inouïe. Cependant les troupes sont bien, et j'ai pris toutes les mesures de précaution et de détail que la raison autorise. J'ai donné l'ordre de faire distribuer de l'eau-de-vie à tous les soldats, du vin aux convalescents et aux malades. J'ai réduit partout le service, et aucun des moyens que je puis employer ne sera omis pour refaire les troupes. L'amélioration des hôpitaux de Mayence a été moins rapide que je ne l'espérais, quoique je fusse autorisé à compter sur de meilleurs résultats. J'ai pris de nouvelles mesures dont je vais suivre l'exécution, et certainement, sous peu de jours, tout sera en bon ordre. Les habitants éprouvent des maladies encore plus générales et plus graves que les soldats. Jusqu'ici la mortalité n'est pas très-forte dans les troupes; elle est extraordinaire chez les habitants, et cela à Mayence et sur toute la ligne.

«La masse de la grande armée ennemie est toujours en présence. Le Rhin est bordé avec assez de soin: mais elle a pris des cantonnements à plusieurs lieues en arrière. Il paraît certain qu'un corps de troupes, que l'on porte à quinze ou vingt mille hommes, a passé devant Kehl et a continué sa marche sur le haut Rhin.

«Je n'ai point encore de rapports de l'officier que j'ai envoyé à Huningue et à Bâle: j'attends de ses nouvelles à chaque moment. Elles m'éclaireront sur ce qui se passe de ce côté.

«Les postes de l'armée prussienne sur le Rhin commencent entre Bingen et Coblentz. Tout ce qui est au-dessus est russe ou autrichien.

«Nos approvisionnements vont toujours lentement; mais ceux de réserve continuent à s'augmenter. Nous aurons après-demain, tant des uns que des autres, trente-cinq mille quintaux de grains ou farine.»

LE MARÉCHAL MARMONT A NAPOLÉON.

«Bords du Rhin, le 20 novembre 1813.

«J'ai l'honneur de rendre compte à Votre Majesté que les gardes nationales de la Meurthe et de la Moselle sont arrivées en grande partie et arrivent chaque jour. Tous les rapports qui me sont faits annoncent qu'elles n'ont parmi elles que peu de gens mariés, qu'elles sont composées d'hommes vigoureux, et qu'elles se montrent animées du meilleur esprit. J'avais donné des ordres pour qu'elles fussent armées sur-le-champ, et les fusils allaient partir lorsque le directeur de l'artillerie a reçu une lettre du ministre de la guerre, en date du 16, qui ordonne d'armer ces légions avec les *fusils à réparer* qui se trouvent dans l'arsenal de Mayence.

«La date de cet ordre est trop récente pour que j'aie cru pouvoir me permettre d'y rien changer; mais il est de mon devoir de faire connaître à Votre Majesté que je regarde cette mesure comme très-contraire au bien de son service. On peut tirer le meilleur parti des gardes nationales en les employant sur-le-champ; mais il faut mettre de suite leur dévouement à profit, il faut ne prendre aucune mesure qui puisse lui donner du dégoût, et la mesure ordonnée recule nécessairement de beaucoup l'époque à laquelle on pourra s'en servir. Je regarde comme certain qu'avec un peu de soins on peut, en très-peu de temps, tirer dans les circonstances actuelles un meilleur service de ces gardes nationales que des troupes de ligne.

«Des renseignements certains annoncent qu'hier les empereurs de Russie, d'Autriche et le roi de Prusse étaient encore à Francfort, et que ce sont encore des Russes, que je crois du corps de Wittgenstein, qui sont devant nous à Hochheim. On assure que la plus grande partie de l'armée autrichienne est sur la rive gauche du Mein, et qu'un corps prussien assez considérable, infanterie, cavalerie et artillerie, est près de l'embouchure de la Lahn. On ne voit pas un seul détachement ennemi de Lintz à Neuwied.»

NAPOLÉON AU MARÉCHAL MARMONT.

«Saint-Cloud, le 20 novembre 1813.

«Mon cousin, il est probable que l'ennemi ne veut pas tenter de passer le Rhin. Laissez donc vos troupes tranquilles et ne vous tourmentez pas. Toutefois, si l'ennemi passe le Rhin, il passera sur le bas Rhin. N'éloignez donc pas le deuxième corps de Mayence. Une division du sixième corps doit être à Coblentz, afin que le cinquième corps soit à Cologne à la disposition du duc de Tarente.--J'estime que les gardes nationales qu'on a levées en Alsace sont suffisantes pour défendre cette frontière.--La redoute à l'embouchure du Necker est établie. En a-t-on établi une semblable vis-à-vis la Lahn? Si on ne l'a pas fait, ordonnez qu'on le fasse.

«NAPOLÉON.»

NAPOLÉON AU MARÉCHAL MARMONT.

«Saint-Cloud, le 20 novembre 1813.

«Mon cousin, quand j'étais à Mayence, il y avait deux bataillons du 113e qui avaient des hommes isolés; faites-moi connaître ce qu'ils sont devenus.

«NAPOLÉON.»

LE MARÉCHAL MARMONT A NAPOLÉON.

«Bords du Rhin, le 24 novembre 1813.

«J'ai l'honneur d'adresser à Votre Majesté des rapports que l'officier que j'ai envoyé à Huningue vient de me faire, ainsi que l'extrait des gazettes allemandes qu'il y a joint.

«Les nouvelles qu'ils renferment m'ont paru assez importantes pour les faire passer à Votre Majesté, quoique je suppose bien qu'elle les a reçues ou recevra par d'autres voies.

«Je crains bien que la possession du pont de Bâle ne soit l'un des principaux objets de l'ennemi dans ses opérations sur cette partie de la frontière.

«Tous mes rapports, depuis vingt-quatre heures, m'annoncent une augmentation continuellement croissante des forces de l'ennemi sur les bords du Necker.»

NAPOLÉON AU MARÉCHAL MARMONT.

«Paris, le 24 novembre 1813.

«Mon cousin, j'ai ordonné que le cadre du sixième bataillon du 13e de ligne, bien complété, se rendît à Alexandrie. S'il n'est pas encore parti, faites le partir en toute diligence. Ce bataillon a déjà mille hommes qui l'attendent à Alexandrie, et sont destinés à l'armée de réserve d'Italie.

«NAPOLÉON.»

NAPOLÉON AU MARÉCHAL MARMONT.

«Paris, le 25 novembre 1813.

«Mon cousin, renvoyez sans délai ma garde, infanterie, cavalerie et artillerie, sur la Sarre; n'en retenez rien, parce qu'il y a un système d'organisation que l'on suit et qu'il est nécessaire que rien ne dérange.--Au 1er décembre, il partira de chaque dépôt cinq cents hommes pour renforcer tous les bataillons qui sont à l'armée, ce qui fera cinquante mille hommes de renfort et portera les quatrième, cinquième, sixième et onzième corps fort haut.--Il partira aussi à la même époque un bataillon de chacun des dépôts du deuxième corps. Ces douze bataillons se réuniront à Strasbourg.

«NAPOLÉON.»

LE MARÉCHAL MARMONT A NAPOLÉON.

«25 novembre 1813.

«Sire, j'ai l'honneur de rendre compte à Votre Majesté que mes rapports m'annoncent que l'ennemi travaille à élever des batteries sur le bord du Rhin, près de Manheim. Ces travaux, joints à l'accumulation prompte de ses forces sur ce point, et les bruits répandus parmi les gens du pays que son intention est de passer sur ce point, me font croire à la réalité de ce projet.

«Le prince de Schwarzenberg est parti hier pour Manheim, et on annonce le départ du quartier général pour cette ville.

«J'avais donné l'ordre au troisième corps de l'artillerie, par suite des dispositions prises pour le cinquième corps d'armée, de s'étendre, et au duc de Padoue de placer son quartier général à Bonn. D'après les nouveaux ordres de Votre Majesté, je lui ai expédié celui de se rendre à Cologne, à la disposition du duc de Tarente.

«Il est possible que l'ennemi tente un passage sur ce point, en même temps que sur Manheim; mais il est indubitable que, si l'ennemi opère, ses opérations préalables seront aux environs de Manheim, attendu que le grand obstacle à craindre pour lui maintenant sont les glaces que le Rhin va charrier dans quelques jours, glaces qui sont plus abondantes et beaucoup plus précoces au-dessous de la Moselle, de la Lahn, du Mein et du Necker qu'au départ de ces rivières, attendu encore que presque toutes ses forces sont sur la rive gauche du Mein et sur le Necker.

«Ces considérations et la nature du pays au dessous de Mayence, qui fait que l'ennemi ne peut tenter le passage qu'à Coblentz ou à Baccarach seulement, où il y a des débâcles, tandis qu'il y a une multitude de passages favorables entre Mayence et Landau, me déterminent à laisser la sixième division du sixième corps, qui occupe Coblentz et Baccarach, seule sur ce point, où elle est bien suffisante, étant forte de plus de sept mille hommes, et à laisser l'autre division du sixième corps cantonnée à la gauche de la première, entre Worms et Mayence.

«Cette disposition est non-seulement nécessaire pour défendre le passage, mais encore pour occuper, si l'ennemi avait réussi à forcer les gorges des montagnes, les routes de Kircheim, Boland, Turkheim et d'Alzey, qu'il faut occuper à la fois, parce qu'ils aboutissent à Kayserslautern.»

LE MARÉCHAL MARMONT A NAPOLÉON.

«27 novembre 1813.

«Sire, quoique les calculs de la raison disent qu'il est trop tard pour passer le Rhin ici avec une armée nombreuse, et que, dans dix jours, tous les établissements pour la conservation de ponts de bateaux seront une chose non-seulement incertaine, mais peut-être même impossible, je ne puis pas douter que l'ennemi n'ait formé le projet d'exécuter ce passage et ne soit au moment de le tenter. Toute l'artillerie autrichienne est accumulée aux environs de Manheim, et tous les ouvriers du pays ont été mis en réquisition et travaillent à préparer des moyens de passage.

«D'après cet état de choses, je me détermine à quitter Mayence et à établir mon quartier général pour quelques jours à Worms, afin de surveiller de plus près les mouvements de l'ennemi, défendre le passage autant que possible, et assurer le retour, en bon ordre, des troupes au pied des montagnes. Dans le cas où l'ennemi n'effectuerait pas son passage, je reviendrais dans sept à huit jours à Mayence.

«Je laisse la division du général Ricard à Coblentz, pour garder cette ligne et défendre le passage du Rhin, si l'ennemi le tente sur ce point. Je laisse le premier corps de cavalerie pour l'appuyer. Si l'ennemi la force, elle se repliera par Simmern et Kirchberg; elle appuiera ainsi le premier corps de cavalerie, qui défend la Nahe, avec quelques corps d'infanterie de cette division. Si je suis forcé à Manheim, ce premier corps de cavalerie, également placé sur la Nahe, se trouvera en ligne avec moi, et couvrira ma communication avec les troupes du général Ricard. Enfin je modifierai le mouvement de ces troupes suivant les circonstances.

«Il paraît, d'après l'ensemble des renseignements, que le corps austro-bavarois, auquel se serait joint un corps russe, est dans le haut Rhin, sur la frontière suisse; que l'armée autrichienne, avec le duc de Wittgenstein, est sur les deux rives du Necker, mais particulièrement sur la rive gauche; que l'armée de Silésie, ou du moins la plus grande partie, est entre Francfort et Mayence.

«Le général Sacken a son quartier général à Wüker, et le général Blücher à Höscht. Les généraux russe et prussien sont à Francfort, mais devant partir pour Manheim. D'après cela, il n'y aurait dans le bas Rhin que l'armée dite de Berlin et les Suédois.

«Les empereurs étaient encore hier à Francfort.

«Les approvisionnements de Mayence sont en bon état; il y a quarante mille quintaux de grain ou farine, dont quatorze mille de farine. Les moutures ont acquis tout le degré d'extension possible; huit cents quintaux entrent en magasin chaque jour en sus des consommations, et il y a deux mille boeufs dans la place.

«Le nombre des malades va toujours en augmentant, et les corps s'affaiblissent à vue d'oeil.»

NAPOLÉON AU MARÉCHAL MARMONT.

«Paris, le 4 décembre 1813.

«Mon cousin, je ne comprends pas comment le duc de Tarente se plaint de n'avoir pas encore touché de solde. Donnez-moi une explication là-dessus. Je ne comprends pas davantage comment la cavalerie n'a pas touché sa masse de ferrage. Faites-moi connaître quelle était la situation du magasin de l'habillement à Mayence, au 1er novembre, et quelle est sa situation au 1er décembre.--Les conscrits pour le quatrième corps commencent-ils à arriver?

«NAPOLÉON.»

LE MAJOR GÉNÉRAL AU MARÉCHAL MARMONT.

«Paris, le 9 décembre 1813.

«Monsieur le duc de Raguse, je vous ai déjà écrit de donner les ordres les plus précis pour interdire toute communication de l'une à l'autre rive du Rhin; je vous envoie ampliation d'un décret impérial qui ordonne expressément cette mesure: veillez avec soin à son exécution dans l'étendue de votre commandement.

«Le prince vice-connétable, major général,

«ALEXANDRE.»

MINISTÈRE DE LA GUERRE.

(Extrait des minutes de la secrétairerie d'État.)

«Au palais des Tuileries,
le 7 décembre 1813.

«Napoléon, empereur des Français, roi d'Italie, protecteur de la Confédération du Rhin, médiateur de la Confédération suisse,

«Nous avons décrété et décrétons ce qui suit:

ARTICLE PREMIER.

«Toute communication de l'une à l'autre rive du Rhin sera fermée depuis Huningue jusqu'à Willemstadt. On ne laissera ni entrer sur le territoire ni en sortir aucune personne, aucune poste, aucun courrier.

ART. 2.

«Nos ministres de la guerre, de la police générale et du commerce sont chargés de l'exécution du présent décret.

«*Signé*: NAPOLEON.»
«Par l'Empereur.
«Le ministre secrétaire d'État,
«*Signé*: le duc DE BASSANO.
«Le ministre de la guerre,
«*Signé*: DUC DE FELTRE.
«Pour ampliation:
«Le prince vice-connétable, major général,
«ALEXANDRE.»

LE MARÉCHAL MARMONT A NAPOLÉON.

«9 décembre 1813.

«Sire, j'ai l'honneur de rendre compte à Votre Majesté que le mouvement général de l'armée ennemie continue vers le haut Rhin. Il n'y a plus d'Autrichiens sur les bords du Necker. Le corps de Sacken, qui était devant Castel, s'est porté sur Manheim. Le corps de Langeron, qui était en face de Coblentz il y a huit jours, est aujourd'hui devant Castel. Il paraît qu'il y a aussi des troupes prussiennes aux environs de Manheim, mais j'ignore de quel côté elles sont.

«J'ai reçu la lettre que Votre Majesté m'a fait l'honneur de m'écrire le 4 décembre. Je ne puis pas donner toutes les explications qu'elle peut désirer sur les payements faits au onzième corps; le payeur général est parti cette nuit pour Paris, par suite des ordres du ministre; mais, ce que je sais, c'est qu'il a été envoyé de l'argent au duc de Tarente, attendu que je me rappelle avoir fait fournir les escortes. La cavalerie n'a touché qu'une portion de sa masse de ferrage, et les sommes que Votre Majesté a ordonné de payer aux troupes n'ont pu l'être qu'en partie, attendu que les fonds étaient insuffisants; cependant il est de la plus grande urgence que l'armée recouvre une portion de sa solde, et pour... aux compagnies, et quelque secours aux individus; il est bien nécessaire que, lorsqu'on ne payera qu'un ou deux mois, de payer les mois courants de préférence à ceux arriérés, afin que tout le monde puisse y participer.

«Il n'est point encore arrivé de conscrits pour le quatrième corps.

«Je joins à cette lettre les deux états que Votre Majesté m'a demandés.»

LE MAJOR GÉNÉRAL AU MARÉCHAL MARMONT.

«Paris, le 12 décembre 1813.

«Je vous ai adressé, le 7 de ce mois, l'ordre de faire diriger sur Strasbourg la quatrième division du deuxième corps d'armée. L'Empereur me charge de vous renouveler cet ordre.

«Sa Majesté ordonne aussi que vous fassiez diriger sur Strasbourg le cinquième corps de cavalerie pour y être, ainsi que la quatrième division du deuxième corps d'armée, sous les ordres du duc de Bellune.

«Le prince vice-connétable, major général,

«ALEXANDRE.»

NAPOLÉON AU MARÉCHAL MARMONT.

«Paris, le 14 décembre 1813.

«Mon cousin, je vois avec plaisir que le premier détachement des onze mille cinq cents conscrits destinés pour le quatrième corps commence à arriver. Faites habiller ces hommes, et faites-les incorporer dans les régiments.

«NAPOLÉON.»

NAPOLÉON AU MARÉCHAL MARMONT.

«Paris, le 14 décembre 1813.

«Mon cousin, j'ai donné tous les ordres pour la formation de grands hôpitaux sur les derrières de l'armée, afin d'éviter les évacuations. Correspondez à ce sujet avec le major général.--Je vois avec peine que les maladies continuent. Est-ce que le froid ne les fera pas diminuer?--Deux corps de gardes nationales qui sont très-belles, et qui sont sous votre commandement, ont eu beaucoup de déserteurs, parce que vous les avez éparpillées. Il serait convenable de les tenir dans les places fortes, sans quoi jamais elles ne se formeront. Écrivez aux préfets pour qu'ils fassent rejoindre les déserteurs ou qu'ils les remplacent.

«NAPOLÉON.»

NAPOLÉON AU MARÉCHAL MARMONT.

«Paris, le 14 décembre 1813.

«Mon cousin, j'ai nommé le comte d'Arberg préfet du Mont-Tonnerre. Il a été préfet à Brême, et a rempli cette mission avec succès. Il a l'avantage de parler allemand.

«NAPOLÉON.»

LE MAJOR GÉNÉRAL AU MARÉCHAL MARMONT.

«Paris, le 17 décembre 1813.

«Je vous préviens que, d'après les ordres de l'Empereur que le général Drouot vient de transmettre à M. le maréchal duc de Trévise, ce maréchal va se porter de Trèves sur Namur, avec les huit bataillons de la première division de vieille garde, les sapeurs, les marins, les batteries de vieille garde, les deux compagnies des équipages militaires, et tout l'état-major de la garde.

«Le duc de Trévise va faire partir aussi pour Namur la division de cavalerie de vieille garde, les réserves de douze et les réserves d'artillerie à cheval attelées.

«La deuxième division de vieille garde, composée des fusiliers, des flanqueurs, des vélites, doit se réunir à Luxembourg sous les ordres du général Curial, qui se trouvera avoir sous son commandement, dans les environs de Metz et de Luxembourg:

«La deuxième division de vieille garde, à Luxembourg;

«Les première et deuxième divisions de voltigeurs, à Sarrelouis et Thionville;

«Les dépôts de cavalerie et d'artillerie de la garde;

«Le 11e régiment de voltigeurs, qu'il gardera jusqu'à nouvel ordre.

«Les autres troupes de la garde impériale seront dans le Nord.

«Le prince vice-connétable, major général,

«ALEXANDRE.»

LE MAJOR GÉNÉRAL AU MARÉCHAL MARMONT.

«Paris, le 18 décembre 1813.

«J'ai soumis à l'Empereur la lettre par laquelle vous me faites connaître les motifs qui vous ont décidé à donner des armes neuves aux gardes nationales. Je dois vous mettre dans le secret: nous manquons d'armes pour l'armée; les fusils neufs doivent être réservés pour les troupes régulières. Il faut les garder et donner aux gardes nationales les fusils réparés et exécuter les dispositions faites par le ministre, qui a l'ensemble de la situation des choses. D'ailleurs, beaucoup de gardes nationales désertent et emportent leurs fusils. Les armes réparées sont encore d'un assez bon service. Je n'ai jamais parlé d'ôter les fusils aux gardes nationales.

«Il est fâcheux que le général Pernety ne puisse pas aller prendre le commandement de l'artillerie de l'armée du Nord: faites-moi connaître combien l'on présume qu'il sera de temps à se rétablir.

«Le prince vice-connétable, major général,

«ALEXANDRE.»

LE MAJOR GÉNÉRAL AU MARÉCHAL MARMONT.

«Paris, le 23 décembre 1813.

«L'Empereur vient d'arrêter, monsieur le duc, une nouvelle organisation pour le sixième corps d'armée. L'intention de Sa Majesté est que vous le fassiez former de suite en trois divisions au lieu de deux, conformément à l'état ci-joint. Faites procéder à cette opération.

«En conséquence, vous retirerez de la division Ricard, qui est votre première division, les bataillons des 9e et 16e léger, pour les réunir à votre deuxième division, dont ils doivent désormais faire partie. Ces bataillons formeront la deuxième division avec ceux des 1er, 14e, 15e, 16e, 62e, 70e et 121e régiments de la division actuelle du général Lagrange. La troisième division se trouvera formée des bataillons restants de la division actuelle du général Lagrange, savoir: des bataillons des 23e et 37e léger, 1er, 3e et 4e régiments de marine.

«Vous verrez, par l'état ci-joint, que, pour compléter l'organisation du sixième corps, vous avez à recevoir vingt-deux bataillons, qui sont maintenant en formation dans leurs dépôts. A mesure que ces bataillons seront en état, le ministre de la guerre les fera partir pour vous rejoindre.

«Vous aurez aussi à recevoir:

«1° Le deuxième bataillon du 4e léger, qui est à Anvers.

«Aussitôt que ce bataillon sera remplacé, il vous sera envoyé.

«2° Le deuxième bataillon du 15e de ligne, qui est à Landau.

«Ce bataillon, attendu sa proximité, est en quelque sorte sous votre main, et il vous rejoindra définitivement aussitôt qu'on pourra, sans inconvénient, le faire sortir de Landau.

«Vous remarquerez, monsieur le maréchal, que, dans la nouvelle organisation du sixième corps, on ne comprend plus:

«Le premier bataillon du 28e léger;

«Le premier bataillon du 22e de ligne;

«Le deuxième bataillon du 59e de ligne;

«Le troisième bataillon du 69e de ligne.

«Ces quatre bataillons doivent faire partie désormais du onzième corps d'armée. Préparez tout pour les faire mettre en marche aussitôt que vous en recevrez l'ordre définitif, que je vais vous adresser incessamment.

«Je vous écris particulièrement pour vous faire connaître les généraux de division et de brigade, le personnel des états-majors, des administrations, etc., qui doivent être attachés au sixième corps d'armée.

«Je joins ici les ordres que je donne au général Morand pour la nouvelle organisation du quatrième corps d'armée; je vous prie de les lui remettre après en avoir pris connaissance, et de veiller à leur exécution.

«Le prince vice-connétable, major général,

«ALEXANDRE.»

SIXIÈME CORPS D'ARMÉE.

M. LE MARÉCHAL DUC DE RAGUSE, COMMANDANT.

PREMIÈRE DIVISION.

2e régim. d'inf. lég. 3e bataill. présent au sixième corps.

4e régim. d'inf. lég. 3e bataill. présent au sixième corps.

2e -- arrivé le 26 décembre à Anvers.

A reporter 3 bataillons.

Report 3 bataillons.

6e régim. d'inf. lég. 2e bataill. présent au sixième corps.

3e -- se forme à son dépôt à Phalsbourg.

40e régim. de ligne 3e bataill. présent au sixième corps.

4e -- se forme à son dépôt à Schelestadt.

43e régim. de ligne 3e bataill. présent au sixième corps.

4e -- se forme à son dépôt à Gravelines.

2e bataill. présent au sixième corps.

50e régim. de ligne 3e --

4e -- se forment à leur dépôt à Cambrai.

65e régim. de ligne 3e bataill. présent au sixième corps.

4e -- se forme à son dépôt à Gand.

136e rég. de ligne 1er bataill. présent au sixième corps.

2e -- se forme à son dépôt à Sedan.

138e rég. de ligne 1er bataill. présent au sixième corps.

2e -- se forme à son dépôt à Laval.

142e rég. de ligne 1er bataill. présent au sixième corps.

2e -- se forme à son dépôt au Mans.

144e rég. de ligne 1er bataill. présent au sixième corps.

2e -- se forme à son dépôt à Châlons.

145e rég. de ligne 1er bataill. présent au sixième corps.

TOTAL 23 bataillons.

DEUXIÈME DIVISION.

9e régim. d'inf. lég. 3e bataill. présent au sixième corps.

4e -- se forme à son dépôt de Longwy.

16e rég. d'inf. lég. 2e bataill. présent au sixième corps.

3e -- se forme à son dépôt à Mâcon.

1er régim. de ligne. 4e bataill. présent au sixième corps.

14e régim. de ligne. 3e bataill. présent au sixième corps.

A reporter 6 bataillons.

Report 6 bataillons.

3e bataill. présent au sixième corps.

15e régim. de ligne 2e -- se trouve à Landau.

4e -- se forme à son dépôt à Brest.

16e régim. de ligne 4e bataill. présent au sixième corps.

62e régim. de ligne 2e bataill. présents au sixième corps.

3e --

3e bataill. présent au sixième corps.

70e régim. de ligne 2e --

4e -- se forment à leur dépôt à Brest.

3e bataill.

121e rég. de ligne 4e -- présents au sixième corps.

7e -- se forme à son dépôt à Blois.

TOTAL 18 bataillons.

TROISIÈME DIVISION.

1er bataill.

37e rég. d'inf. lég. 3e -- présents au sixième corps.

4e --

2e -- se forme à son dépôt à Trèves.

23e rég. d'inf. lég. 3e bataill. présent au sixième corps.

3e bataill. se forme à Auxonne.

1er bataill.

1er r. d'art. de marine 2e -- présents au sixième corps.

3e --

4e -- se forment à leur dépôt à Brest.

1er bataill.

2e r. d'art. de marine 2e -- présents au sixième corps.

3e --

4e --

A reporter 14 bataillons.

Report 14 bataillons.

1er bataill.

3e r. d'art. de marine. 2e -- présents au sixième corps.

3e --

4e -- se forme à son dépôt à Valognes.

1er bataill.

4e r. d'art. de marine. 2e -- présents au sixième corps.

3e --

4e -- se forme à son dépôt à Anvers.

TOTAL 22 bataillons.

TOTAL du sixième corps d'armée: 63 bataillons.

SIXIÈME CORPS D'ARMÉE.

ORDRE DE FORMATION ET DE RÉORGANISATION DE L'ARMÉE
ARRÊTÉ PAR L'EMPEREUR LE 7 NOVEMBRE 1813 7.

Note 7: (retour) Le maréchal duc de Raguse a classé cette pièce parmi les documents qui devaient être joints à ses *Mémoires*. Elle sera peut-être sans intérêt pour la plupart des lecteurs; mais elle en aura certainement un très-grand pour quelques autres, et particulièrement pour les personnes qui s'occupent d'administration militaire. Elle présente, en effet, un modèle curieux du système adopté par Napoléon pour la réorganisation de ses armées. Cette manière de procéder par un ensemble qui comprend en même temps tous les détails; cette manière brève, qui met partout l'ordre et la rigueur du commandement, est un indice des plus caractéristiques du génie de Napoléon. A ce dernier titre, la pièce offrira sans doute aussi quelque intérêt aux historiens.

Il n'est pas besoin de dire que cet ordre ne fut que très-imparfaitement exécuté, ou plutôt que l'exécution en fut à peine commencée. On n'en eut pas le temps, ainsi qu'on le lira dans le texte même des *Mémoires*, et ainsi que le preuve la correspondance. (*Note de l'Éditeur.*)

ART. 5.

La vingtième division sera composée ainsi qu'il suit:

Premier et quatrième bataillons du 52e léger.
Tout ce qui existe du deuxième bataillon sera incorporé dans le premier, et le cadre renvoyé au dépôt.

Premier bataillon du 37e léger.
Tout ce qui existe des deuxième, troisième et quatrième bataillons sera incorporé dans le premier bataillon, et les cadres renvoyés au dépôt, pour servir à réorganiser le deuxième bataillon, les troisième et quatrième étant supprimés.

Premier bataillon du régiment espagnol.

Premier bataillon du 23e léger.
Tout ce qui existe du quatrième bataillon sera incorporé dans le premier et le cadre renvoyé au dépôt.

Premier bataillon du 1er de ligne.
Il sera incorporé cent conscrits hollandais dans ce bataillon.

Deuxième et sixième bataillons du 62e de ligne.
Il sera incorporé cent conscrits hollandais dans le deuxième bataillon.

Premier bataillon du 16e de ligne.
Il sera incorporé cent conscrits hollandais dans ce bataillon.

Premier bataillon du 14e de ligne.
Il sera incorporé cent conscrits hollandais dans ce bataillon.

Premier et deuxième bataillons du 15e de ligne.
Tout ce qui existe du quatrième bataillon sera incorporé dans le premier bataillon, et le cadre renvoyé au dépôt.

Premier bataillon du 70e de ligne.
Tout ce qui existe du quatrième bataillon sera incorporé dans ce bataillon, et le cadre renvoyé au dépôt. Il y sera incorporé cent conscrits hollandais.

Premier et sixième bataillons du 121e.
Tout ce qui existe du quatrième bataillon sera incorporé dans ces bataillons, et le cadre renvoyé au dépôt. Il y sera incorporé cent conscrits hollandais.

1er, 2e, 3e et 4e régiments de marine.
Ces quatre régiments seront égalisés à quatre bataillons chacun, et un bataillon de dépôt. Le major général me présentera un projet à ce sujet. Tous les bataillons et dépôts d'artillerie de marine qui peuvent se trouver dans l'intérieur seront envoyés pour les compléter.

ART. 6.

Les six cents conscrits hollandais nécessaires seront pris sur les quatre bataillons hollandais, à raison de cent cinquante par bataillon.

La vingtième division sera commandée par le général Lagrange, qui aura sous ses ordres trois généraux de brigade.

ART. 7.

La huitième division, qui faisait partie du troisième corps, et qui en ce moment fait partie du sixième, sera composée ainsi qu'il suit:

Deuxième bataillon du 6e léger.
Tout ce qui existe du troisième bataillon sera incorporé dans le deuxième, et le cadre renvoyé au dépôt.

Deuxième bataillon du 16e léger.
Tout ce qui existe du troisième bataillon sera incorporé dans le deuxième, et le cadre renvoyé au dépôt.

Premier bataillon du 22e de ligne.
Tout ce qui existe des troisième et quatrième bataillons sera incorporé dans le premier, et les cadres renvoyés au dépôt.

Premier bataillon du 28e léger.
Tout ce qui existe du troisième bataillon sera incorporé dans le premier, et le cadre renvoyé au dépôt.

Troisième bataillon du 40e de ligne.
Tout ce qui existe du quatrième bataillon sera incorporé dans le troisième, et le cadre renvoyé au dépôt.

Deuxième bataillon du 59e de ligne.
Tout ce qui existe du troisième bataillon sera incorporé dans le deuxième, et le cadre renvoyé au dépôt.

Troisième bataillon du 69e de ligne.
Tout ce qui existe du quatrième bataillon sera incorporé dans le troisième, et le cadre renvoyé au dépôt.

Troisième bataillon du 2e léger.
Troisième bataillon du 4e léger.
Troisième bataillon du 43e de ligne.

Tout ce qui existe du quatrième bataillon sera incorporé dans le troisième, et le cadre renvoyé au dépôt.

Premier bataillon du 136e.
Tout ce qui existe des deuxième et troisième bataillons sera incorporé dans le premier, et les cadres renvoyés au dépôt, pour servir à l'organisation du deuxième bataillon, le troisième étant supprimé.

Premier bataillon du 138e.
Tout ce qui existe des deuxième et troisième bataillons sera incorporé dans le premier, et les cadres des deuxième et troisième renvoyés au dépôt, pour servir à l'organisation du deuxième, le troisième étant supprimé.

Premier bataillon du 143e.
Tout ce qui existe des deuxième et troisième bataillons sera incorporé dans le premier, et les cadres renvoyés au dépôt, pour servir à l'organisation du deuxième bataillon.

Premier bataillon du 142e de ligne.
Tout ce qui existe des deuxième et troisième bataillons sera incorporé dans le premier, et les cadres renvoyés au dépôt, pour servir à la réorganisation du deuxième bataillon.

Premier bataillon du 144e.
Tout ce qui existe des deuxième et troisième bataillons sera incorporé dans le premier, et les cadres renvoyés au dépôt, pour servir à la réorganisation du deuxième bataillon.

Troisième bataillon du 9e léger.
Tout ce qui existe des quatrième et sixième bataillons sera incorporé dans le troisième, et les cadres renvoyés au dépôt, pour servir à réorganiser le quatrième bataillon.

Deuxième bataillon du 50e de ligne.
Tout ce qui existe des troisième et quatrième bataillons sera incorporé dans le deuxième, et les cadres renvoyés au dépôt.

Troisième bataillon du 63e de ligne.
Tout ce qui existe du quatrième bataillon sera mis dans le troisième, et le cadre renvoyé au dépôt.

ART. 8.

Il sera incorporé cent conscrits hollandais dans chacun des bataillons dont les noms des régiments suivent:

22e de ligne.
40e *idem.*
59e *idem.*

69e *idem.*
43e *idem.*
136e *idem.*
138e *idem.*
143e *idem.*
142e *idem.*
144e *idem.*
50e *idem.*
63e *idem.*

Les douze cents conscrits hollandais nécessaires seront pris à raison de trois cents dans chacun des quatre bataillons hollandais.

ART. 9.

Cette huitième division sera commandée par le général Ricard; les états-majors d'artillerie et du génie, etc., des troisième et sixième corps, serviront à former ceux du sixième corps.

LE DUC DE BELLUNE AU MARÉCHAL MARMONT.

«Strasbourg, le 2 janvier 1814,
deux heures après midi.

«Monsieur le duc, je m'empresse de transmettre à Votre Excellence l'avis que je viens de recevoir que l'ennemi a jeté un pont sur le Rhin, pendant la nuit dernière, en face d'Oppenheim, entre le fort Vauban et Beinheim, et qu'il passe le fleuve dans ce moment. Cette opération est sans doute combinée avec celle de l'armée qui est dans le haut Rhin pour nous obliger à quitter l'Alsace. Votre Excellence doit sans doute en être instruite, et, s'il s'effectue comme on me l'annonce, je pense qu'elle fera ses dispositions pour en prévenir les effets, dont le premier serait de la séparer de moi. Mon opinion est, monsieur le maréchal, que, dans ce cas, nous devons concentrer toutes nos forces pour opérer dans la direction de Saverne. Si Votre Excellence la partage, je la prie de me le faire savoir en me donnant connaissance des mouvements qu'elle fera, afin que je puisse y faire coïncider les miens.

«Le maréchal duc DE BELLUNE.»

LE MAJOR GÉNÉRAL AU MARÉCHAL MARMONT.

«Paris, le 2 janvier 1814.

«L'Empereur a pris connaissance, monsieur le duc, de la lettre par laquelle vous m'informez de votre mouvement sur Landau avec le sixième corps d'armée et le premier corps de cavalerie.

«Sa Majesté ordonne que vous continuiez votre mouvement pour vous porter sur Colmar.

«Vous aurez sous votre commandement:

«1° La division actuelle du deuxième corps d'armée, forte de douze premiers bataillons, avec toute l'artillerie qui y est attachée.

«Vous vous entendrez avec le maréchal duc de Bellune pour que ces bataillons soient complétés à huit cents hommes, au moyen de tous les conscrits qui arrivent.

«2° Les deux divisions qui forment actuellement le sixième corps, et l'artillerie qui y est attachée.

«3° Le premier corps de cavalerie que vous avez déjà avec vous et toute l'artillerie qui y est attachée.

«4° Enfin le cinquième corps de cavalerie, commandé par le général Milhaud, qui est à Colmar, avec toute son artillerie.

«Faites connaître, monsieur le maréchal, aussitôt que vous le pourrez, d'une manière exacte, la marche de vos troupes sur Colmar et votre itinéraire particulier, afin que nous sachions toujours où vous adresser des ordres.

«Le duc de Bellune restera à Strasbourg, et il s'occupera à former les deuxième et troisième divisions du deuxième corps d'armée, et l'artillerie qui doit leur être attachée, au fur et à mesure que les deuxième et quatrième bataillons des douze régiments de ces corps arriveront.

«Au moyen des dispositions ci-dessus, tout ce qui est destiné à renforcer le sixième corps doit changer de route; au lieu de se diriger sur Mayence, tous ces renforts se dirigeront sur Phalsbourg, où vous leur enverrez des ordres selon les circonstances pour vous rejoindre.

«Je joins ici un état des détachements destinés pour le sixième corps, dont le départ est annoncé jusqu'à ce moment. Il est divisé en quatre parties:

«1° Les détachements qui doivent déjà avoir rejoint;

«2° Ceux qui ont reçu des ordres pour s'arrêter en route;

«3° Ceux qui ne paraissent pas pouvoir être détournés avant leur arrivée à Mayence. Donnez des ordres pour que de là ils vous rejoignent directement sur Colmar;

«4° Ceux qui pourront être détournés à leur passade dans la troisième division militaire. J'écris au duc de Valmy de les diriger sur Phalsbourg, où vous leur enverrez des ordres.

«Je recommande aussi à M. le duc de Valmy de faire diriger pareillement sur Phalsbourg tout ce qui appartiendrait aux premier et cinquième corps de cavalerie.

«J'écris également au général Buty, commandant en chef l'artillerie de l'armée, et au commandant des équipages militaires à Metz, de diriger dorénavant sur Phalsbourg tout ce qui est destiné pour les deuxième et sixième corps d'armée, et pour les premier et cinquième corps de cavalerie.

«L'Empereur vient de prescrire des dispositions pour faire réunir sans délai un autre corps d'armée à Épinal et un autre à Langres.

«Le prince vice-connétable, major général,

«ALEXANDRE.»

LE MAJOR GÉNÉRAL AU MARÉCHAL MARMONT.

«Paris, le 3 janvier 1814.

«Je vous ai adressé hier, monsieur le duc, l'ordre de continuer votre mouvement avec le sixième corps d'armée et le premier corps de cavalerie, et leur artillerie, pour vous porter sur Colmar. L'intention de l'Empereur est qu'en dirigeant ce qui est sous vos ordres sur Colmar vous vous rendiez en toute diligence dans cette ville, et que vous y preniez le commandement du cinquième corps de cavalerie et de la division du deuxième corps d'armée, afin d'en tirer vous-même le meilleur parti possible.

«L'Empereur désire que vous pressiez la marche du sixième corps d'armée et du premier corps de cavalerie sur Colmar, et que vous ne vous laissiez pas amuser par des craintes de passage.

«Le duc de Bellune, qui reste à Strasbourg, réunira sous ses ordres tout ce qui doit composer les deux autres divisions de deuxième corps d'armée.

«L'Empereur a ordonné des levées en masse; on s'occupe du mode d'exécution, et le général Berkeim est nommé pour commander les levées du

Haut-Rhin. Il se tiendra près de vous. Il aura avec lui des officiers du pays. Les généraux de l'insurrection seront chargés de donner des ordres pour l'organisation, par tiers, de la population des villages; ils en formeront des compagnies, nommeront les officiers, donneront des ordres pour sonner le tocsin, formeront des corps de partisans dont ils nommeront les chefs, et auxquels ils donneront des patentes de partisans.

«On s'occupe à préparer des instructions pour régulariser et utiliser cette importante mesure.

«Le prince vice-connétable, major général,

«ALEXANDRE.»

LE MARÉCHAL MARMONT AU MAJOR GÉNÉRAL.

«7 janvier 1814.

«J'ai l'honneur de vous rendre compte que j'ai fait partir un convoi de vivres pour Bitche. J'espère qu'il arrivera à bon port: la place en a un très-grand besoin.

«L'ennemi s'est présenté aujourd'hui devant Sarrebrück, avec une avant-garde d'infanterie et de cavalerie. Il paraît qu'il est arrivé aujourd'hui beaucoup de monde à Deux-Ponts. Je ferai tout ce qui sera en mon pouvoir pour retarder ce passage de la Sarre par l'ennemi. J'ai réglé la défense de la haute Sarre, et je retourne demain du côté de Sarrebrück.

«Je vais établir mon quartier général et nos principales forces à Forbach, pour être plus en mesure de me porter sur les différents gués.

LE MARÉCHAL MARMONT AU MAJOR GÉNÉRAL.

«7 janvier 1814.

«J'ai l'honneur de vous rendre compte que j'ai beaucoup de déserteurs parmi les soldats des départements du Mont-Tonnerre et de Rhin-et-Moselle, et cela dans toutes les armes, chasseurs, hussards, fantassins et cuirassiers.--Tous les Hollandais qui avaient été incorporés sont partis.

«Le régiment de hussards hollandais ayant eu une trentaine de déserteurs depuis quelques jours, j'ai pris le parti de faire démonter et désarmer cinquante Hollandais qui lui restaient, et j'ai demandé les chevaux, armes, etc., etc., au 10e régiment de hussards.

«Il se passe ici une chose très-fâcheuse pour le bien du service de Sa Majesté, les autorités civiles et les gendarmes fuient avec une rapidité dont rien n'approche, de manière qu'ils jettent l'alarme et nous privent des secours qu'ils donneraient à l'armée.--Les gendarmes de Deux-Ponts sont partis il y a quatre jours; le sous-préfet de Sarreguemines il y a deux jours; il en est de même partout.»

LE MARÉCHAL MARMONT AU MAJOR GÉNÉRAL.

«Forbach, le 8 janvier 1814, onze heures du soir.

«J'ai eu l'honneur de rendre compte à Votre Altesse Sérénissime que j'avais pris position sur la Sarre, et fait faire un convoi sur Bitche. J'ai inspecté ma ligne ce matin et j'ai reconnu que, par une négligence inimaginable, tous les bateaux que j'avais fait réunir à Sarrebrück avaient un peu descendu la rivière, et étaient sur la rive droite au pouvoir de l'ennemi.

«Ces bateaux étaient assez nombreux et assez grands pour pouvoir nous porter huit mille hommes par passage. L'ennemi n'étant point encore en force sur ce point, je n'ai pas perdu un seul instant pour faire arriver du canon, chasser les postes ennemis, et prendre possession de ces bateaux par des nageurs soutenus par un grand nombre de tirailleurs. Cette opération, quoique en plein jour, s'est faite avec tout le succès possible.

«L'ennemi a porté des forces assez considérables sur la haute et la basse Sarre, et cependant je sais, à n'en pouvoir douter, qu'il manoeuvre sur les deux rives de la Moselle.

«Les troupes qui sont en face de Sarrelouis sont des troupes prussiennes du corps d'York, qui a débouché par Coblentz et Baccarach.--Les troupes qui ont débouché par deux ponts sur la haute Sarre, sont, je crois, du corps de Sacken.

«Je garde tous les gués et passages de la Sarre, depuis au-dessous de Sarrelouis jusqu'au-dessus de Sarreguemines, et je resterai dans cette position tant que l'ennemi ne forcera pas un de ces passages, ou ne menacera pas mes communications en marchant par la haute Sarre.

«J'ai fait tout ce qui était en mon pouvoir pour former l'approvisionnement de Sarrelouis, dont on ne s'était nullement occupé. Le commandant de Sarrelouis ayant perdu la tête, j'ai dû, d'après ce que les règlements m'autorisent à faire, donner un autre commandant à cette place, et j'ai fait choix du colonel du 59e régiment, qui est un officier ferme, et qui saura créer des ressources et montrer du courage et de la persévérance. J'ai cru devoir augmenter sa garnison, assez mal composée, d'un bataillon de son régiment, fort de deux cents hommes, ce qui la portera à douze cents hommes de troupes, et quatre cents gardes nationales.»

LE MARÉCHAL MARMONT AU MAJOR GÉNÉRAL.

«Forbach, le 9 janvier 1814, midi.

«J'ai l'honneur de vous rendre compte que l'ennemi a forcé le passage de la rivière à Rehling, au-dessous de Sarrelouis, et qu'il débouche en force avec infanterie, cavalerie et artillerie. J'ai reçu également le rapport que les ennemis se sont beaucoup augmentés du coté de Sarreguemines, tandis que les rapports du pays annoncent que l'ennemi est entré avant-hier à Saverne. Ces différentes circonstances me déterminent à me porter demain matin à Saint-Avold, avec la plus grande partie de mes forces, en laissant mon avant-garde à Forbach; je me rapprocherai ensuite de Metz en manoeuvrant suivant les circonstances.

«Le duc de Valmy m'écrit que je ne puis recevoir de secours en vivres de Metz. Cependant, dans la circonstance où je me trouve, il faut que mes subsistances soient assurées d'une manière régulière, et, certes, la chose est aussi pressante que facile. Il paraît que le duc de Valmy brouille tout au lieu de mettre l'ordre. Je redoute beaucoup les entraves que je vais éprouver par son voisinage. D'un autre côté, on m'assure que l'ennemi est entré à Épinal, et j'ignore ce que devient le duc de Bellune, dont la position influe beaucoup sur la mienne. Sa Majesté appréciera les inconvénients graves de cet état de choses, et combien il serait nécessaire de le faire cesser.

«Votre Altesse Sérénissime connaît les intentions de Sa Majesté, relativement à la formation de la garnison de Metz. Si j'y dois fournir des troupes, il faudrait y employer de préférence celles du général Durutte, qui sont peu en état de tenir la campagne, leurs magasins et leurs officiers payeurs étant à Mayence.»

LE MARÉCHAL MARMONT AU MAJOR GÉNÉRAL.

«Longueville, le 10 janvier 1814.

«J'ai l'honneur de rendre compte à Votre Altesse Sérénissime que, les troupes légères que j'avais placées sur la haute Sarre m'ayant prévenu hier qu'un corps ennemi nombreux avait passé la Sarre à Sarralbe et marchait sur Pettelange, tandis que, d'un autre côté, j'avais reçu le rapport que l'ennemi avait passé la rivière et construit un pont à Rehling, ce mouvement sur Pettelange ne pouvant avoir d'autre objet que de s'emparer avant moi du défilé de Saint-Avold, le seul par lequel je puis me retirer, je suis parti ce matin pour m'y rendre, et j'ai occupé la position de Longueville que j'avais fait reconnaître. Je tiens Saint-Avold en avant-garde, d'où je pousse des partis dans toutes les directions. Cette position de Longueville me donne les moyens de voir venir l'ennemi sans me compromettre. Elle a aussi cela d'avantageux qu'elle ne peut être tournée que par la route de Sarrelouis à Metz, ou par la route de Sarreguemines à Mozanges et Faulquemont, ce qui serait extrêmement long. La position par elle-même est assez bonne pour que je puisse y rester assez de temps pour forcer l'ennemi qui marchait à moi de déployer toutes ses forces. Je compte donc y rester tant que la chose sera possible. Je me trouve couvrir Metz qui en a grand besoin, à ce qu'il paraît, pour le moment, garder les principaux débouchés de la Sarre, et tenir la tête d'une route qui mène sur Nancy.

«Votre Altesse avait ordonné au duc de Valmy que tous les détachements qui appartiennent à des corps qui se trouvent séparés de l'armée me seraient envoyés pour être incorporés dans le sixième corps.

«Non-seulement cette disposition ne s'exécute pas; mais le duc de Valmy envoie dans les places des détachements de mes régiments, habillés, armés, et prêts à entrer en campagne, et cela sans connaître la position des troupes et de l'ennemi. Ainsi, par exemple, j'ai appris ce matin qu'il avait envoyé sur Sarrelouis un détachement du 37e léger.--J'ai pu le rallier; mais il serait tombé au pouvoir de l'ennemi s'il eût continué sa route.

«Cette disposition est d'autant plus mauvaise, que les garnisons des places peuvent être faites avec des conscrits non habillés. Il est bien urgent que les bataillons de campagne reçoivent des recrues, car, lorsque j'aurai un corps plus nombreux, plus disponible, et non de simples cadres qu'il faut conserver, je pourrai agir offensivement sur les forces de l'ennemi, qu'il paraît diviser beaucoup. Mais il n'est pas en mon pouvoir de rapprocher ce moment, presque aucun moyen ne m'arrivant.»

LE MARÉCHAL MARMONT AU MAJOR GÉNÉRAL.

«Longueville, le 12 janvier 1814.

«J'ai l'honneur de vous rendre compte que le corps de Sacken suit la même route que moi, tandis que le corps d'York, qui a passé la Sarre à Rehling, marche par la route directe de Sarrelouis à Metz. Les premières troupes de cavalerie de ce dernier corps d'armée ont couché hier à Boulay, dont elles ont chassé mes postes, et ont paru ce matin à Condé, marchant dans la direction de Metz. L'arrière-garde du corps de Sacken est arrivée dans la journée à Saint-Avold, que j'occupais également par une avant-garde. Ces forces se sont pelotonnées, et elles nous ont forcés, après un petit engagement, à abandonner cette ville.

«D'après la certitude que j'ai, que j'aurai demain matin le corps de Sacken en présence et le corps prussien plus près que moi de Metz, je pars cette nuit pour me rapprocher de cette ville, où j'arriverai demain soir, et je tiendrai position derrière la Moselle tout le temps que je pourrai.

«Sa Majesté peut juger de l'esprit qui règne parmi les conscrits par ce qui vient de se passer. Sur un détachement de trois cent vingt hommes armés, parti avant-hier de Metz, il en est arrivé ici, ce matin, deux cent dix.

«Il paraît constant que voilà la disposition des corps ennemis qui sont en présence. Le corps Saint-Priest sur Trèves et Luxembourg; le corps de Sacken, venant de Sarrebrück; le corps prussien, dans lequel se trouve le prince Guillaume de Prusse, ayant un détachement devant Sarrelouis et marchant sur Metz. Le corps de Langeron (russe) et le corps de Kleist autour de Mayence.

«J'ignore ce qu'est devenue la colonne bavaroise et badoise, environ dix mille hommes, qui était aux environs de Wissembourg. Toutes ces troupes sont sous les ordres du feld-maréchal Blücher.»

LE MARÉCHAL MARMONT AU MAJOR GÉNÉRAL.

«Metz, le 12 janvier 1814.

«J'ai eu l'honneur de vous rendre compte hier de la marche du corps de Sacken et de l'engagement que j'avais eu hier au soif avec son avant-garde. L'ennemi opère aussi, ainsi que je vous l'ai mandé, par la route de Sarrelouis à Metz, ce qui a rendu nécessaire de me rapprocher de l'embranchement des routes, afin de ne pas perdre ma communication avec Metz. Nous avons eu dans la soirée des engagements de cavalerie assez vifs dans les directions de Boulay et de Courcelles; l'ennemi a montré de chaque côté un millier de chevaux. Je calcule que demain j'aurai devant moi de fortes avant-gardes, et après-demain toutes les forces ennemies. Je me dispose à faire tout ce qui sera convenable pour défendre le plus possible la Moselle.

«Je suis venu de ma personne, ce soir, ici, afin de connaître dans quel état se trouve la place, et de prendre toutes les dispositions que commandent les circonstances: elles sont arrêtées et seront exécutées sans retard. J'ai formé la garnison, et, à cet effet, j'ai disposé d'un bataillon du sixième corps, et des bataillons des 22e, 69e et 28e léger, qui étaient destinés au onzième corps et n'ont pas pu s'y rendre par suite de la position de l'ennemi. Avec les bataillons qui sont ici et les conscrits qui sont arrivés, la place aura suffisamment de monde. Elle va être complétement pourvue de toutes sortes de moyens. En conséquence, je fais partir pour Châlons tous les dépôts qui encombrent cette place et qu'il est si nécessaire de conserver pour la réorganisation de l'armée. J'en informe le ministre de la guerre, pour qu'il puisse leur donner une destination définitive. Je me suis occupé également de la place de Thionville, qui recevra demain un supplément de garnison. D'après cela, la vieille garde part demain matin pour la destination qui lui a été assignée.

«Comme je m'affaiblis beaucoup, le général Curial consent à me laisser la division de voltigeurs qui sort de Thionville, mais qui, étant en campagne, sera toujours à même d'exécuter les ordres de Sa Majesté.»

LE MAJOR GÉNÉRAL AU MARÉCHAL MARMONT.

«Paris, le 13 janvier 1814.

«Monsieur le duc de Raguse, je vous envoie l'instruction générale que l'Empereur m'a ordonné de vous adresser, ainsi qu'à MM. les maréchaux prince de la Moskowa, duc de Bellune, duc de Trévise, duc de Tarente, et au général Maison, commandant le corps d'Anvers. Lisez-la avec attention, et conformez-vous-y en tout ce qui peut vous concerner.

«Voici un aperçu de la situation des armées ennemies de la coalition. Ces armées ont conservé la même organisation qu'elles avaient pendant la campagne dernière.

«Les forces de l'ennemi sont divisées en trois armées:

«Celle du Nord, commandée par le prince royal de Suède;

«L'armée de Silésie, que commande le général Blücher;

«La grande armée, que commande le prince de Schwarzenberg.

«L'armée du Nord, que commande le prince royal de Suède, est vis-à-vis Hambourg; elle a une division vis-à-vis Wesel, et une autre, commandée par le général Bulow, sur Bréda.

«Le général Wintzingerode, avec une division légère d'environ trois mille cinq cents hommes, se porte sur le Wahal.

«L'ennemi a en outre vingt-cinq mille hommes devant Magdebourg, et seize mille devant Custrin et Glogau.

«L'armée de Blücher, selon tous les renseignements, a passé le Rhin avec quarante-cinq mille hommes; elle doit en avoir laissé vingt mille sur Mayence.

«On porte l'armée du prince de Schwarzenberg à quatre-vingt-dix mille hommes. Il en a environ vingt mille autour de Besançon, quinze ou vingt mille en Suisse pour maintenir ce pays, vingt mille pour observer Huningue et les autres places de l'Alsace.

«Cette armée sera bientôt obligée d'avoir une vingtaine de mille hommes pour couvrir le siège de Béford.

«D'après ces données, l'ennemi aurait donc sur notre territoire:

«Quinze mille hommes en Hollande;

«Cinq mille Hollandais;

«Cinq mille Anglais;

«Total: vingt-cinq mille hommes.

«Quarante-cinq mille de Blücher;

«Quatre-vingt-dix mille du prince de Schwarzenberg;

«Total: cent soixante mille hommes.

«L'ennemi prétend avoir deux cent mille hommes; il augmenterait ses forces réelles d'un huitième.

«Il a, outre cela:

«Trente-cinq mille hommes de l'armée du Nord devant Hambourg;

«Vingt-cinq mille devant Magdebourg;

«Quinze mille devant Custrin et Glogau;

«Quatre mille devant Würtzbourg;

«Douze mille devant Erfurth;

«Ce qui fait à peu près cent mille hommes sur la rive droite du Rhin.

«Cela, joint aux cent soixante mille hommes qu'il a sur notre territoire, à la rive gauche, forme environ trois cent mille hommes.

«Il doit avoir une centaine de mille hommes dans les hôpitaux, malades ou blessés; ce qui suppose quatre cent mille hommes indépendants de l'armée d'Italie.

«Les vingt-cinq mille hommes qu'il a en Hollande sont employés à observer le Helder, que nous occupons avec deux mille Français, qui ont des vivres pour neuf mois; les places de Naarden, Wesel, Berg-op-Zoom, Gorcum, où nous avons quatre mille hommes; ce qui doit faire présumer que l'armée du Nord n'a pas plus de dix mille hommes disponibles pour opérer.

«Il suit de cet aperçu qu'il ne paraît pas que l'ennemi soit en mesure de pénétrer davantage dans l'intérieur de la France, et que la position du corps commandé par le général Maison en avant d'Anvers,

«Du corps du duc de Tarente sur la Meuse, de votre corps sur la Sarre,

«Du corps du duc de Bellune et du prince de la Moskowa sur les Vosges,

«Du corps du duc de Trévise sur Langres,

«Et enfin de l'armée de réserve qui se forme à Paris, à Troyes et à Châlons, formant, par la réunion de tous ses corps, une armée de cent trente à cent cinquante mille hommes en avant de Paris, indépendamment d'une armée de cinquante mille hommes qui se forme à Lyon; tout cela, dis-je, donne donc lieu à Sa Majesté de penser que l'on est en mesure de tenir l'ennemi au delà des Vosges, et sans qu'il puisse faire des progrès, en deçà de la Sarre et en deçà de la Meuse, et que, si enfin on peut maintenir les choses une vingtaine de jours dans cette situation, on sera alors en mesure de rejeter l'ennemi au delà du Rhin.

«Le prince vice-connétable, major général,

«ALEXANDRE.»

LE MAJOR GÉNÉRAL AU MARÉCHAL MARMONT.

«Paris, le 13 janvier 1814.

INSTRUCTION GÉNÉRALE

«Pour le corps d'armée d'Anvers;
«Pour le duc de Tarente;
«Pour le duc de Raguse;
«Pour le duc de Bellune;
«Pour le prince de la Moskowa;
«Pour le duc de Trévise.

«L'ennemi opère par trois masses:

«1° Il ne paraît pas que celle qui déboucherait par Bréda, et que commande le général Bulow, puisse opérer avec plus de neuf à dix mille hommes.

«Le général Maison est en mesure de la contenir et de la battre.

«2° Le général Blücher commande toute l'armée de Silésie, c'est-à-dire la division Saint-Priest, la division Langeron, celle d'York et celle de Sacken.

«Obligé de laisser vingt à vingt-cinq mille hommes sur Mayence et sur le Rhin, il ne peut pas opérer avec plus de trente mille hommes.--Il se porte sur la Sarre, et dès lors il devra masquer Sarrelouis. S'il passe la Sarre, et qu'il se porte sur la Moselle, il devra masquer Luxembourg, Thionville, Marsal et Metz. Son corps sera à peine suffisant pour toutes ces opérations.

«Le duc de Raguse doit l'observer, le contenir, manoeuvrer entre les places; et, si, par une chance qui n'est pas présumable, il était obligé de repasser la Moselle, il jetterait la division Durutte dans Metz et préviendrait toujours l'ennemi sur le grand chemin de Paris.

«Dans cette supposition, le duc de Tarente, qui réunit son corps sur la Meuse, observerait le flanc droit de l'ennemi, défendrait Liége et la Meuse, et suivrait toujours le flanc droit de l'ennemi, de manière à ne pas cesser de couvrir les débouchés de Paris.

«Si, au contraire, Blücher, après avoir tâté la Sarre, se porte sur la basse Meuse pour menacer la Belgique, le duc de Tarente défendra la Meuse et le duc de Raguse suivra le flanc gauche de l'ennemi pour observer ses mouvements, le contenir, le retarder, lui faire le plus de mal possible.

«3° L'armée du prince de Schwarzenberg a besoin de vingt mille hommes pour son opération de Besançon et vingt mille hommes pour contenir la Suisse, et de vingt à vingt-cinq mille hommes pour masquer les places d'Alsace: elle doit être contenue par le corps du duc de Trévise à Langres, par le corps du prince de la Moskowa sur Nancy à Épinal, et par celui du duc de Bellune sur les Vosges. Ces trois maréchaux doivent correspondre entre eux. On doit se réemparer des gorges des Vosges, les barricader, et y réunir les gardes nationales, les gardes champêtres, les gardes forestiers et les volontaires. Et, si enfin l'ennemi pénétrait en force dans l'intérieur, les troupes doivent lui barrer le chemin et couvrir toujours la route de la capitale, en avant de laquelle l'Empereur réunit une armée de cent mille hommes.

«Telle est l'instruction générale pour les opérations.

«Les maréchaux peuvent faire des proclamations pour repousser les invectives des généraux ennemis. Ils doivent faire connaître que deux cent mille hommes de gardes nationales se sont formés en Bretagne, en Normandie et en Picardie, et dans les environs de Paris, et qu'ils s'avancent sur Châlons, indépendamment d'une armée de réserve de ligne de plus de cent mille hommes; que, la paix étant faite avec le roi Ferdinand et les insurgés d'Espagne, nos troupes d'Aragon et de Catalogne sont en pleine marche sur Lyon, et celles de Bayonne sur Paris; enfin prédire aux ennemis que le territoire sacré qu'ils ont violé les consumera.

«Le prince vice-connétable, major général,

«ALEXANDRE.»

LE MARÉCHAL MARMONT AU MAJOR GÉNÉRAL.

«Metz, le 13 janvier 1814.

«Je reçois la lettre que Votre Altesse Sérénissime m'a fait l'honneur de m'écrire le 11.

«Les mouvements que j'ai exécutés sans combattre ont été le résultat nécessaire de la marche sur mes flancs de forces supérieures, qui menaçaient de s'emparer avant moi des seuls points par lesquels je pouvais effectuer ma retraite, et de la situation de mes troupes qui ne présentent que des cadres. Si je dois combattre avant d'avoir reçu des renforts, je le ferai avec beaucoup plus d'avantages derrière la Moselle, appuyé à toutes les places, et avec ma retraite assurée dans toutes les directions, que je ne l'aurais fait dans les défilés de la Lorraine allemande, car ces défilés ne peuvent être défendus que lorsqu'on les occupe tous, sous peine d'être dans la position la plus critique; et, pour les occuper tous, il fallait plus de monde que je n'en ai.

«J'ai fourni pour Metz, Sarrelouis et Thionville, ainsi que j'ai eu l'honneur de vous en rendre compte, cinq cadres de bataillons, savoir: les bataillons du 28e léger, 22e, 59e, 69e de ligne, qui n'avaient pu rejoindre le duc de Tarente, et un bataillon du 14e de ligne.--Ces cadres, avec les conscrits qui leur seront donnés, donneront le moyen de compléter ces garnisons.

«Mes forces sont aujourd'hui de six mille hommes d'infanterie en quarante-huit bataillons et deux mille cinq cents hommes de cavalerie.--J'aurai l'honneur de vous adresser demain un état de situation détaillé.

«Si j'avais trente mille hommes disponibles ici, je ferais changer tout le système de campagne de l'ennemi, et, appuyé aux places, je le forcerais à se concentrer, après avoir battu tous ses corps séparés;--si j'en avais la moitié, je remplirais une grande partie de ce plan.

«L'avant-garde du corps de Sacken, avec laquelle nous avons eu affaire à Saint-Avold, est arrivée devant nous ce matin. Il est arrivé également par la route de Sarrelouis un corps de cavalerie, qui appartient sans doute au corps d'York. Cependant il semblerait qu'une partie de ce corps vient de quitter la direction qu'il suivait sur Metz pour se porter sur Thionville.

«Je prépare par tous les moyens possibles une bonne défense de la Moselle, autant *que tout ce qui se passera du côté de Nancy le permettra.*»

LE MARÉCHAL MARMONT AU MAJOR GÉNÉRAL.

«Metz, le 14 janvier 1814.

«Monseigneur, j'ai l'honneur de rendre compte à Votre Altesse que, d'après mes rapports, le corps prussien a pris position à une lieue de la Moselle, sur la rive droite, entre Thionville et Metz. Le corps de Sacken est devant moi, à quelque distance; son avant-garde a ses postes établis en présence des miens. Il n'y a eu aujourd'hui aucun engagement sur ce point. J'ai envoyé une division à Pont-à-Mousson pour garder ce poste important. L'ennemi y a présenté cinq ou six cents chevaux, qui ont été repoussés. Cette division me sert d'avant-garde et m'éclaire du côté de Nancy. D'après les nouvelles que j'ai reçues, l'ennemi doit être dans cette ville depuis ce matin. Je l'ai envoyé reconnaître. Mon intention était, aussitôt qu'il serait entré dans cette ville, de marcher sur lui, couvert par la Moselle, contre les corps que j'ai en présence, afin de le prendre en flanc dans son mouvement sur Toul; mais une crue de la Moselle, qui est sans exemple, a couvert d'eau, dans la journée, tout le pays entre Metz et Pont-à-Mousson, au point de le rendre tout à fait impraticable aux voitures pour le moment.

«J'occupe toujours, par une forte avant-garde, le dehors de Metz à une lieue, et je me lie, par de la cavalerie, sur la rive gauche, avec Thionville.

«Mes rapports m'annoncent la présence de partis du côté de Luxembourg.

«La nécessité indispensable de mettre de l'ordre dans le service de la place de Metz, où rien n'était établi pour ta sûreté de la ville, l'incapacité absolue du général Roget et le peu de confiance dont il jouit parmi les habitants, m'ont déterminé à nommer un commandant supérieur à Metz, en attendant celui qu'il plaira à Sa Majesté d'y envoyer, et j'ai fait choix du général de division Durutte, qui, par son exactitude et son zèle, me parait propre à ces fonctions.

«La ville de Metz est dans un très-bon état de défense. Le préfet a beaucoup fait pour son approvisionnement, et il y aura, soit en troupes, soit en gardes nationales armées, soit en canonniers et ouvriers militaires ou bourgeois, douze mille hommes.

«J'ai fait partir presque tous les dépôts pour Châlons, et les derniers partiront demain; j'en préviens le ministre, afin qu'il leur assigne les destinations qu'il jugera convenables. Le matériel de l'équipage de camp, qui était ici, s'est mis en route ce matin; toute l'artillerie de la garde est également partie.»

LE MARÉCHAL MARMONT AU MAJOR GÉNÉRAL

«Metz, le 15 janvier 1814.

«J'ai l'honneur de vous rendre compte qu'étant informé de l'entrée de l'ennemi à Nancy, et de la retraite des troupes françaises sur Toul, d'un autre côté, le général Ricard, qui avait reçu la nouvelle de la marche de l'ennemi sur Thiaucourt, ayant cru devoir se mettre en marche de Pont-à-Mousson, qu'il occupait, pour se rendre sur ce point; d'après ces divers mouvements, je me trouve forcé de quitter les bords de la Moselle pour me rapprocher de la Meuse.

«Je compte partir demain, laissant Metz dans un très-bon état de défense.»

LE MARÉCHAL MARMONT AU MAJOR GÉNÉRAL

«Metz, le 16 janvier 1814.

«J'ai l'honneur de vous rendre compte que je viens de recevoir une lettre du duc de Bellune, en réponse aux nouvelles que je lui avais demandées, par laquelle il m'annonce qu'il a pris position à Toul et que le prince de la Moskowa occupe... et Ligny. La lettre du duc de Bellune me faisant supposer qu'il a l'intention de rester quelque temps dans cette position, je prends moi-même position à Gravelotte à deux lieues de Metz, observant la Moselle et ayant une avant-garde dans la direction de Pont-à-Mousson.

«Je pourrai garder cette position autant de temps que le duc de Bellune restera à Toul, et que l'ennemi ne débouchera pas sur moi ou sur Saint-Mihiel avec des forces supérieures. Il est extrêmement fâcheux que le prince de la Moskowa n'ait pas ordonné de couper le pont sur la Moselle à Frouard, à l'instant où il a évacué Nancy. Le général Ricard aurait également fait couper celui de Pont-à-Mousson, et il aurait pu rester sur les bords de la Moselle sans s'occuper de Thiaucourt, sur lequel on lui a dit que l'ennemi se portait par Bernecourt.

«Quoi qu'il en soit, depuis que je sais que le duc de Bellune tient à Toul, j'ai donné l'ordre au général Ricard de garder Thiaucourt le plus longtemps possible, voulant rester à Gravelotte et conserver la communication avec Metz tant que cela sera possible, et que je ne courrai pas risque de voir ma communication compromise.

«J'ai envoyé sur Verdun la division de la jeune garde, conformément à l'ordre que j'ai reçu. Il serait utile que ces troupes restassent sur la Meuse pour me soutenir au besoin.

«Je viens de recevoir la lettre de Votre Altesse, du 13, et l'instruction qui y est jointe. Aux détails que votre lettre contient sur l'armée de Silésie, il faut ajouter le corps de Kleist qui, d'après le rapport que j'ai reçu hier au soir, vient de rejoindre, et un corps bavarois et badois de sept à huit mille hommes, qui était près de Bitche il y a huit jours, et qui paraîtrait avoir opéré sur Dieuze et revenir maintenant sur Metz; un corps considérable, qui ne peut être que celui-là, ayant été vu avant-hier descendant la côte de Delme, route de Strasbourg à Metz.

«Le corps de Sacken m'a suivi de fort près, et a pris position sur la Nied, le jour où je me suis établi en avant de Metz, à la croisée des routes de Sarrebrück et de Sarrelouis.

«Le lendemain, ce corps s'est porté, par des chemins de traverse, dans la direction de Pont-à-Mousson, en passant par Soigne. Les troupes ont été vues et comptées par un habitant digne de foi. Le même jour, ce corps a été remplacé devant moi par les troupes du corps d'York, et il paraît qu'hier le corps de Kleist est arrivé aux environs de Thionville, et s'est placé entre Thionville et Metz.

«Le 13, j'ai envoyé une division à Pont-à-Mousson, afin de défendre ce poste important; mais Sacken n'y a rien entrepris. Quant au corps de Saint-Priest, qui fait également partie de l'armée de Silésie, il paraît que c'est lui qui est entré à Trèves, mais il n'y est plus, et je ne sais ce qu'il est devenu; il est possible qu'il ait fait face au duc de Tarente. Le corps de Langeron est devant Mayence.

«D'après le mouvement du général Sacken, je me serais porté en masse sur Pont-à-Mousson, afin de me lier davantage avec les troupes du duc de Bellune, laissant Metz et Thionville me couvrir contre le corps prussien, si la crue subite de la Moselle et les inondations qui en ont été la suite, occasionnées à ce qu'il paraît par l'ouverture de plusieurs étangs des Vosges, n'avaient couvert la route de la rive gauche de la Moselle de manière à la rendre tout à fait impraticable aux voitures, et cela deux heures après le passage de la division Ricard. Maintenant que l'ennemi est maître du défilé de Pont-à-Mousson, cette opération ne serait plus praticable, lors même que les inondations viendraient à disparaître.»

LE MAJOR GÉNÉRAL AU MARÉCHAL MARMONT.

»Paris, le 16 janvier 1814.

«Monsieur le duc de Raguse, je viens de faire connaître à M. le maréchal duc de Bellune que l'Empereur a été surpris qu'il ait abandonné Saint-Nicolas et Nancy sans se battre et sans défendre la Meurthe, quand vous avez votre corps d'armée en avant de Metz et que vous faites occuper Pont-à-Mousson; je lui mande que le duc de Trévise est en avant de Langres où il arrête l'ennemi; que l'on ne doit pas supposer qu'il ait devant lui autant de forces qu'il l'annonce, puisque l'ennemi a une grande partie de ses troupes dans l'Alsace et devant nos places, devant Gênes et sur Bourg-en-Bresse, pour menacer Lyon. Je préviens le duc de Bellune que la Meurthe et la Moselle forment une barrière qu'il doit défendre, et que l'essentiel est de retarder la marche de l'ennemi autant qu'il sera possible, et de pouvoir attendre jusqu'au 15 février; nous aurons alors une grande armée. Concertez-vous avec le duc de Bellune et le prince de la Moskowa.

«Le prince vice-connétable, major général,

«ALEXANDRE.»

LE MAJOR GÉNÉRAL AU MARÉCHAL MARMONT.

«Paris, le 17 janvier 1814, onze heures du soir.

«Monsieur le maréchal duc de Raguse, l'Empereur espère que vous n'aurez pas quitté Metz, car c'est très-mal à propos que le duc de Bellune a quitté Nancy pour se porter à Toul; rien n'est aussi ridicule que la manière dont ce maréchal évacue le pays: je lui donne l'ordre de tenir à Toul. L'Empereur va se porter à Châlons. J'écris au duc de Tarente de se rapprocher de nous en suivant nos mouvements. Je reçois à l'instant votre lettre du 16 à midi. Je vais la mettre sous les yeux de l'Empereur.

«Le prince vice-connétable, major général,

«ALEXANDRE.»

LE MARÉCHAL MARMONT AU MAJOR GÉNÉRAL.

«Harville, le 17 janvier 1814.

«J'ai eu l'honneur de rendre compte à Votre Altesse Sérénissime de mon mouvement pour me rapprocher de la Meuse. J'avais envoyé, dès hier matin, des officiers en poste pour préparer la défense de la Meuse, et faire sauter les ponts depuis Saint-Mihiel jusqu'à Verdun.--Mais la fatale imprévoyance du prince de la Moskowa, qui, en évacuant Nancy, n'a pas fait sauter le pont de Frouard sur la Moselle, a donné à l'ennemi le moyen d'arriver sur la Meuse avant moi, et a empêché que les dispositions eussent leur effet.

«L'officier que j'avais envoyé à Saint-Mihiel arrive et m'annonce que l'ennemi y est entré ce matin en forces.»

LE MARÉCHAL MARMONT AU MAJOR GÉNÉRAL

«Verdun, le 18 janvier 1814.

«Monseigneur, j'ai eu l'honneur de vous écrire hier que l'armée ennemie était en mouvement sur Saint-Mihiel et que son avant-garde y était arrivée hier matin. Cette nouvelle était fausse; cependant j'étais autorisé à y croire, puisqu'elle m'était donnée par un des officiers que j'emploie habituellement à courir le pays pour avoir des nouvelles, et qui arrivait des environs de Saint-Mihiel pour m'en informer, et qui m'a fait jusqu'ici des rapports exacts. Elle était d'ailleurs probable, puisque l'ennemi possédait, depuis le 14, le pont de Frouard et qu'il n'y a que deux petites marches de Nancy à Saint-Mihiel, et que c'était hier le 17, ce qui aurait supposé que l'ennemi avait commencé son mouvement du 15 au 16, dans l'espérance de remplir l'objet important de surprendre le passage de la Meuse. Enfin, rien ne contredisait cette nouvelle, puisque le général Ricard, qui occupait Pont-à-Mousson, s'était retiré tout à fait en arrière sans s'arrêter à Thiaucourt, d'où il aurait su à quoi s'en tenir sur les mouvements prétendus de l'ennemi: mais il avait cru utile de s'éloigner, et dès lors j'étais privé d'avoir des nouvelles par lui. J'ai eu ce matin des rapports qui m'ont fait présumer que l'ennemi n'était point en force à Saint-Mihiel, et j'y ai envoyé en toute hâte un détachement d'infanterie et de cavalerie sous les ordres du colonel Fabvier. On y a surpris cinq cents Cosaques, qu'on a chassés et à qui on a fait quelques prisonniers. En ce moment, Saint-Mihiel est occupé; on dispose tout pour rompre le pont à l'approche des forces de l'ennemi, et je suis en situation de défendre la Meuse autant de temps qu'on voudra: tout dépend de celui que restera le duc de Bellune. Mes troupes sont à Verdun et sur les bords de la Meuse, et j'ai une forte avant-garde à Haudeaumont, dont les postes sont à Manheulle. Dans cette position, je suis à même d'exécuter tous les mouvements que les circonstances pourront exiger.»

LE MARÉCHAL MARMONT AU MARÉCHAL NEY.

«19 janvier 1814.

«Monsieur le maréchal, les forces ennemies de toutes armes que vous supposez exister à Saint-Mihiel se réduisent à quatre cents Cosaques. Des rapports semblables à ceux que vous avez reçus m'avaient été faits et présentés avec quelque apparence de vérité, mais j'en ai bientôt reconnu l'exagération. Alors je me suis décidé à envoyer sur ce point des troupes qui en ont chassé les Cosaques, qu'elles ont surpris et à qui elles ont pris quelques hommes, et j'occupe Saint-Mihiel avec deux mille hommes et six pièces de canon.

«J'ai placé sept à huit cents chevaux pour éclairer la rive gauche de la Meuse depuis Saint-Mihiel jusqu'aux postes du duc de Bellune. J'ai fait détruire tous les ponts entre Verdun et Saint-Mihiel; on va en faire autant entre Saint Mihiel et Commercy, et, dans la journée, le pont de Saint-Mihiel sera miné et prêt à sauter à la moindre apparence d'attaque sérieuse de l'ennemi.

«Il serait bien nécessaire de prendre les mêmes dispositions sur la haute Meuse, à Commercy, à Pagny, etc., etc.; car c'est en créant des obstacles partout que vous pouvez arrêter ou retarder l'ennemi.

«J'ai une forte avant-garde à Haudeaumont; j'en ai une autre à Dieuze, et le reste de mes troupes est ici, sous ma main. Dans cette position, je suis en situation de défendre la Meuse, et j'y resterai tant que l'ennemi ne la passera pas au-dessus de moi. Voilà, monsieur le maréchal, quelle est ma position.

«J'ai l'honneur de vous prévenir que, des quatre à cinq cents Cosaques qui étaient à Saint-Mihiel, cent sont sur la rive gauche de la Meuse. On a barricadé le pont pour empêcher leur retour; il serait peut-être possible de les atteindre.

«Jusqu'ici, je vois des démonstrations faites par l'ennemi, mais je ne vois point d'opérations sérieuses de sa part, et je suis persuade que ses masses sont encore sur la Moselle et sur la Meurthe.--Un voyageur venant de Nancy a assuré même qu'avant-hier il n'y était pas encore entré d'infanterie. Il y a deux jours que le corps de York était devant Metz; une portion a été vue remontant la Moselle dans la direction de Pont-à-Mousson. Le corps de Kleist parait être entre Thionville et Metz.

«Si j'apprends quelque chose d'important, j'aurai l'honneur de vous en informer. Je vous prie, monsieur le maréchal, de me communiquer ce qui viendra à votre connaissance.»

LE MARÉCHAL MARMONT AU DUC DE BELLUNE

«19 janvier 1814.

«Monsieur le maréchal, j'ai l'honneur de vous informer que, ayant appris votre mouvement sur la Meuse, je m'en suis rapproché. Je pense comme vous que vous pouvez défendre la Meuse, et je crois pouvoir répondre d'y réussir dans l'étendue du pays que j'occupe maintenant, et tant que vous tiendrez à Commercy et à Pagny.

«Voici quelle est la position de mes troupes. J'occupe Saint-Mihiel avec deux mille hommes et six pièces de canon. J'ai placé sept à huit cents chevaux pour éclairer la rive gauche de la Meuse depuis Saint-Mihiel jusqu'à vos postes. J'ai une forte avant-garde à Haudeaumont, dont les postes sont à Manheulle. J'en ai une autre à Dieuze; le reste de mes troupes est ici sous ma main. J'ai fait détruire tous les ponts entre Saint-Mihiel et Verdun, etc., etc.»

LE MARÉCHAL MARMONT AU MAJOR GÉNÉRAL

«19 janvier 1814.

«J'ai eu l'honneur de vous rendre compte hier de l'établissement de nos troupes à Saint-Mihiel. J'ai sur ce point la deuxième division de voltigeurs de la garde, forte de deux mille cinq cents hommes, qui était la plus à portée de s'y rendre.

«Tous les travaux relatifs à la rupture du pont seront terminés ce soir à dix heures; mais le pont ne sera coupé qu'en cas d'attaque sérieuse de l'ennemi.

«Divers rapports m'ont annoncé que l'ennemi n'avait avant-hier presque aucune infanterie sur la rive gauche de la Moselle. Cependant le général Decous assure que l'ennemi a deux mille hommes d'infanterie à Bouconville et Xivrai. Je lui ai donné l'ordre de faire demain matin une reconnaissance au delà d'Apremont, afin de savoir d'une manière certaine à quoi s'en tenir.

«Mon avant-garde de Manheulle et Haudeaumont a été attaquée ce soir par un millier de chevaux prussiens. Nous avons eu huit hommes blessés et nous en avons blessé ou pris une quarantaine à l'ennemi, dont un officier. La perte de l'ennemi est le résultat d'une charge qu'il a faite sur le village de Manheulle, qui était occupé par de l'infanterie bien postée, et qui l'a bien reçu. Le rapport du général Piquet, qui commande cette avant-garde, porte que les prisonniers faits annoncent que le corps qui a attaqué est de douze cents chevaux, trois bataillons et plusieurs pièces de canon. J'attends les prisonniers pour les questionner moi-même.

«On a vu huit cents chevaux et deux pièces de canon, mais ni infanterie, ni le reste des pièces indiquées, de manière que je ne puis dire si c'est l'avant-garde d'un corps d'armée. Je le vérifierai demain.

«Dans le cas où l'armée ennemie n'aurait pas fait de mouvement en avant de la Moselle comme des rapports l'annoncent, ou si ce mouvement n'a pas en lieu d'ici à deux jours, je crois qu'il serait tout à fait convenable de se reporter sur la Moselle, car cette ligne est bonne. Mais, pour que cela puisse s'exécuter, pour qu'on y arrive sans danger et de façon à conserver la ligne, il faudrait agir méthodiquement et que toutes les troupes fussent sous le même commandement; car, sans cela, avec l'éloignement des corps de troupes que la garde de cette ligne comporte, il y a beaucoup de chances à courir si elles ne sont pas toujours dans la même main. Dans le placement des troupes sur la Moselle, je pense qu'elles devraient être ainsi disposées:

«Une division sur Pont-à-Mousson, une sur Marbach et Pompey, une sur Toul, une à Bernecourt et une à Thiaucourt avec le quartier général. Quelques postes suffiraient pour se lier avec Metz; mais il faut, je le répète, un seul chef pour diriger tout cela.

LE DUC DE BELLUNE AU MARÉCHAL MARMONT

«Void, le 20 janvier 1814,
cinq heures du soir.

«Une forte colonne de cavalerie ennemie a passé la Meuse pendant la nuit dernière entre Vaucouleurs et Neufchâteau: il est vraisemblable qu'elle est suivie par le corps de Blücher qui est arrivé depuis deux jours à Nancy. Les Cosaques de Platow ont pris la direction de Langres par Saint-Thiébault. Ils ont été remplacés hier à Neufchâteau par un corps bavarois. Un autre corps est devant nous à Commercy, simulant, je pense, un passage pour nous donner le change, car il me paraît que les armées alliées manoeuvrent par leur gauche pour nous prévenir sur la Marne dans les directions de Joinville et de Langres. Peut-être que ceux qui ont passé la Meuse ce matin se dirigent-ils sur Ligny par Gondrecourt. Dans ce cas, notre position sur la Meuse ne serait plus tenable. J'engage M. le maréchal prince de la Moskowa à tenir un parti sur Gondrecourt, afin d'être prévenu à temps des mouvements que les ennemis pourraient faite sur cette route. Je prie Son Excellence d'avoir la bonté de m'en instruire.

«J'envoie par courrier extraordinaire le rapport de ces événements au prince major général.

«LE MARÉCHAL DUC DE BELLUNE.»

LE MAJOR GÉNÉRAL AU MARÉCHAL MARMONT.

«Châlons, le 20 janvier 1814.

«Monsieur le duc de Raguse, j'arrive à Châlons, j'y trouve votre lettre du 19 à neuf heures du soir; vous avez fait une excellente opération en reprenant Saint-Mihiel; il paraît que le duc de Bellune occupe Commercy, Void où il a son quartier général, Vaucouleurs et Cudelincourt, derrière Gondrecourt, point important, car l'ennemi paraît avoir beaucoup de cavalerie à Neufchâteau. Le général Defrance a eu une belle affaire de cavalerie à Vaucouleurs contre quatorze cents hommes de cavalerie ennemie qu'il a repoussés. On dit Platow à Neufchâteau avec dix régiments de Cosaques cherchant à inquiéter la droite du duc de Bellune. Le duc de Trévise est à Chaumont où il a l'ordre de tenir; Langres est au pouvoir de l'ennemi.

«Je pars à l'instant pour voir le prince de la Moskowa à Bar-sur-Ornain, et le duc de Bellune à Void; de là je reviens à Châlons. Le duc de Valmy est dans cette ville, le général Belliard m'y remplace en mon absence. Envoyez-moi l'état de situation détaillée de toutes les troupes à vos ordres. J'adresse à l'Empereur votre lettre du 19 qui contient vos projets pour reprendre la ligne de la Moselle; je crois qu'il faut y penser en faisant attention à la droite du duc de Bellune et à l'espace qui se trouve entre Gondrecourt et Chaumont en Bassigny.

«Je ne vous parle point de la place de Verdun, ni de toutes les dispositions que votre prévoyance aura prises. Je recommande au duc de Bellune de se défendre sur la Meuse.

«Je donne l'ordre au payeur général de l'armée, à qui il reste deux cent mille francs en or, de vous les envoyer pour payer les masses de linge et chaussure et ferrage jusqu'au 1er janvier 1814, et ce qui peut être dû sur les deux mois de solde dont le payement a été ordonné par l'ordre du jour; et, s'il reste de l'argent, payer les officiers, mais sans acquitter aucune espèce de traitement extraordinaire.

«Le prince vice-connétable, major général,

«ALEXANDRE.»

LE MARÉCHAL MARMONT AU MAJOR GÉNÉRAL.

«20 janvier 1814.

«Les troupes qui se sont présentées hier à Haudeaumont sont bien réellement l'avant-garde du corps d'armée d'York qui débouche. Je ne puis pas douter que ce corps ne marche sur Verdun. Tous mes rapports s'accordent également à dire que le corps de Sacken est en marche sur Saint-Mihiel.

«J'ai rapproché mon avant-garde de Verdun, je l'ai renforcée, et, si un corps ennemi proportionné à mes forces se présente ici, j'espère le bien recevoir.

«Toutes les dispositions sont prises de manière à bien défendre la Meuse, et je doute que l'ennemi parvienne à la passer de vive force sur mon front. Je suis en communication réglée avec le duc de Bellune qui a fait également, à ce qu'il paraît, de bonnes dispositions sur le point qu'il est chargé de défendre.

«La Meuse est tellement gonflée et débordée, qu'il n'est plus possible d'entreprendre de la passer; ainsi les opérations de l'ennemi sont, sur ce point, nécessairement suspendues.»

LE MARÉCHAL MARMONT AU MAJOR GÉNÉRAL.

Verdun, le 21 janvier 1814.

«J'ai reçu la lettre que Votre Altesse Sérénissime m'a fait l'honneur de m'écrire hier. Les espérances que vous aviez conçues sur la défense de la Meuse, et qui étaient extrêmement fondées, ne se sont pas réalisées, car je viens de recevoir une lettre du duc de Bellune, qui m'annonce que l'ennemi a passé la Meuse entre Vaucouleurs et Neufchâteau, et qu'il marche sur Gondrecourt. Il est déplorable qu'on ait néglige de couper les ponts dans cette partie; car avec de la surveillance et de faibles moyens nous pouvions contenir l'ennemi sur cette ligne pendant sept à huit jours.

«Puisque la Meuse n'a pas arrêté l'ennemi un instant, il n'y a pas de raison pour que nous tenions position nulle part, ou au moins il faut changer de méthode.

«J'envoie ordre aux troupes d'évacuer Saint-Mihiel après avoir rompu le pont, et de prendre position sur la route de Verdun à Bar-le-Duc. Je me détermine à me porter moi-même demain dans cette direction pour soutenir le duc de Bellune et le prince de la Moskowa, ou à réunir mes troupes sur Clermont, suivant les nouvelles que je recevrai dans la journée, soit des tentatives que l'ennemi pourrait faire sur la Meuse, soit sur les projets du duc de Bellune; car, si je marche sur Bar-le-Duc, je ne veux pas courir le risque d'y arriver après que cette ville aura été évacuée.»

LE MARÉCHAL MARMONT AU MAJOR GÉNÉRAL.

«21 janvier 1814.

«Je réponds à la lettre que Votre Altesse Sérénissime m'a fait l'honneur de m'écrire le 18. Le corps d'York est en ce moment devant moi, au moins la plus grande partie, et le corps de Sacken à sa gauche.

«J'estime, d'après les renseignements que j'ai recueillis, que la force de ce dernier corps est de douze mille hommes. Quant au corps d'York, j'ai moins de données à son égard; mais je pense qu'on peut évaluer sa force de dix-huit à vingt mille hommes.»

LE MARÉCHAL MARMONT AU DUC DE TARENTE.

«Huitz-le-Maurup, le 24 janvier 1814.

«Monsieur le maréchal, j'ai l'honneur de vous prévenir que le mouvement de l'ennemi par sa gauche s'est tout à fait prononcé.--Il parait même qu'il n'y a plus, ou presque plus personne derrière la Meuse. L'ennemi a attaqué hier, à Ligny, le duc de Bellune, qui s'est retiré à Saint-Didier et Vitry, pendant que j'étais en marche pour me porter sur Bar-le-Duc.

«Je n'ai point de détail de l'affaire qu'il a eue, mais je crois que c'est très-peu de chose. D'après cela, je me suis mis en marche moi-même pour Vitry, afin de le soutenir et de me rapprocher du duc de Trévise, que les manoeuvres de l'ennemi tendent à séparer de nous. L'ennemi paraît avoir une forte avant-garde à Joinville.

«J'ai laissé mon avant-garde aujourd'hui à Bar-le-Duc jusqu'à deux heures, mais personne ne s'est présenté. Il paraît que l'ennemi a suivi la même route que le duc de Bellune et a marché sur Saint-Dizier.

«Le prince de la Moskowa occupait hier Saint-Dizier avec un détachement; le reste de ses troupes s'y est porté cette nuit, et il marche aussi aujourd'hui sur Vitry.

«J'ai envoyé le général Ricard aux Islettes; je compte l'en rappeler après-demain.

«Toul s'est rendu sans faire aucune résistance: nous y avons perdu cinq cents hommes, que le duc de Bellune y avait laissés.

«Telle est, mon cher maréchal, notre situation d'aujourd'hui.»

LE MARÉCHAL MARMONT AU MAJOR GÉNÉRAL.

«Vitry, le 25 janvier 1814.

«J'ai l'honneur de vous rendre compte que je suis arrivé ici avec la division de la jeune garde et la brigade de cuirassiers. J'ai placé dans les villages touchant Vitry la division Lagrange avec l'artillerie qui est établie à Vitry-le-Brûlé, et la cavalerie légère à Changy et Outrepont.

«Vous savez que la division du général Ricard est aux Islettes avec le 10e hussards et le régiment des gardes d'honneur.

«Je n'ai avec moi qu'une seule compagnie de sapeurs, les deux autres étant avec la division Ricard, parce que je les avais laissées à Verdun lorsque j'en suis parti pour achever de mettre en état cette place.--Cette compagnie, avec les officiers du génie que j'ai, se rendra, aussitôt son arrivée, pour travailler à la réparation de la route en avant de Vitry, conformément à ce que vient de me dire, de votre part, le général Girardin.»

LE MAJOR GÉNÉRAL AU MARÉCHAL MARMONT.

«Vitry, le 26 janvier 1814,
neuf heures et demie du matin.

«L'Empereur est arrivé à cinq heures du matin à Châlons, et Sa Majesté va être bientôt ici. L'intention de l'Empereur est que je donne l'ordre au duc de Bellune de manoeuvrer pour se réunir tout entier à Saint-Dizier, et que vous, monsieur le maréchal, vous appuyiez le duc de Bellune avec tout votre corps, en vous plaçant entre lui et Vitry.

«Quant aux deux divisions de la jeune garde, elles sont réunies aujourd'hui à Vitry, sous les ordres du maréchal prince de la Moskowa. Toutes les troupes qui étaient à Châlons et échelonnées sur la grande route de Vitry y arrivent. Vous connaissez la position de ce maréchal.

«Le prince vice-connétable, major général,

«ALEXANDRE.»

LE MARÉCHAL MARMONT AU MAJOR GÉNÉRAL.

26 janvier 1814.

«J'exécute le mouvement prescrit par Sa Majesté, et je serai établi ce soir à Heils-Luthier.

«Je laisse cependant trois cents hommes d'infanterie et quatre pièces de canon au pont de Vitry-le-Brûlé, jusqu'à ce qu'ils aient été relevés, ce point me paraissant ne pas devoir rester dégarni; ce qui réduira les troupes d'infanterie à mes ordres de trois mille sept cent hommes jusqu'à l'arrivée du général Ricard.»

LE MARECHAL MARMONT AU MAIRE DE BAR-LE-DUC

Saint-Dizier, le 27 janvier 1814.

«Sa Majesté a rejoint l'armée hier, à la tête de puissants renforts. Elle est entrée sur-le-champ en opération et a chassé ce matin l'ennemi de Saint-Dizier. De prompts succès couronneront sans doute ses entreprises.

«Sa Majesté me charge, monsieur le maire, de vous dire qu'elle ordonne la mise en activité immédiate de la garde nationale de Bar, et qu'elle rend la ville responsable de l'entrée de l'ennemi, lorsqu'il ne se présentera pas en forces, avec de l'infanterie et du canon.

«J'envoie mon aide de camp pour vous faire cette notification et vous faire connaître les ordres de l'Empereur.

«Sa Majesté désire aussi que vous fassiez les plus grands efforts pour envoyer sur-le-champ à Saint-Dizier de nombreux convois de vivres pour l'armée.»

LE MAJOR GÉNÉRAL AU MARÉCHAL MARMONT.

DISPOSITIONS GÉNÉRALES POUR LE 28 JANVIER 1814.

Ordre pour le duc de Raguse.

«Le général Lefebvre-Desnouettes partira sur-le-champ, prendra la tête de la marche, se dirigera sur Éclaron, de là sur Montier-en-Der: il aura avec lui ses douze pièces d'artillerie à cheval.

«Le prince de la Moskowa, avec la division Meunier et la division Decous, suivra: chaque brigade aura son artillerie.

«Le duc de Reggio suivra avec ses deux divisions. Le parc de la garde et celui de l'armée suivront le duc de Reggio, qui les fera escorter.

«*Le duc de Raguse formera l'arrière-garde et suivra le parc: il laissera une arrière-garde dans Saint-Dizier toute la journée d'aujourd'hui et pendant toute la nuit. Cette arrière-garde n'évacuera Saint-Dizier que par ordre.*

«Le général Ricard, qui est à Bassué, près Vitry, entrera dans Vitry et se portera sur Margerie, route de Vitry à Brienne-le-Château pour se lier avec nous.

«Le général Duhesme restera en position toute la journée où il se trouve, et, à la nuit, il filera sur Vassy. Le duc de Bellune se portera entre Montier-en-Der et Boullencourt, de sa position de Vassy.

«La ville de Vitry continuera d'être tenue en force par la garnison. Il ne sera plus rien expédié de Vitry sur Saint-Dizier.

«Le général Gérard, qui est à Soudé-Sainte-Croix, viendra sur Saint-Ouen, route de Vitry-le-Français à Nogent-sur-Aube.

«Le prince vice-connétable, major général.

«ALEXANDRE.»

LE MAJOR GÉNÉRAL AU MARÉCHAL MARMONT.

«Mézières, le 29 janvier 1814.

«Monsieur le duc de Raguse, nous avons eu une affaire aujourd'hui; l'ennemi a montré de l'artillerie; il est probable que nous nous battrons encore demain. En conséquence, monsieur le maréchal, il est nécessaire que vous partiez demain, 30, avant le jour, avec votre corps, pour vous rendre en diligence sur Brienne, dont nous nous sommes emparés ce soir.

«Le prince vice-connétable, major général,

«*Signé*: ALEXANDRE.»

LE MAJOR GÉNÉRAL AU MARÉCHAL MARMONT

Mézières, le 30 janvier 1814,
deux heures du matin.

«Monsieur le maréchal duc de Raguse, l'Empereur trouve qu'il serait avantageux de couvrir Saint-Dizier; mais Sa Majesté vous laisse le maître de faire ce que vous voudrez.

«Quant à votre corps, ce que vous avez à faire, c'est de vous rendre le plus tôt possible à Brienne.

«Le prince vice-connétable, major-général,

«ALEXANDRE.»

«*P. S.* Le général Bruler a reçu l'ordre de prendre position entre Sommevoire et Doulevent; si vous avez de ses nouvelles, faites lui dire qu'il doit se diriger sur Brienne.»

LE MAJOR GÉNÉRAL AU MARÉCHAL MARMONT

«Brienne, le 31 janvier 1814, neuf heures du soir.

«Monsieur le duc de Raguse, je donne l'ordre au maréchal duc de Bellune d'avoir demain, à la pointe du jour, son corps d'armée et sa cavalerie sous les armes, avec leur artillerie attelée, et de chercher à communiquer avec vous sur Soulaine. Faites en sorte, de votre côté, de communiquer avec lui. Ce maréchal est au Petit-Mesnil.

«Les autres corps d'armée seront pareillement sous les armes; on attendra dans cette position des nouvelles de l'ennemi, et tout se tiendra prêt à partir dans la direction qui sera donnée.

«On profitera de cela pour passer la revue des armes et prendre note des places vacantes.

«Le prince vice-connétable, major général,

«ALEXANDRE.»

LE MAJOR GÉNÉRAL AU MARÉCHAL MARMONT.

Brienne, le 31 janvier 1814, onze heures et demie du soir.

«Monsieur le duc de Raguse, l'aide de camp de l'un des généraux de brigade de la division Lagrange arrive à Brienne et annonce à l'Empereur que votre corps est en marche de Soulaine pour Brienne, et qu'il a laissé la division Lagrange à moitié chemin de Soulaine ici. S'il est vrai que vous ayez quitté la position de Soulaine, l'Empereur ordonne, monsieur le duc, que vous vous établissiez entre Brienne et Soulaine, et que vous vous mettiez en communication avec M. le maréchal duc de Bellune, qui est au Petit-Mesnil sur la route de Brienne à Bar-sur-Aube.

L'Empereur désire, monsieur le duc, avoir de suite les renseignements sur l'engagement qui paraît avoir eu lieu ce soir, au dire de cet aide de camp, entre vos troupes et l'ennemi à Soulaine. Il désire aussi connaître quelles troupes vous avez eu à combattre.

«Je vous prie, monsieur le duc, aussitôt que vous serez établi, de m'envoyer un officier pour faire connaître votre position.

«Le prince vice-connétable, major général,

«ALEXANDRE.»

LE MAJOR GÉNÉRAL AU MARÉCHAL MARMONT.

«Brienne, le 1er février 1814, neuf heures du matin.

«Monsieur le maréchal duc de Raguse, j'ai mis sous les yeux de l'Empereur votre lettre du 1er février à une heure du matin, datée de Morvilliers: vous ne faites pas connaître le nombre de pièces de canon, le nombre d'hommes d'infanterie et de cavalerie que vous avez perdus. Y a-t-il des aigles avec l'infanterie? Votre arrière-garde, composée de cinq cents hommes de cavalerie et de trois cents d'infanterie, est assez forte pour une arrière-garde destinée à marcher à une demi-lieue de vous, et l'Empereur trouve qu'elle était évidemment insuffisante lorsqu'au lieu d'arrière-garde vous en avez fait un détachement, et vous en avez fait un détachement quand vous lui avez fait prendre une autre direction, lorsque vous vous saviez environné d'ennemis; que pouvaient faire alors trois cents hommes d'infanterie [8]?

Note 8: (retour) La division Ricaud m'ayant été enlevée, et se trouvant placée alors à Dienville-sur-l'Aube, mes troupes de toutes armes ne s'élevaient pas à plus de trois mille hommes: je demande comment j'aurais pu organiser une arrière-garde plus forte.

«L'Empereur désire toutefois, monsieur le duc, avoir un état exact des pertes en matériel et chevaux.

«On nous a dit aussi qu'un de vos parcs avait été pris par l'ennemi. Sa Majesté pense que cela n'aurait pas eu lieu si vous aviez suivi l'ordre donné. Je vous avais fait connaître que la route de Montier-en-Der était très-mauvaise et presque impraticable, et que le parti le plus sage était de suivre la chaussée. Vous seriez arrivé de bonne heure et sans accident [9].

Note 9: (retour) Il n'y avait qu'une difficulté, c'est que la grande route était occupée par deux corps ennemis, celui de Wittgenstein, à Doulevent, et celui de Wrede devant Soulaine. (*Notes du duc de Raguse.*)

«L'intention de l'Empereur est que vous portiez votre quartier général à Chaumesnil, et que vous gardiez les bois de Morvilliers; le grand chemin de Brienne à Soulaine; que vous vous liiez par votre droite au duc de Bellune qui occupe la Rothière et le Petit-Mesnil; que votre cavalerie soit en force au village de la Chaise ou dans toute autre position de cette route, de manière à bien éclaircir ce que fait l'ennemi à Soulaine. L'ennemi paraît être en position à Frannes et à Selames. Faites aussi aller des patrouilles de cavalerie jusqu'à Maizières pour en imposer aux Cosaques qui voudraient battre les bois. Placez vos équipages et vos embarras derrière Chaumesnil, route de Brienne. Concertez-vous avec le due de Bellune pour vous secourir mutuellement au premier coup de canon de l'ennemi; reconnaissez bien ensemble une position appuyant la droite à l'Aube, à cheval sur la route de Bar et sur celle de Soulaine. S'il est dans ce moment difficile de remuer la terre, il doit être facile de couper des arbres pour améliorer cette position qui serait couverte par trois cents pièces de canon et toute la réserve qui est à Brienne, dans le cas où l'ennemi marcherait sur nous pour nous attaquer.

«Le prince vice-connétable, major général,

«ALEXANDRE.»

LE MARÉCHAL MARMONT AU MAJOR GÉNÉRAL.

«Morvilliers, le 1er février 1814.

«Monseigneur, je reçois la lettre que vous m'avez écrite à neuf heures du matin. Je vais me rendre à Chaumesnil et prendre la position qui m'est indiquée.

«Les reproches que contient votre lettre sont injustes, et je ne puis me dispenser d'y répondre. J'ai dû prendre la route que j'ai suivie, sous peine d'être détruit ou de mettre bas les armes. Il eût été absurde de faire une marche de flanc de cinq lieues dans un défilé des hauteurs duquel l'ennemi était maître, lorsque la route était bordée à ma droite par une rivière qui n'est guéable que dans peu d'endroits, et que j'avais l'ennemi en tête, en queue et sur mon flanc.

«Je ne pouvais point arriver de bonne heure, puisque j'avais dix lieues à faire, et que j'ai été obligé d'attendre en position toute la journée sur les hauteurs de Vassy et en bataillant. Les troupes que j'avais à Saint-Dizier auraient été infailliblement prises si j'avais laissé l'ennemi s'emparer de Vassy avant leur arrivée. Je n'ai point fait un détour, puisque mon arrière-garde avait ordre de me suivre sur Anglure, qui n'est qu'à une lieue et demie de Montier-en-Der, et que sa communication avec moi était protégée par le ruisseau de Saint-Cloud, dont les bords sont marécageux. Si cette arrière-garde s'est retirée directement sur Brienne, c'est que, quelques Cosaques s'étant montrés entre elle et moi, elle a pris cette direction de son choix. Je n'ai point, laissé, comme l'Empereur le suppose, deux cents hommes d'infanterie en arrière, mais plus de sept cents, et six cents chevaux. Or, lorsqu'à une heure et demie de moi, dans un pays dont les communications sont difficiles, ayant les flancs bien couverts, ayant donné ordre de rompre le pont de l'Éronne, je laisse le cinquième de mon infanterie et le grand tiers de ma cavalerie; que je donne pour instruction au général qui commande de tenir aussi longtemps que possible sans se compromettre, et de se retirer lorsque des forces supérieures se présentent, quel que soit l'événement, je n'ai rien à me reprocher, et les reproches sont aussi injustes que décourageants.

«Je n'ai point perdu de canon, parce que, cette arrière-garde étant destinée à se retirer légèrement devant l'ennemi, je ne lui en ai pas laissé.--Il a été pris quatorze ou quinze caissons, dont cinq vides, et trois forges qui avaient été dételées pour renforcer les autres attelages, et qui auraient été enlevés si l'arrière-garde avait pu tenir deux heures de plus, parce que les chevaux qui allaient les chercher étaient à une demi-lieue de Montier-en-Der lorsque l'ennemi y est entré.

«J'ignore la perte en hommes, parce que je n'ai reçu sur cette affaire aucun rapport officiel, que ce qui m'est parvenu de Brienne; mais j'ai appris indirectement que le colonel Hubert, qui a commandé après la prise du général Vaumerle, avait couché cette nuit à Maizières. Il est évident qu'il y est arrivé avec une portion de son monde, et que ceux qui sont arrivés à Brienne sont des fuyards. Le 2e régiment de marine, qui formait l'infanterie de l'arrière-garde, avait son aigle avec lui.

«Tel est l'état de choses, monseigneur. Je désirerais savoir ce qu'il était possible de faire de mieux, avec une poignée de monde embarrassé par un matériel considérable, dans un pays difficile, à treize lieues de l'armée, ayant de tous les côtés à la fois des forces triples des miennes.»

LE MAJOR GÉNÉRAL AU MARÉCHAL MARMONT.

«Brienne, le 1er février 1814,
cinq heures et demie du matin.

«Monsieur le duc de Raguse, je reçois votre lettre de Morvilliers à une heure du matin. Il faut vous mettre en communication avec le duc de Bellune qui est au Petit-Mesnil, et vous lier bien avec lui. Éclairez bien la route de Soulaine.

«Le prince vice-connétable, major général,

«ALEXANDRE.»

LE MAJOR GÉNÉRAL AU MARÉCHAL MARMONT.

«Brienne, le 1er février 1814,
onze heures et demie du soir.

«Monsieur le maréchal duc de Raguse, je vous envoie les dispositions générales arrêtées par l'Empereur, lisez-les avec attention et exécutez-les en ce qui vous concerne.

«Le prince vice-connétable, major général.

«ALEXANDRE.»

DISPOSITIONS GÉNÉRALES.

«Brienne-le-Château, le 1er février 1814,
onze heures et demie du soir.

«La retraite de l'Empereur étant sur Lesmont, le général Sorbier s'occupera, avec les moyens qui lui restent, d'organiser une batterie de six pièces d'artillerie à cheval.

«Les ducs de Bellune et de Raguse doivent avoir des batteries d'artillerie à cheval pour la retraite.

«Le général Dulouloy prendra le commandement de ces batteries à cheval.

«Les trois divisions d'infanterie de la jeune garde ont chacune une batterie, ce qui fait vingt-quatre pièces;

«Les batteries à cheval de la ligne et de la garde font vingt-quatre pièces;

«Total, quarante-huit pièces,

«Demain, 2 février, à quatre heures du matin, on aura pris la position suivante:

«Le général Nansouty, avec trois mille chevaux, sera en position sur la gauche un peu en arrière de Brienne-la-Vieille, avec douze pièces d'artillerie à cheval;

«Le général Gérard, avec deux pièces, sera en position en avant de Brienne-la-Vieille; il sera sur trois lignes: l'une à la tête du village, l'autre à la queue, la troisième dans le bois à la hauteur de Brienne;

«Le général Ricard passera à deux heures du matin le pont de Brienne-la-Vieille, avec la cavalerie de la garde, et s'arrêtera; à trois heures, il coupera le pont de Brienne, après quoi il marchera sur Piney, suivant la route de Lesmont par la rive gauche;

«Le général Grouchy, avec la cavalerie du cinquième corps, sera sur la gauche de la garde;

«Le général Curial, avec sa division, sera en position devant Brienne, occupant la ville en colonne de marche;

«La division Meunier sera rangée en deux colonnes sur l'extrême gauche, l'une à peu près au chemin de Maizières, l'autre plus en arrière;

«La division Rothembourg, à trois heures du matin, traversera Brienne, et ira prendre position sur les hauteurs à mi-chemin de Lesmont. Elle aura sa batterie et occupera le bois et la hauteur du Moulin-à-Vent;

«On placera les batteries de douze près de Lesmont, afin que, si l'Empereur était trop pressé, il pût faire usage de toute son artillerie, et coucher au besoin sur la rive droite, au Moulin-à-Vent.

«Le duc de Bellune partira à deux heures du matin, traversera Brienne, et prendra position au Moulin-à-Vent.

«Le duc de Raguse, avec six pièces d'artillerie et un demi approvisionnement, partira à trois heures du matin, prendra position sur les hauteurs de Perthes, s'assurera du pont de Rosnay, où il y a un bataillon de garde, et prendra position sur les hauteurs de Rosnay, se retirant, s'il y est forcé, par le pont d'Arcis-sur-Aube.

«Le général Defrance, avec les gardes d'honneur, se mettra en marche à une heure après minuit, passera le pont de Lesmont, jettera des partis sur la route de Piney et sur la rive gauche de l'Aube en remontant; s'il a besoin d'artillerie, le général Ruty lui en donnera.

«Demain au jour, le général Ruty aura soin de choisir des emplacements pour y placer de l'artillerie, à droite et à gauche, sur la rive gauche de l'Aube.

«Les troupes, à mesure de leur passage, se rangeront en bataille: le duc de Bellune à droite, la garde à gauche; dans cette situation, on pourra passer la nuit de demain.

«Le général Corbineau se rendra de suite de Maizières à Rosnay, à l'intersection des routes de Rosnay à Lesmont, et fera brûler le pont de Rosnay lorsqu'il en recevra l'ordre; ou, s'il est pressé par l'ennemi, il prendra sous ses ordres le bataillon qui est à Rosnay et les pièces. Il prendra ainsi position, ayant la gauche à la Voire et la droite au pont de Lesmont, en flanquant l'arrière-garde, pour arriver avec elle à Lesmont.

«Le prince vice-connétable, major général,

«ALEXANDRE.»

LE MAJOR GÉNÉRAL AU MARÉCHAL MARMONT.

«Troyes, le 3 février 1814,
onze heures et demie du soir.

«L'Empereur a appris avec plaisir, par votre aide de camp, les succès que vous avez obtenus sur l'ennemi. Je ne reçois votre lettre datée d'une heure après midi qu'à dix heures du soir; c'est bien long: je ne sais d'où vient ce retard de l'estafette. Je donne l'ordre au général Sorbier de faire partir sur-le-champ votre parc pour Arcis. Envoyez en avant pour accélérer son arrivée. Vous savez que le général Ricard est à Aubeterre.

«Le prince vice-connétable, major général,

«ALEXANDRE.»

LE MAJOR GÉNÉRAL AU MARÉCHAL MARMONT.

«Troyes, le 3 février 1814,
quatre heures du matin.

«L'Empereur ordonne qu'avec votre corps *vous vous portiez en toute diligence sur Nogent-sur-Seine*, afin de garder le pont de cette ville, qui pourrait être menacé par la colonne qui a passé devant Arcis depuis hier. *Vous prendrez aussi le commandement d'une division de l'armée d'Espagne qui doit arriver, demain, 6, à Provins.* Il est nécessaire que vous preniez une position sur la rive droite de la Seine qui commande ce débouché important.

«L'Empereur se porte en toute diligence à Nogent-sur-Seine; il sera ce soir à la hauteur de Méry.

«Il sera nécessaire, monsieur le maréchal, *que vous fassiez garder le pont de Méry*, jusqu'à ce que la troupe que vous en chargerez puisse être relevée par les premières troupes de l'armée qui viendront de Troyes, afin qu'aucun parti ne passe la Seine et n'inquiète la marche.

«Le prince vice-connétable, major général,

«ALEXANDRE.»

LE MARÉCHAL MARMONT A NAPOLÉON

Fontaine-Denis, le 7 février 1814.

«Sire, j'ai reçu la lettre que Votre Majesté m'a fait l'honneur de m'écrire à trois heures après midi. Quelque diligence que nous ayons faite, je n'ai pu arriver ici qu'à plus de huit heures du soir, c'est-à-dire à trois lieues de Sézanne.

«La masse de mes troupes est encore à deux lieues en arrière. J'ai envoyé une forte reconnaissance sur Barbonne pour avoir des renseignements. Elle n'est pas encore rentrée. A son retour, j'aurai l'honneur de vous faire mon rapport, qu'un de mes aides de camp, qui a un cheval à Villemeux, vous portera en toute diligence. Les habitants des villages que j'ai parcourus assurent qu'il a passé hier beaucoup de troupes, infanterie et cavalerie, à Sézanne, se portant dans la direction de la Ferté. Ce qu'il y a de certain, c'est que, de midi à quatre heures, on a entendu une forte canonnade de ce côté. Les rapports sont unanimes à cet égard. Les troupes qui sont en arrière partiront deux heures avant le jour pour me rejoindre, et je partirai à la pointe du jour pour Sézanne.

«Le chemin, jusqu'à une grande lieue et demie en avant de Villemeux, est une chaussée. Ensuite il est fort mauvais, cependant praticable, surtout le jour, car les plus grandes difficultés que nous ayons éprouvées ont été de le reconnaître à cause de l'obscurité. On marche toujours dans des bruyères, et on peut changer de direction à chaque instant. Après Barbonne, on trouve la chaussée.

«Nous avons trouvé à Villemeux des postes de Cosaques qui se sont repliés devant nous.»

LE MARÉCHAL MARMONT A NAPOLÉON.

«Fontaine-Denis, le 7 février 1811.

«Sire, je reçois à l'instant des rapports positifs et circonstanciés de Barbonne, où nos soldats sont entrés après avoir chassé des lanciers ennemis. L'avant-garde a été jusqu'à une demi-lieue. On n'a trouvé que de la cavalerie, qui s'est repliée. Les habitants assurent, et un, entre autres, parti à six heures du soir de Sézanne, qu'il n'y a dans cette ville que sept à huit cents lanciers prussiens et point d'infanterie, quoiqu'il y ait eu hier assez de troupes qui se soient postées en avant dans la direction de la Ferté; mais toutes étaient de la cavalerie, à ce qu'on assure. L'opinion des habitants de Barbonne est que la canonnade qu'on a entendue est à peu près dans la direction d'Épernay. Le bruit du canon a diminué, ce qui annonce qu'il s'est éloigné d'une manière sensible.

«Tels sont, Sire, les rapports que j'ai reçus et d'après lesquels il semblerait que les forces de l'ennemi ne sont pas encore au delà de Sézanne. Au surplus, j'y serai demain matin de bonne heure, et j'aurai l'honneur de vous écrire une demi-heure après mon arrivée. De Sézanne il y a différentes directions qui rendent ce point extrêmement important. Arrivé là, je serai en mesure d'exécuter tous les ordres que Votre Majesté voudra me donner. J'enverrai de fortes reconnaissances sur Montmirail, Épernay et la Ferté.»

LE MAJOR GÉNÉRAL AU MARÉCHAL MARMONT.

«Nogent-sur-Seine, le 7 février 1814.

«L'Empereur ordonne qu'avec votre corps *vous vous mettiez en mouvement pour vous rendre à Sézanne.*

«ALEXANDRE.»

MARÉCHAL MARMONT A NAPOLÉON.

«Sézanne, le 8 février 1814.

«Sire, j'ai l'honneur de rendre compte à Votre Majesté que nous avons trouvé ici environ huit cents Cosaques ou Prussiens.

«Nous avons fait quelques prisonniers, qui nous ont donné les renseignements consignés dans la note ci-jointe. Deux escadrons se sont retirés sur la route de Montmirail, et un détachement par la route d'Épernay. D'après l'ensemble de tous les renseignements, il serait constant que toute l'armée de Silésie a marché sur Épernay. Quatre à cinq cents chevaux de cavalerie légère suivent la cavalerie ennemie, qui s'est retirée par la Ferté-Gaucher.

«Nous communiquerons, s'il est possible, avec le duc de Valmy et le duc de Tarente. J'envoie la plus grande partie de ma cavalerie, soutenue par de l'infanterie et du canon, sur Champaubert, afin d'occuper la communication de Montmirail, ou au moins avoir des nouvelles de ce qui s'y passe. Je fais éclairer aussi la route de Châlons. Il est arrivé ici, samedi au matin, cinq à six cents chevaux ennemis. Cette cavalerie a poussé dans la direction de la Ferté-Gaucher, et a été remplacée par sept à huit cents autres chevaux, dont une portion a suivi les premiers. Enfin quatre à cinq cents chevaux sont arrivés hier pour renforcer ce qui était resté ici, et la totalité des huit cents chevaux qui étaient ce matin à Sézanne, a pris la direction que j'ai indiquée.

«D'après cela, il me semble que l'ennemi opère d'une manière tout à fait sérieuse dans le bassin de la Marne, et qu'en me portant immédiatement sur Champaubert, et y étant soutenu, je pourrais lui faire beaucoup de mal. J'espère pouvoir, dans quatre heures d'ici, envoyer un nouveau rapport à Votre Majesté.»

LE MARÉCHAL MARMONT A NAPOLÉON.

«Sézanne, le 8 février 1814.

«Sire, j'ai eu l'honneur de rendre compte à Votre Majesté que je dirigeais la plus grande partie de ma cavalerie avec un peu d'infanterie et de l'artillerie sur Champaubert. J'ai envoyé trois cents chevaux sur la Ferté, afin de communiquer avec le duc de Valmy. Je n'ai pas cru devoir envoyer plus de forces de ce côté, parce que les renseignements de Sézanne et de la Ferté-Gaucher, où hier il n'avait paru personne, prouvent que l'ennemi n'est pas en force dans cette direction. J'établis ce soir une division entre Chapton et Soissy-le-Bois. J'établis mon quartier général à Chapton, d'où on peut regagner par la Villenauxe, Charleville et la Garde, la route de Montmirail. Je place à Chapton à peu près la moitié de mon artillerie, et je laisse le reste à Sézanne. Mon autre division, sans son canon, quittera Sézanne à l'arrivée de la garde, et ira coucher à Lachy; enfin je place les quatre cents chevaux du deuxième corps de cavalerie à la Villenauxe, et ils pousseront des patrouilles sur la Gaule. Par ces arrangements, je serai en mesure de connaître positivement cette nuit, de bonne heure, où l'ennemi est en forces, et Votre Majesté pourra déterminer s'il lui convient d'agir sur Champaubert ou sur Montmirail. Je serai également à même d'exécuter l'un ou l'autre de ces mouvements.»

LE MARÉCHAL MARMONT A NAPOLÉON.

«Chapton, le 8 février 1814.

«Sire, je ne perds pas un instant pour rendre compte à Votre Majesté de la position de l'ennemi.

«Des renseignements, qui me paraissent avoir le caractère de la vérité, annoncent que l'ennemi est arrivé hier à Montmirail avec de la cavalerie, et de l'infanterie à Champaubert, et cette infanterie a suivi le mouvement. Si la chose est vraie et que je sois soutenu, il est possible de le chasser et de lui faire éprouver de grandes pertes.

«J'occupe Pont-Saint-Prix-en-Bail, qui était occupé par cinq mille hommes d'infanterie ennemie. Un grand parc d'artillerie est arrivé à Champaubert et a continué sa route sur Fromentière. La cavalerie légère, que j'avais placée sur la route de la Ferté, me rend compte que l'ennemi a, comme je l'avais prévu, changé de direction, et s'est porté sur la route de Montmirail.

«Il me paraît donc démontré que le corps de Sacken est en plein mouvement par la route de Montmirail, et que la tête de son infanterie y est arrivée aujourd'hui. Reste à savoir si Votre Majesté veut attaquer l'ennemi sur Montmirail ou sur Champaubert. Je n'ai point encore le rapport des reconnaissances qui ont été faites sur la Gaule, route de Montmirail; mais l'ensemble des renseignements qui m'ont été donnés me paraît consacrer suffisamment la position de l'armée ennemie telle que je viens de l'indiquer.

«Les troupes ont souffert beaucoup de la marche de ce soir, par de mauvais chemins et par une nuit obscure; elles éprouvent de grands besoins de vivres. Les villages de cette province ne sont rien. Je prie donc Votre Majesté de me faire connaître promptement de quel côté elle veut agir, afin que je fasse des dispositions convenables. Cela est d'autant plus nécessaire, qu'ayant laissé la moitié de mon artillerie et mes équipages militaires à Sézanne, avec un bataillon du 115e il faut du temps pour qu'ils reçoivent l'ordre qui déterminera leur direction.

«J'attends avec impatience les ordres de Votre Majesté, et je la prie de faire connaître à l'officier porteur de ma dépêche le point sur lequel je dois marcher, afin qu'il... l'ordre d'en partir une heure avant le jour pour me rejoindre dans la direction que vous lui aurez fait connaître.»

LE MAJOR GÉNÉRAL AU MARÉCHAL MARMONT.

«Nogent-sur-Seine, le 8 février 1814.

«Monsieur le duc de Raguse, l'Empereur comptait aller coucher ce soir à Sézanne; mais il est retenu ce soir ici par quelques objets d'intérêt général.

«La garde à cheval, la première division de vieille garde, doivent être arrivées.

«Le prince de la Moskowa doit être échelonné de Villenauxe à Sézanne. Il importe beaucoup à Sa Majesté d'avoir de vos nouvelles. Elle charge le général Girardin d'aller près de vous, en toute hâte, de manière à être de retour à une heure du matin.

«Sa Majesté ne sait à quoi attribuer la privation où elle est de vos nouvelles.

«Le prince vice-connétable, major général,

«ALEXANDRE.»

LE MAJOR GÉNÉRAL AU MARÉCHAL MARMONT.

«Nogent-sur-Seine, le 9 février 1814.

«Monsieur le maréchal duc de Raguse, le prince de la Moskowa a mandé qu'il ne pourrait être à Sézanne que dans la journée. L'ennemi ne doit être arrivé qu'aujourd'hui à Montmirail, et il a dû attendre son artillerie. S'il est à Montmirail, il faut l'y attaquer demain. Vous partirez de Chapton, et le prince de la Moskowa de Sézanne. Une colonne partira de la Ferté sous-Jouarre. Si, au contraire, l'ennemi avait rétrogradé sur Champaubert, il faudra marcher sur Champaubert. Hier, le duc de Tarente était maître de Château-Thierry; ainsi l'ennemi n'aura pu se diriger sur cette ville, à moins que le duc de Tarente n'ait été forcé devant Château-Thierry.

«Ayant les habitants pour vous et de la cavalerie, il est facile de vous éclairer. Il est probable que l'Empereur sera ce soir à Sézanne à six heures; faites en sorte qu'il y trouve des renseignements précis. Faites-vous rejoindre par votre artillerie, puisque c'est avec des canons qu'on se bat.

«Le prince vice-connétable, major général,

«ALEXANDRE.»

LE MARÉCHAL MARMONT AU MAJOR GÉNÉRAL.

«Chapton, le 9 février 1814.

«Je suis arrivé hier matin à Sézanne, et, ainsi que j'en ai rendu compte à Sa Majesté, j'ai pu avoir des notions de la situation de l'ennemi. J'attendais, pour me porter plus loin, que quelque chose indiquât l'arrivée de l'Empereur. La garde a été annoncée, le service de Sa Majesté est arrivé. Je me suis porté immédiatement en avant, éclairant le pays dans toutes les directions, et j'ai acquis la certitude que la tête de l'infanterie ennemie était arrivée à Montmirail, et que sa queue était encore hier au soir à Champaubert.

«Convaincu que Sa Majesté était en marche, et que tout était en mouvement pour agir ce matin, j'avais poussé le plus de troupes que j'avais pu en avant pour arriver de bonne heure à Champaubert, plein d'espérances dans le résultat que ce mouvement devait nous donner. Mais, les circonstances ayant forcé l'Empereur à rester à Nogent, je n'ai pu, avec une poignée de monde, me jeter au milieu de l'ennemi à une grande distance au delà de défilés très-difficiles et de chemins presque impraticables, sans avoir la certitude absolue d'être soutenu par de puissantes forces. Ce mouvement, différé de vingt-quatre heures, n'est plus exécutable, parce que le principal avantage qu'il nous donnait était de surprendre l'ennemi. Notre mouvement lui étant connu, notre situation a entièrement changé. L'ennemi serait en mesure de nous recevoir réunis, puisqu'il voyage sur une route pavée, et que nous, nous ne pourrions arriver à lui qu'en surmontant des difficultés de communication extrêmes, et qui sont beaucoup plus grandes que je ne l'avais imaginé.

«Ainsi ce mouvement qui, ce matin, nous aurait donné de grands résultats, nous serait funeste demain.

«D'après ces considérations et la conviction où je suis qu'en ce moment l'Empereur ne peut plus faire autre chose que d'exécuter le mouvement qu'il avait projeté sur Meaux, et qu'il n'y a pas un moment à perdre, je partirai ce soir d'ici pour me rendre à Sézanne et être en mesure de marcher promptement sur la Ferté si, comme je l'imagine, j'en reçois l'ordre. Ma présence ici aura toujours eu pour objet de retarder au moins d'un jour la marche de l'ennemi en le forçant à se réunir.

«J'avais préféré le mouvement sur Champaubert, parce qu'il n'y a qu'une lieue de mauvaise route; le reste est ferré, mais cette lieue est mauvaise à un point dont on ne se fait pas d'idée, et cependant on la prétend meilleure que le chemin direct de Sézanne à Montmirail. S'il en est ainsi, il n'est pas humainement possible de se tirer de ce dernier.

«Un autre motif aussi, c'est qu'en passant à Champaubert nous étions sûrs de franchir la rivière qui passe à Montmirail; marchant directement sur Montmirail, on n'aurait pas eu de chances pour y arriver, parce que cette rivière est débordée depuis hier, et que, pour peu que l'ennemi voulût défendre ou couper le pont, on ne pourrait pas la franchir.

«Les dernières nouvelles que j'ai de l'ennemi sont que c'est le neuvième corps russe que j'avais hier en présence à Champaubert; ces troupes sont commandées par Langeron, et arrivent du blocus de Mayence, où elles ont été remplacées par des milices. Je pense qu'elles suivent le corps de Sacken. Les dernières sont parties de Champaubert, marchant sur Montmirail, à huit heures et demie du soir.»

LE MAJOR GÉNÉRAL AU MARÉCHAL MARMONT.

«Champaubert, le 10 février 1814,
huit heures du soir.

«Monsieur le duc de Raguse, faites partir demain, à trois heures du matin, la division du général Ricard, avec son artillerie, pour se rendre à Montmirail. Gardez à Étoges la division Lagrange et le premier corps de cavalerie; faites faire des patrouilles pour ramener les hommes isolés; tâchez d'être informé cette nuit de ce que fait le général Blücher; se dirige-t-il sur Châlons, sur Épernay, ou annonce-t-il le projet de nous attaquer? Il faut lui en imposer afin de le déterminer à ta retraite; cela est important pour nous. Aussitôt qu'il sera constaté que nous n'avons plus rien à craindre de Blücher, et qu'il est décidément en retraite, il faut diriger le général Doumerc sur Montmirail; alors la cavalerie légère, la division Lagrange et douze pièces de canon tiendront une position pour masquer Blücher et même le poursuivre.

«Tâchez d'envoyer quelqu'un sur Vertus, et d'avoir des nouvelles.

«Le prince, vice-connétable, major général,

«ALEXANDRE.»

LE MAJOR GÉNÉRAL AU MARÉCHAL MARMONT.

«Champaubert, 11 février 1814.

«Monsieur le duc de Raguse, l'Empereur part à l'instant pour Montmirail. Voici l'état des choses. Le 9 au soir, le duc de Tarente s'est battu au village de Morar, en avant de la Ferté-sous-Jouarre. Une charge à la baïonnette, faite par le général Albert, a tué à l'ennemi six cents hommes et lui a fait beaucoup de prisonniers. York était encore à une journée de la Ferté-sous-Jouarre. Le duc de Tarente a jugé convenable de se porter le 10 entre Meaux et la Ferté-sous-Jouarre; là il doit recevoir des renforts; il est donc probable qu'hier 10 York et Sacken ont fait leur réunion. Sacken était de sa personne, avant-hier, 9, à Vieux-Maison; il n'a pu être qu'hier, 10, à la Ferté. Nous sommes entrés à Montmirail à minuit; avant quatre heures du matin, Sacken a dû savoir l'état de la question; que fera-t-il aujourd'hui? Se portera-t-il sur Montmirail pour ouvrir sa communication? Il se trouverait ainsi entre deux feux; ou bien abandonnera-t-il toute la ligne de la Ferté-sous-Jouarre à Montmirail pour se rejeter à Château-Thierry, ayant ses communications assurées par la chaussée d'Épernay à Chalons? Il paraît que Blücher à Vertus n'a pas de cavalerie. Dans cet état de choses, monsieur le duc, aussitôt que nous saurons que Sacken prend le parti de se porter sur Château-Thierry, nous reviendrons sur vous pour lui couper la route de Châlons et marcher sur cette ville. Si, au contraire, Sacken vient sur nous à Montmirail pour ouvrir sa communication, il faudra que vous veniez nous rejoindre.

«Le prince vice-connétable, major général,

«ALEXANDRE.»

LE MAJOR GÉNÉRAL AU MARÉCHAL MARMONT.

«Montmirail, 11 février 1814, huit heures du soir.

«Monsieur le duc de Raguse, nous avons aujourd'hui complétement battu le corps de Sacken; nous avons fait plus de deux mille prisonniers, pris vingt pièces de canon, et tué horriblement du monde à l'ennemi. Sacken fait son mouvement de retraite sur Château-Thierry. Les chemins sont affreux, et il y a apparence que nous prendrons toute son artillerie et ses bagages.

«L'Empereur pense, monsieur le maréchal, que le général Blücher ne doit plus être à Vertus, et qu'il aura fait un mouvement par sa droite pour se porter sur Épernay, ou qu'il aura pris le parti de se retirer sur Châlons. L'Empereur désire, monsieur le duc, que vous lui envoyiez le plus promptement possible tous les renseignements que vous avez pu obtenir aujourd'hui sur le corps du général Blücher.

«Il paraît, d'après des rapports des prisonniers, que le duc de Tarente a attaqué ce matin l'ennemi du coté de la Ferté-sous-Jouarre.

«Le prince vice-connétable, major général,

«ALEXANDRE.»

LE MAJOR GÉNÉRAL AU MARÉCHAL MARMONT.

«De la ferme de l'Épine, le 12 février 1814,
huit heures du matin.

«Monsieur le duc de Raguse, l'ennemi s'est retiré sur Château-Thierry. Nous l'avons repoussé de tous côtés. Il marche sur Vertus. De cette ville, il se décidera à marcher sur Épernay ou sur Châlons. Que fera l'ennemi? De Château-Thierry passera-t-il le pont pour se jeter sur Reims, ou voudra-t-il forcer la chaussée à Épernay pour arriver à Châlons. Dans tous les cas, la position paraît bien difficile. Votre cavalerie, monsieur le maréchal, doit faire un ravage affreux sur les derrières de l'ennemi, vu que sa cavalerie est en avant, et que ces gens-ci ne sont pas accoutumés à voir leurs derrières compromis. Faites des proclamations pour que partout on se lève et qu'on les arrête. Faites imprimer vos proclamations par le premier imprimeur que vous trouverez. Annoncez que soixante régiments russes ont été détruits, qu'on leur a pris cent vingt pièces de canon; que le général en chef est tué ou blessé mortellement; qu'il est temps que le peuple français se lève pour tomber sur eux; que l'Empereur est à leur poursuite; qu'il faut qu'on arrête tous les Cosaques, tous les détachements; qu'on coupe les ponts devant eux; qu'on arrête les bagages, et qu'on ne leur donne aucuns vivres.

«Si vous allez à Épernay, et que l'ennemi y vienne, vous aurez là une belle position à prendre pour le resserrer contre la Marne.

«Nous recevons à l'instant votre lettre, datée d'aujourd'hui à une heure et demie du matin; cela ne change rien aux dispositions de cette lettre; marchez sur Vertus.

«Le prince vice-connétable, major général,

«ALEXANDRE.»

LE MARÉCHAL MARMONT A NAPOLÉON.

«Éloges, le 14 février 1814.

«Sire, Votre Majesté a été témoin de tout ce qui s'est passé dans la journée, de tout ce que la prise du village de Vauchamp et des deux mille prisonniers qui y ont été faits a de glorieux pour le sixième corps. Ainsi je ne la fatiguerai pas d'un récit superflu en ce moment, mais je ne dois pas différer de l'informer de la fin de la journée qui la couronne d'une manière convenable. Après les belles charges que le général Grouchy a fait faire, l'infanterie ennemie étant cantonnée et établie dans le bois, il n'a plus été possible de l'entamer avec de la cavalerie, et, quoique la nuit fût venue, j'ai cru qu'il était utile de la culbuter et de la jeter dans le défilé d'Étoges.

«En conséquence, je me suis emparé des premières troupes d'infanterie que j'ai eues sous la main, pour pousser une colonne dans cette direction. Mais cette disposition utile a été un moment suspendue par les obstacles qu'y a mis le prince de la Moskowa, qui, sans titre légitime, puisqu'il était sans commandement et sans raison, à empêché les troupes de marcher.

«Ayant pu réunir quelques troupes du sixième corps, j'ai cherché à réparer le temps perdu, en hâtant leur marche. Elles ont balayé tout ce qu'elles ont trouvé sur la route et à la lisière des bois, pris beaucoup de monde, éparpillé un grand nombre d'hommes dans la forêt, pris trois pièces de canon, plusieurs caissons, culbuté les masses qui étaient à la tête du village d'Étoges, et pris douze cents Russes de la huitième division, le général prince Ourousoff qui la commande, un colonel, deux majors et un grand nombre d'officiers: tous ces prisonniers faits à coups de baïonnette ou de crosses de fusil. Le général Ourousoff, étant blessé d'un coup de baïonnette, ne pourra partir que lorsqu'on aura pu trouver une voiture pour le transporter; j'envoie à Votre Majesté le colonel, qui est fort intelligent, et qui parle avec beaucoup de bonne foi de la situation de l'armée. D'après ce qu'il m'a dit, la huitième division est forte de dix bataillons, qui viennent d'être complétés à cinq cents hommes chacun. Il estime le corps de Kleist à six mille hommes, ce qui ferait onze mille hommes d'infanterie, à qui nous avons eu affaire aujourd'hui. Il ajoute que ce corps d'armée a soixante-dix pièces de canon.

«Le général Grouchy rendant compte directement à Votre Majesté de ce qu'il a fait, je n'entrerai à cet égard dans aucun détail.

«Il paraît que l'attaque de nuit faite sur les Russes les a tout à fait déconcertés. Les douze cents prisonniers russes partiront à minuit pour Montmirail.»

LIVRE VINGTIÈME

1814

SOMMAIRE.--Proclamation de Louis XVIII.--Marche circulaire autour de Montmirail.--Arrivée de Marmont à Sézanne (22 février).--Conduite singulière de Grouchy.--Faute de Napoléon.--Retraite de Marmont devant Blücher.--Jonction avec Mortier.--Combat de Gué-à-Trem.--Retraite de l'ennemi sur l'Aisne (2 mars).--Reddition malheureuse de Soissons.--Batailles de Craonne et de Laon.--Marmont prend position à Corbeny.--Mouvement sur Reims.--Combat et occupation de Reims.--Entretien avec l'Empereur.--Retraite sur Fismes.--Bataille d'Arcis-sur-Aube (21 mars).--Manoeuvres de Napoléon sur les derrières des alliés.--Marmont manoeuvre pour rejoindre Napoléon.--Combat de Sommesous.--Combat de Fère-Champenoise.--Retraite sur Paris.--Occupation de Provins.--Arrivée de Marmont à Charenton.--Marmont est chargé par Joseph de la défense de Paris.--Bataille de Paris (30 mars).--Le roi Joseph abandonne Paris.--Capitulation.--État des esprits à Paris.--Talleyrand.--Arrivée de Napoléon à Fontainebleau.--Marmont se porte à Essonne.--Dernière entrevue avec l'Empereur.--Le sénat proclame la déchéance de Napoléon.--Marmont quitte Essonne pour accompagner les plénipotentiaires envoyés par l'Empereur.--Entretien avec Alexandre.--Révolte du sixième corps calmée par Marmont.--Réflexions.--Nature des rapports particuliers qui ont existé entre l'Empereur et Marmont.

Pendant ces combats, la grande armée ennemie s'était portée à Nogent, qu'elle avait attaqué et pris, en s'avançant jusqu'à Nangis et Fontainebleau. Les corps des ducs de Bellune et de Reggio étaient les seules forces qu'elle eût devant elle. L'Empereur se décida à marcher en toute hâte à leur secours, et à profiter de la destruction d'une partie de l'armée de Silésie et de l'éloignement du reste, pour la battre et la faire reculer.

Il se mit en route avec sa garde et la cavalerie de réserve, laissant provisoirement le général Grouchy à Montmirail, avec la division Leval et son corps de cavalerie, et le duc de Trévise sur l'Aisne, en observation contre les troupes du Nord (York et Sacken), qui s'étaient retirées sur Épernay et sur Châlons. Il me donna l'ordre de pousser des partis sur cette ville, et défaire même une marche en avant pour en imposer à l'ennemi; mais d'agir avec circonspection. En conséquence, je laissai à Étoges la division du général Ricard, et, avec la division Lagrange et ma cavalerie, je me portai sur Vertus le 15.

Le 15, à minuit, une lettre du général Grouchy m'informa qu'un ordre de l'Empereur lui prescrivait de le suivre, avec sa cavalerie et la division Leval, afin d'opérer avec lui contre la grande armée; qu'au moment où il allait exécuter le mouvement un corps russe de douze mille hommes environ (celui des grenadiers de Rajesky) avait paru de l'autre côté du Morin, et pris poste en face de Montmirail. Il ajoutait que, vu ma position, il suspendait son départ pour me donner le temps de me replier.

A une heure du matin mes troupes étaient en route pour Étoges. Dans cette marche, j'eus connaissance pour la première fois d'une proclamation de Louis XVIII, datée du 1er Janvier, où il annonçait, entre autres choses, que, de retour en France, il favoriserait les transactions relatives aux biens nationaux. Je fus frappé de son ignorance de l'état des choses dans ce pays. Arrivé à Étoges, une autre lettre du général Grouchy m'annonçait que, pensant à la nécessité de ne pas faire faute aux calculs de l'Empereur, il se décidait à partir et m'en prévenait, afin de me mettre à même de prendre les dispositions que je trouverais convenables.

Ma position était critique. Tant que je ne serais pas parvenu à retrouver ma ligne naturelle de retraite, ou au moins tant que je ne serais pas assuré de pouvoir ta prendre sur la Marne, je courrais de grands dangers, ayant un corps de douze mille hommes devant moi, et les corps de Sacken, d'York et de Kleist sur mon flanc ou derrière.

Je pris mon parti sur-le-champ, et voici ce que j'exécutai.

Je jetai jusque sur Montmirail ma cavalerie légère. Je la chargeai d'observer cette ville du plus près possible, et de tourner autour d'elle, en prenant sa retraite sur la Marne, si elle était forcée à s'éloigner.

Je me portai à Montmaur, et j'entrepris le même mouvement circulaire dont Montmirail était le centre, en passant par Orbais. Une fois arrivé sur la route qui mène à Château-Thierry, tout danger était passé, j'avais ma retraite sur la Marne, et, si j'étais forcé de m'y porter, je me réunissais à Mortier. Je pris position en me mettant à cheval sur cette grande route. Avant le jour j'avais pris ma marche circulaire, et j'arrivai enfin sur la route de Montmirail à la Ferté-sous-Jouarre. Revenu dans une position naturelle, je me portai sur l'ennemi, qui occupait Montmirail avec une partie de ses forces. Un combat de deux heures le força d'en sortir, après avoir éprouvé une perte de plus de cinq cents hommes en tués ou prisonniers. Je n'ai jamais compris pourquoi l'ennemi se conduisit ainsi. Car, s'il tenait à conserver Montmirail, il fallait soutenir les troupes qui y étaient; et, s'il n'y tenait pas, il fallait l'évacuer, et non s'en faire chasser. Le Morin nous sépara pendant la nuit, et le lendemain l'ennemi fit sa retraite dans la direction de la grande armée. Le 17, j'avais repris Montmirail. J'y restai les 18, 19 et 20, pour faire reposer mes troupes, exténuées par tant de mouvements et tant de combats. Le 21, je me mis en marche pour Sézanne, où j'arrivai le 22.

Mais qu'avait fait, pendant tout ce temps-là, le général Grouchy avec son corps de cavalerie et sa belle division d'infanterie? Je vais le dire, et on aura peine à le croire. Il s'était arrêté à la Ferté-sous-Jouarre! Le 18, il vint de sa personne à Montmirail pour me faire son compliment, et me témoigner sa joie de me voir échappé à d'aussi grands dangers. Il me dit que, l'idée de mes périls l'ayant poursuivi et anéanti, il n'avait pu continuer son mouvement; que, s'il me fut arrivé malheur, il se serait brûlé la cervelle. «C'eût été, lui dis-je, une grande consolation; mais, puisque vous avez tremblé pour moi, et que vous n'avez pas été au secours de l'Empereur, il fallait au moins revenir à ma rencontre et faire une diversion en ma faveur.» Ainsi, grâce à ses indécisions, à ses irrésolutions, il m'avait compromis pour aller au secours de l'Empereur; et, à peine ce mal fait, il avait renoncé à tout ce qui lui restait d'utile à exécuter eu allant rejoindre Napoléon, en sorte qu'il ne servit à rien et ne fut utile à personne. Ne voit-on pas, en cette circonstance, l'homme de Waterloo?

Grouchy est le plus mauvais chef à mettre à la tête d'une armée. Il ne manque ni de bravoure ni de quelques talents pour manier les troupes; mais il est sans résolution et incapable de prendre un parti: c'est ce qu'il y a de pire à la guerre.

A mon arrivée à Sézanne, je fus instruit du mouvement général de l'armée de Silésie sur Arcis, par Fère-Champenoise, et par suite de sa jonction avec la grande armée.

L'Empereur me donna l'ordre de déboucher à Sézanne, et de marcher sur Fère-Champenoise. Me jeter au milieu de ces immenses plaines avec aussi peu de troupes, d'aussi grands embarras, et des corps aussi mal constitués, était courir de grands risques. Je préférai, en marchant en avant, me rapprocher de l'Aube. Cette rivière pouvait me servir d'appui; elle me couvrait en partie; et de plus cette direction devait me donner le moyen de me lier plus facilement avec l'Empereur.

Je me mis donc en route de Sézanne, le 24, en prenant la direction d'Arcis, après avoir jeté un corps de cavalerie sur l'Aube pour l'observer. A peine mon mouvement commencé, je fus informé que l'armée de Silésie repassait cette rivière. Elle exécutait son mouvement à Baudemont et Plancy. Je me dirigeai sur ce point pour lui disputer le passage; mais il était trop tard. Je vis, avant d'être à portée, ses masses toutes formées sur les hauteurs de Plancy. Je me postai pour l'observer, et, avant la fin du jour, je vins prendre position sur les hauteurs de Vindé, en arrière de Sézanne, sur le plateau même où cette ville est bâtie.

J'écrivis, dans la journée même, à Napoléon pour lui annoncer le mouvement de Blücher, qui était le commencement sans doute d'une marche offensive sur Paris. Le général Bordesoulle qui m'amenait un renfort de cavalerie, arrivé à Barbonne et voyant l'ennemi d'un autre côté que moi, rendit le même compte. Son rapport arriva en même temps que le mien. Enfin le général

Boyer, commandant une division venant d'Espagne, et qui occupait Méry, lui écrivit: «Hier j'avais devant moi toute l'armée de Silésie; aujourd'hui je n'ai plus personne.»

Napoléon mit en doute la vérité de ces rapports. Cela était opposé aux idées qu'il s'était faites. Déjà depuis longtemps, il s'était montré incrédule à tout ce qui contrariait sa manière de voir.

On peut se défier des rapports des généraux qui voient l'ennemi partout et demandent du secours; mais, quand un général déclare qu'il n'a plus d'ennemis à combattre, à coup sûr on peut ajouter foi à ses paroles, et, quand tant de rapports différents concordent entre eux, comment ne pas être convaincu?

Si, en cette circonstance, Napoléon eût accepté ces avis comme ils devaient l'être, s'il eut, en conséquence, marché immédiatement, il est possible que l'armée de Silésie eût été détruite.

Au lieu de cela, il resta sur la Seine, dans les environs de Troyes. Blücher marcha contre moi, le lendemain, et fit des dispositions d'attaque des hauteurs de Vindé. J'avais tout préparé pour faire ma retraite avec facilité et en bon ordre. Quand l'ennemi eut établi une batterie de vingt pièces et commencé à tirer, mes troupes disparurent. L'ennemi se précipita à notre poursuite; mais mes échelons d'artillerie étaient si bien formés, que constamment il était arrêté au moment convenable. Pas un homme ne fut pris, et jamais sa nombreuse cavalerie ne put nous envelopper ni nous entamer. Je n'éprouvai que les pertes causées par les boulets. J'arrivai à la Ferté-Gaucher avant la fin de la journée, et je pris position en arrière du Morin. J'avais prévenu le duc de Trévise en toute hâte de mon mouvement et des motifs qui l'avaient causé, afin qu'il opérât sa jonction avec moi. Je me retirai par Rebais, sur le village de Jouarre, où je pris position le 26 au soir, suivi seulement par un corps ennemi. La masse de ses troupes se dirigea sur Meaux par la grande route de Coulommiers. Le même jour, le duc de Trévise arriva à la Ferté-sous-Jouarre, et notre jonction fut opérée.

Le 27, nous passâmes la Marne à Triport, dont il fallut faire rétablir le pont. Occupé à mettre de l'ordre dans le passage des troupes, j'entendis quelques coups de canon, et des coups de fusil tirés à Meaux. Il n'y avait dans cette ville qu'un petit nombre de gardes nationaux. La conservation de ce point était pour nous d'une haute importance. Je m'y rendis, en toute hâte, de ma personne, et me portai vers le Cornillon, lieu où se présentait l'ennemi.

Tous les défenseurs étaient à la débandade. Quelques centaines de Russes avaient déjà franchi le pont, et pénétraient dans la ville. Deux cents canonniers de la marine, appartenant à mon corps d'armée, venaient d'arriver. Je cours à eux et je me jette à leur tête, à la rencontre de l'ennemi, qui se sauve à son tour. Il évacue la porte; nous la fermons sous ses balles. Je fais ensuite, toujours sous son feu et en sa présence, brûler le pont de cette fortification. Meaux se trouva ainsi sauvé. Toute l'armée ennemie se réunit dans la soirée et campa sur les hauteurs; mais elle était sans moyens de passage et ne pouvait entreprendre, en ce moment, rien de sérieux ni d'utile.

Le duc de Trévise campa sur la rive droite de la Marne, au-dessus de la ville, et moi au-dessous, du côté de Lagny, dont je fis détruire le pont.

J'avais envoyé à Paris un officier de confiance, le colonel Fabvier. Il trouva tout le monde dans une grande sécurité. On envisageait avec beaucoup de sang-froid le mouvement de Blücher. Cependant on fit un effort; on nous envoya environ six mille hommes de renfort, et on fit garder la Marne aux environs de Lagny; mais le plus mauvais esprit s'était emparé des gardes nationaux. Ils jetaient leurs armes et refusaient de combattre.

Le 28 au matin, l'ennemi avait disparu des hauteurs qui dominent Meaux. Il n'avait pas descendu la Marne, donc il l'avait remontée. On en eut d'ailleurs la certitude. Le but de ce mouvement était de passer la rivière, et, pour y parvenir, il lui fallait un pont. Celui de la Ferté-sous-Jouarre, qui n'était pas défendu, étant le plus à portée, c'était probablement sur ce point qu'il se dirigeait. Après avoir franchi la Marne à la Ferté, il lui fallait encore passer l'Ourcq à Lisy pour venir à nous. Mais un de ses corps, celui de Kleist, marchant en tête de colonne, était déjà parvenu sur la rive droite de cette rivière. Il était venu prendre la position de Gué-à-Trem, et, occuper les hauteurs qui dominent la rive gauche de la Thérouane.

En réunissant nos troupes, le maréchal Mortier et moi, nous étions assez forts pour le combattre, et nous nous y décidâmes. D'ailleurs, Kleist ne pouvait pas être secouru avant vingt-quatre heures par le gros de l'armée, qui venait de s'éloigner en remontant la rivière.

Le général Christiani, officier très-distingué, commandant une division de la vieille garde, marchait en tête de colonne; mes troupes l'appuyaient. La position fut enlevée d'une manière brillante, et l'ennemi battu complétement, après avoir éprouvé de grandes pertes. A la nuit close, et quand nous fûmes entièrement maîtres de la position, le maréchal Mortier voulut arrêter ses troupes; mais je lui fis comprendre, quoique avec peine, la nécessité de continuer à marcher. Le but que nous avions en vue n'était pas atteint. A quelque prix que ce fût, il fallait arriver sur l'Ourcq sans perdre un moment; sans quoi nous aurions le lendemain, et sans aucun doute, toute l'armée ennemie sur les bras.

Il prit position sur la rive droite de l'Ourcq, à minuit. Quant à moi, je suivis le corps de Kleist, dont la retraite se faisait dans la direction de la Ferté-Milon.

Arrivé sur la Gorgone, je pris position au village de Mai pour défendre le passage de ce ruisseau.

Jamais opération ne fut mieux exécutée et ne réussit plus à souhait. La masse de l'armée de Blücher vint prendre position sur la rive gauche de l'Ourcq, au confluent de cette rivière dans la Marne.

Le soir de ce combat de Gué-à-Trem, j'entendis, pour la première fois, prononcer le nom des Bourbons et parler des projets faits sur eux. Je reçus, vers les neuf heures du soir, la visite, de quelques amis venant de Paris, au nombre desquels était Alphonse Perrégaux, mon beau-frère. Simple chambellan de l'Empereur, il n'avait parcouru aucune carrière. Sa grande fortune le rendait indépendant, et il ne s'était jamais occupé que de ses plaisirs. D'un naturel frondeur, il avait beau jeu à cette époque pour se livrer à la censure des actes du gouvernement.

Il s'exprimait très-haut sur la nécessité de se débarrasser de Napoléon, et, en cela, il me semblait l'écho de Paris. Il parlait du retour des Bourbons comme du salut de la France. Ce langage, dans la bouche d'un homme de sa position, me parut singulier. Je combattais ses idées à cet égard. Je lui dis que nous perdrions, nous autres chefs de l'armée, le fruit des travaux de vingt campagnes; ce qui avait fait notre gloire et composait nos souvenirs serait pris à crime auprès de gens dont les intérêts avaient été toujours contraires. Il me répondit: «Dans tous tes cas, Macdonald et toi, vous serez certainement dans l'exception.--Mais, dis-je, ce n'est pas la considération d'intérêts personnels qui doit décider en pareil cas, ce sont les intérêts de tous, dont il faut n'occuper.»

Je ne sais quels rêves d'ambition l'avaient saisi tout à coup. Peut-être n'exprimait-il que les opinions au milieu desquelles il vivait, et dont l'action se fait toujours plus ou moins sentir sur nous. Mais telle est la mobilité de certaines gens, telle est la faiblesse humaine, qu'après s'être ainsi mis en avant de si bonne heure trois mois n'étaient pas écoulés, qu'il avait adopté toutes les haines ainsi que tous les préjugés populaires contre les Bourbons, et s'était rangé parmi leurs ennemis.

Mous restâmes dans notre position pendant la journée du 1er mars. L'ennemi tenta de nous déposter, et le général Kleist, soutenu par le général Klospewich, m'attaqua sans succès, tandis que Sacken opérait une diversion en faisant un simulacre du passage de l'Ourcq devant le maréchal Mortier.

Le 2 au matin, tout annonça la retraite de l'ennemi sur l'Aisne.

Le maréchal Mortier rapprocha un peu ses troupes des miennes pour être plus en mesure de me suivre. Le dégel venu rendait les chemins difficiles et embarrassait les mouvements de l'ennemi. S'il eût été pris à revers par Napoléon dans sa marche, il se serait trouvé dans la position la plus fâcheuse;

mais l'Empereur n'avait pas voulu d'abord ajouter foi aux premiers rapports annonçant sa marche sur Paris. Il y crut enfin et arriva, le 1er, à la Ferté-sous-Jouarre. L'ennemi, informé de son mouvement, décampa et prit la direction de Soissons.

J'attaquai le corps de Kleist qui se retirait dans la même direction. L'engagement de cette journée lui fit éprouver quelques pertes. Nous lui fîmes trois cents prisonniers. Je m'établis, le soir du 2, à la Ferté-Milon. Le lendemain, le mouvement continua. L'ennemi, pressé dans sa retraite, éprouvait beaucoup d'encombrement au passage de l'Ourcq, à Neuilly-Saint-Front. Je redoublai alors la vivacité de mes attaques; mais, voulant arrêter ma marche pour avoir le temps de se reconnaître, l'ennemi se décida à établir à son arrière-garde une nouvelle batterie de vingt-quatre pièces de canon. J'étais à l'avant-garde, et à fort peu de distance de l'artillerie ennemie. Un boulet vint frapper à l'épaule gauche le cheval que je montais, traversa son corps obliquement, et sortit par le flanc droit. C'était le cheval arabe blessé précédemment à Leipzig. Comme il ne fut pas renversé du coup, j'eus le temps de mettre pied à terre. Ce cheval mourut à huit ou dix pas du lieu où il avait été atteint.

L'ennemi cependant effectua son passage de l'Ourcq et continua sa retraite par la chaussée de Soissons. Sa position devenait très-critique. Dépourvu d'équipages de pont, l'Aisne n'ayant de pont dans cette partie de son cours qu'à Soissons, si cette ville se fût défendue, toute cette armée, déjà battue, fatiguée, découragée, allait être acculée à une rivière, et enveloppée par des forces suffisantes pour la détruire. Napoléon arrivait avec quinze ou dix-huit mille hommes. Mortier et moi nous en réunissions environ douze mille. Le corps de Bulow et celui de Woronsow, arrivant par la rive droite de l'Aisne et n'ayant aucun moyen de communication pour se joindre à Blücher, ne pouvaient le secourir. La fortune de la France, le sort de la campagne, ont tenu à une défense de Soissons de trente-six heures.

La garnison de Soissons était sinon complète, mais au moins suffisante. La place était à l'abri d'un coup de main. Il ne fallait que faire son métier de la manière la plus simple, et fermer ses portes. Le général Bulow fit des dispositions apparentes d'attaque et somma cette ville. Un général obscur de l'armée française, nommé Moreau, y commandait. Bientôt intimidé, il consentit à capituler en obtenant la faculté de rejoindre l'armée française, comme si la conservation d'un millier d'hommes et le secours d'une pareille force pouvaient être mis en balance avec l'occupation d'un poste important dans un moment décisif. La négociation étant au moment de se rompre par suite de quelques difficultés faites au général Moreau d'emmener son artillerie de campagne, le général Woronsow, qui était présent et jugeait l'importance de la prompte évacuation de Soissons, dit en russe au négociateur: «Laissez-leur emmener leurs pièces, et qu'ils prennent même les miennes s'ils les veulent, pourvu qu'ils partent sans retard.» Le général Woronsow, en me racontant depuis ces détails, me dit que, dans aucun temps, il n'avait vu des troupes aussi découragées que celles de cette armée, et qu'elles eussent été perdues si elles avaient été forcées de combattre dans la position où l'imprudence de Blücher les avait placées.

Cette reddition de Soissons est le véritable moment de la crise de la campagne. La fortune abandonna ce jour-là Napoléon; car ce n'était pas lui demander trop que de conserver deux jours un point fortifié en état suffisant de défense. Napoléon a pu regretter de n'avoir pas commencé son mouvement plus tôt; car peut-être l'armée de Silésie aurait succombé avant d'arriver sous Soissons. Le reste de la campagne n'offre plus que des déceptions.

Napoléon se dirigea sur Fismes, et de là sur Béry-au-Bac, pour y passer l'Aisne. Maître de Soissons, l'ennemi y repassa la rivière, laissant une garnison dans la ville. Il réunit ses troupes sur Laon et porta le corps de Woronsow sur Craonne. Le 5, au matin, nous nous présentâmes, Mortier et moi, devant Soissons; mais l'ennemi occupait la ville et même les faubourgs. Nous fîmes sur cette ville une légère tentative qui devait être et qui fut infructueuse. Nous remontâmes l'Aisne le 6. Le duc de Trévise continua son mouvement et rejoignit l'Empereur qui débouchait sur la rive droite. Le 7, j'allai prendre position à Béry-au-Bac, et j'y fus rejoint par quatre mille hommes de mauvaises troupes commandées par le duc de Padoue. Des matelots, qui n'avaient jamais fait la guerre de campagne et ne connaissaient pas les premiers éléments de leur nouveau métier, servaient leur artillerie.

Le même jour, Napoléon attaqua l'ennemi dans la forte position de Craonne. Le seul corps en présence, celui de Woronsow, lui résista pendant toute la journée. Les pertes furent grandes de notre côté, surtout en officiers de marque.

L'ennemi se retira de Craonne sur Laon, où il concentra ses forces. Après la réunion de l'armée du Nord à celle de Blücher, les forces ennemies, sur ce point, s'élevaient à plus de cent mille hommes. L'Empereur le suivit et se porta sur la chaussée de Soissons à Laon; et cependant Soissons était encore occupé par l'ennemi. Une opération semblable est difficile à comprendre. Indépendamment des dangers immenses qui l'accompagnaient, du peu de résultats favorables qu'elle promettait, elle peut être encore l'objet de la critique la plus fondée sous d'autres rapports.

Jamais, dans le cours de cette mémorable campagne, Napoléon n'a eu à sa disposition, entre la Seine et la Marne, plus de quarante mille hommes. Les efforts continus que l'on ne cessa de faire pour opérer des levées et nous les envoyer n'eurent d'autre résultat que d'entretenir le nombre des combattants à peu près à la même force. Les détachements, arrivant journellement à l'armée, remplaçaient à peine les pertes causées par les combats, les marches et la désertion, dont l'effet se fit toujours plus ou moins sentir.

Les mouvements de l'Empereur d'une rivière à l'autre, avec une partie de ses forces, sa garde, ses réserves et son artillerie, portaient momentanément l'armée, où il se trouvait, à environ trente mille hommes. Une semblable force se trouvait toujours insuffisante pour combattre les ennemis réunis. Des succès n'étaient possibles qu'en les surprenant dispersés, en attaquant leurs corps séparément. Leur offensive seule lui en offrait l'occasion; mais une défensive préparée et combinée d'avance, jamais.

Attaquer Blücher quand l'armée du Nord venait de le joindre, et que ses forces réunies s'élevaient certainement à cent mille hommes, était folie. C'était renouveler, d'une manière plus entière et qui pouvait être plus funeste, la faute de Brienne. A Brienne, on avait échappé par miracle à la destruction, et on allait, de gaieté de coeur, provoquer des chances encore pires; car, en combattant en avant de l'Aisne et de Soissons, occupés par l'ennemi, si celui-ci eût eu la moindre résolution et eût agi avec plus de calcul, personne n'échappait de l'armée française.

Napoléon, entraîné par une passion aveugle et s'abandonnant à des mouvements irréfléchis, se décida donc à attaquer l'ennemi dans la position inexpugnable de Laon et par la route de Soissons.

Le 8, il fit replier les avant-postes ennemis et toute l'armée de Blücher en arrière des défilés conduisant à Laon. Ce jour-là, d'après les ordres de Napoléon, je vins prendre position à Corbeny. L'Empereur, résolu de renouveler ses efforts, prit l'offensive par une attaque de nuit, franchit le défilé d'Étrouvelle et Chivi, qui se compose d'une chaussée au milieu des marais. Mais, arrivé au delà, il trouva l'armée appuyée à la montagne et à la ville de Laon, formée, à droite et à gauche de cette place, sur une multitude de lignes. Quant à lui, dont la principale force se composait d'artillerie et de cavalerie, il se trouvait, en face d'une position inexpugnable, n'ayant à sa disposition qu'un emplacement à peine suffisant pour mettre en bataille quelques troupes et en batterie un petit nombre de pièces de canon.

Mes ordres me prescrivaient de prendre part à la bataille en marchant directement sur Laon par Fétieux. Parti de grand matin de Corbeny, j'arrivai à huit heures à Fétieux; mais un brouillard extrêmement épais me força de m'arrêter. Je ne pouvais m'engager, avec cette obscurité, dans les vastes et immenses plaines de Marles, dans lesquelles on entre immédiatement.

J'entendais le canon de Napoléon, et je souffrais de ne pouvoir encore lui répondre avec le mien. Enfin, à midi, le brouillard se dissipa. J'aperçus alors devant moi quelques milliers de chevaux que je poussai sans peine.

Je trouvai, à un quart de lieue en avant du village d'Athies, l'ennemi établi et appuyé à une colline boisée, dont je le chassai après un combat meurtrier. Le village d'Athies fut également pris et occupé. Je pouvais continuer mon mouvement offensif; mais la prudence me le défendait. J'apercevais distinctement les lignes multipliées de l'ennemi et les corps stationnés sur la route de Marles. Je voyais les trois quarts de l'armée ennemie au repos, ne prenant aucune part au combat, et le canon de Napoléon ne bougeant pas. Je pus conclure que c'était du bruit sans résultat, un simple échange de boulets.

Mon but unique, en avançant ainsi, était d'essayer une diversion, et de me conformer à un ordre positif, qu'il eût été criminel de ne pas exécuter; mais je comptais bien, la nuit arrivée, m'éloigner et regagner le défilé de Fétieux, sauf à revenir le lendemain matin. L'ennemi, jugeant la fausse position dans laquelle j'étais placé, profita, avec habileté et célérité, de ses avantages.

N'ayant reçu, pendant la journée, aucune nouvelle de l'Empereur, les communications étant interceptées entre nous, je détachai, à la fin de la journée, le colonel Fabvier avec cinq cents hommes pour lui rendre compte de ma position, lui faire connaître mes projets et lui demander ses ordres.

La nuit étant close, je fis retirer du village d'Athies, et des positions correspondantes, le canon qui s'y trouvait, évacuer le village, et concentrer les troupes en les appuyant à la colline boisée, disposition préparatoire au mouvement rétrograde que je projetais; mais les troupes revenant d'Athies, et appartenant à la division du duc de Padoue, étant mal organisées, peu instruites, ne surent prendre aucune disposition de sûreté en se retirant, et l'ennemi les suivait à petite distance sans qu'elles s'en aperçussent.

Les canonniers de cette division étaient si ignorants, qu'ils n'avaient pas mis leurs pièces sur l'avant-train en quittant leurs positions de bataille, mais les avaient laissées à la prolonge au parc, où elles étaient rassemblées. Toute coup l'ennemi paraît d'une manière inopinée. Les pièces se sauvent. Celles qui étaient disposées ainsi que je viens de le dire versent dans les fossés de la grande route. Les troupes s'ébranlent d'une manière confuse, elles se serrent et se retirent en masse. Je reste, avec les derniers pelotons, pour en régler et en ralentir la marche. Des corps de cavalerie ennemie se forment successivement en bataille, à cheval sur notre chemin de retraite, et chaque fois la tête de colonne ouvre son passage et les renverse. Ma cavalerie, formée d'elle-même en colonne, marche parallèlement à la grande route, à la hauteur de mon infanterie. L'ennemi me suit avec de l'infanterie. C'est sous son feu, et un feu périodique, que nous avons exécuté notre retraite.

Je n'oublierai jamais la musique qui accompagnait notre marche. Des cornets d'infanterie légère se faisaient entendre, l'ennemi s'arrêtait, et un feu de quelques minutes était dirigé sur nous; le silence succédait, jusqu'à ce qu'une nouvelle musique, annonçant un nouveau feu, se fit entendre. Heureusement, l'ennemi, étant très-près au moment de sa décharge, presque tous ses coups portaient trop haut. Enfin nous arrivâmes à Fétieux, où nous fîmes halte. Ce point étant atteint, nous étions sauvés. Un détachement de quelques centaines d'hommes de la vieille garde qui s'y trouvait, fut placé à l'entrée du défilé, et nous pûmes reposer en sûreté et remettre un peu d'ordre dans les troupes. Le lendemain, par suite des dispositions de Napoléon, je me rendis d'abord à Béry-au-Bac, et, le 11, à Fismes, tandis que l'Empereur se retirait à Soissons, évacué par l'ennemi.

Mes pertes furent considérables en canons et en voitures, mais très-faibles en hommes; car elles ne s'élevèrent pas à trois cents hommes pendant cette retraite, chose extraordinaire dans une circonstance semblable. En comprenant le combat de la journée, elle s'éleva à sept ou huit cents hommes; mais vingt et une pièces de canon restèrent dans les fossés de la route.

Le mauvais génie de Napoléon l'avait entraîné sans doute à livrer bataille à Laon, et encore, dans l'exécution de ce funeste projet, il avait pris le plus mauvais parti dans la disposition de ses troupes. S'il eût réuni toutes ses forces sur le même point, fait déboucher tout le monde par Fétieux et tourné Laon, on évitait la position, on avait de l'espace pour déployer l'artillerie et la cavalerie; on menaçait la retraite de l'ennemi; on évitait d'attaquer directement Laon, dont la forte assiette décuplait ses forces; mais, dans aucun cas, il ne pouvait être dans les règles de la raison d'attaquer Laon, en mettant ses principales forces, une nombreuse artillerie, beaucoup de cavalerie, dans un défilé dont il était difficile de sortir, tandis qu'il jetait dans une plaine rase, découverte, en face d'un ennemi vingt fois plus nombreux, le faible corps que je commandais. Encore une fois, du moment où toutes les forces ennemies étaient pelotonnées en deux masses, sur la Seine quatre-vingt-dix ou cent mille hommes, autant sur l'Aisne, il fallait renoncer à livrer des batailles, attendre tout du temps, des circonstances, des occasions, et, si on était réduit à livrer bataille, il fallait le faire dans une position défensive et en cherchant, par des avantages d'obstacles matériels, à compenser les inconvénients de l'infériorité du nombre.

L'Empereur n'était sans doute pas suffisamment éclairé par les funestes résultats de Brienne et de Laon. Il commit une troisième fois la même faute, et se fit battre plus tard à Arcis, où il ne pouvait pas être vainqueur et où il devait être détruit.

Arrive à Fismes, mes troupes reposées et réorganisées, je me mis bientôt de nouveau en mouvement pour combattre. Reims, occupé par le général Corbineau, avait été évacué à l'arrivée du corps de Saint-Priest venant de Vitry. Le corps de Saint-Priest, composé de Russes et de Prussiens, et fort de douze mille hommes, était destiné à établir la liaison, à protéger et à couvrir la communication entre la grande armée et l'armée de Silésie. Napoléon se décida à marcher immédiatement sur Reims et à écraser ce corps. C'était à ce genre d'opérations qu'il devait se borner toutes les fois que l'ennemi lui en présentait l'occasion. Je reçus l'ordre de me mettre en mouvement, et l'avis de l'arrivée prochaine de l'Empereur pour me soutenir. Le 13, au matin, du plateau d'Ormes, je reconnus deux bataillons prussiens en retraite sur Reims. A notre approche, la cavalerie qui les accompagnait les abandonna. Ces troupes, en pressant leur marche et marchant serrées, pouvaient nous échapper. Mon infanterie était encore éloignée; je les fis poursuivre par ma cavalerie. Peu après, elles prirent poste dans une espèce de parc. Là elles furent sommées de se rendre. Elles s'y décidèrent en voyant arriver mon infanterie. Je mis mes prisonniers en route immédiatement, et Napoléon, qui les rencontra, sortit de sa voiture pour les passer en revue. Ces deux bataillons appartenaient l'un à la Marche-Électorale, l'autre à la Poméranie. On peut difficilement expliquer le peu de prudence des dispositions de M. de Saint-Priest et sur quoi était fondée une sécurité si entière. Une fois cette expédition terminée, je continuai mon mouvement sur Reims.

Arrivé en vue de la ville, je reconnus l'ennemi placé sur les hauteurs de Tingment. Je fis halte pour attendre l'arrivée des troupes qu'amenait l'Empereur. Sa garde prit ma gauche, et je reçus l'ordre d'attaquer. Après une résistance assez faible, la gauche de l'ennemi se retira. Poursuivis avec vigueur, trois bataillons prussiens furent cernés et mirent bas les armes.

L'ennemi, se voyant tourné, se décida à la retraite; mais l'encombrement causé par un corps aussi nombreux et par son artillerie y mit du dés ordre. Pressé de nouveau par de nouvelles attaques, le désordre augmenta; enfin il fut porté à son comble par la charge faite par le comte Philippe de Ségur, à la tête de son régiment de gardes d'honneur, qui culbuta tout. Il atteignit la colonne qui occupait la route, la coupa en partie. Dans cette position elle aurait été prise en entier, s'il eût été mieux appuyé par la cavalerie qui le soutenait, commandée par le général Defrance. La cavalerie prussienne, culbutée et poursuivie, ne pouvant rentrer dans la ville, dont la porte était obstruée, se jeta dans les fossés qui étaient peu profonds, et sans contrescarpes revêtues. Elle y abandonna tous ses chevaux, dont nous nous emparâmes le lendemain.

Cette brillante charge du comte de Ségur et des jeunes soldats qu'il commandait eut pour lui un fâcheux résultat. Précipité ainsi sur les masses ennemies, il se laissa entraîner par la chaleur de la poursuite. Il entra jusque dans la ville, qui était au pouvoir de l'ennemi. Il y fut fait prisonnier avec quatre-vingts hommes. Le lendemain, il nous fut rendu. Mais revenons au corps de M. de Saint-Priest, dont nous avions pris ou détruit une grande partie. Ses débris étaient rentrés dons la ville. Nous enlevâmes le faubourg; mais, arrivé à la porte de la ville, j'employai inutilement mon artillerie pour l'enfoncer. Je ne pus y parvenir. Cette porte était couverte par un tambour en terre. Cette tentative coûta la vie à un capitaine d'artillerie à cheval très-distingué, nommé Guerrier. Cependant la ville fut évacuée à minuit, et nous y entrâmes à une heure. C'était le dernier sourire de la fortune. Le lendemain, 14, je reçus l'ordre de marcher à la poursuite de l'ennemi, et d'aller prendre position à Béry-au-Bac. Avant de me mettre en route, je passai une partie de la matinée avec l'Empereur. Il me donna l'ordre d'écrire au général Jansen, à Verdun, de se rendre à Reims à marches forcées, pour venir le rejoindre avec plusieurs détachements des garnisons des places de Lorraine, qui avaient été instruits pendant l'hiver. Ces détachements arrivèrent assez à temps pour le suivre dans le mouvement qu'il exécuta sur l'Aube.

Je ne veux pas omettre de rapporter un mot de Napoléon qu'il me dit en cette circonstance, et qui prouve combien il était devenu insensible aux malheurs publics et privés. Le mouvement des armées, les besoins des troupes et l'indiscipline causaient la désolation des pays qui étaient le théâtre de la guerre et de nos opérations depuis deux mois. Les troupes françaises contribuaient, pour leur bonne part, aux souffrances des habitants. J'en parlai à l'Empereur, et je m'apitoyai sur leur sort. L'empereur me répondit ces propres paroles qui ne sont pas sorties de ma mémoire: «Cela vous afflige? eh! mais il n'y a pas grand mal! Quand un paysan est ruiné et que sa maison est brûlée, il n'a rien de mieux à faire que de prendre un fusil et de venir combattre.»

L'Empereur me fit part de son projet de marcher contre la grande armée; mais à quoi bon ces mouvements multipliés qui n'en imposaient plus? Il fallait attendre que, dans leur marche, les armées ennemies se divisassent, pour tenter de nouveaux efforts sur quelques-unes de leurs parties. Il me dit qu'il voulait, après avoir combattu l'armée autrichienne, se jeter sur les places, prendre presque toutes les garnisons avec lui, et manoeuvrer sur les derrières de l'ennemi. Pendant ce temps, il me laisserait en avant de Paris et me chargerait de la défense de la capitale. Je lui représentai que le rôle contraire me paraissait plus convenable. La défense de Paris exigeait le concours de pouvoirs civils dont lui seul pouvait faire usage. Sa présence à Paris et son action immédiate sur cette ville valaient une armée, tandis que moi je n'y compterais que par le nombre de mes soldats. Il devait donc prendre pour lui, dans ce moment, le rôle défensif, et me charger du rôle offensif. Avec trois mille chevaux, six pièces de canon, cinq cents hommes d'infanterie et des attelages, j'irais à Verdun, à Metz: et, en huit ou dix jours, j'aurais organisé une année de trente mille hommes, avec laquelle je me jetterais sur les derrières de l'ennemi. Il me dit qu'il voulait faire lui-même cette expédition; mais qu'il manoeuvrerait de manière à être plus près de Paris que l'ennemi, ce qui, dans la condition donnée, paraissait difficile; et, en prononçant ces dernières paroles, il se pencha sur la table où était une carte, prit son compas, et fit sur la carte quatre ou cinq mouvements. Bref, je le quittai pour aller joindre mes troupes en marche.

A une lieue en avant de Béry-au-Bac, je rencontrai une avant-garde ennemie forte de huit cents chevaux et deux mille hommes d'infanterie. Je la fis charger par ma cavalerie légère; mais la lâcheté d'un chef d'escadron de dragons causa quelque perte. Je le fis arrêter et conduire, par la gendarmerie, à l'Empereur, en demandant sa mise en jugement. Nous repoussâmes l'ennemi qui repassa sur l'Aisne.

J'occupai Béry-au-Bac et j'établis mon quartier général à Cormicy. L'Empereur se mit en marche pour exécuter le mouvement dont il m'avait parlé. Il laissa le duc de Trévise, avec son corps, à Reims. Notre mission était, et nos instructions portaient, de couvrir la route de Paris, de manoeuvrer devant l'ennemi, de prendre des positions, de ne rien négliger pour retarder sa marche. Et, comme l'Empereur avait plus de confiance dans ma capacité que dans celle du maréchal duc de Trévise pour mettre de l'ensemble dans les mouvements, il fut décidé que, le duc de Trévise étant mon ancien, il conserverait les honneurs du commandement, tandis que la direction des deux corps me serait cependant réservée [10]. C'était nous mettre tous les deux dans la plus fausse position. On ne peut pas commander à demi à la guerre. On peut prendre des conseils, mais on ne peut pas se charger d'en donner. Je n'ai eu qu'à me louer, à cette époque, de mes rapports avec le duc de Trévise. Je crois fermement que jamais deux généraux, placés dans des positions respectives semblables, ne se sont mieux entendus. Cependant on verra que cet arrangement fut la cause unique du revers de Fère-Champenoise, parce que le devoir d'une obéissance absolue n'était pas et ne pouvait pas être suffisamment senti par celui qui ne devait pas commander, mais momentanément obéir.

Note 10: (retour) Voir les pièces justificatives.

L'ennemi avait réuni toute son armée dans les environs de Corbeny. Son camp était immense. En évaluant ses forces à près de cent mille hommes, on était plutôt au-dessous qu'au-dessus de la vérité. Je fis tout disposer pour faire sauter le pont de Béry-au-Bac quand l'ennemi se présenterait pour le franchir. La nécessité de construire des moyens de passage retarderait toujours sa marche d'autant, quand le moment d'agir serait venu. L'ennemi, voulant s'épargner les pertes d'un passage de vive force, fit un détachement de huit à dix mille hommes, qui remonta l'Aisne, franchit cette rivière à Neufchâtel, et la descendit pour venir à Béry-au-Bac par la rive gauche. En même temps, il préparait des moyens de passage à Pont-à-Vair. Toutes ses troupes étaient en avant de Corbeny, en vue de ma position.

Le corps ennemi, venant de Neufchâtel, déboucha sur mon flanc droit; il était précédé d'une nuée de Cosaques. En même temps, les colonnes de la rive droite se mirent en marche pour arriver au pont; mais, au moment où il devenait indispensable d'évacuer Béry-au-Bac, je fis mettre le feu aux mines pratiquées, et le pont sauta. Alors l'armée en pleine marche sur la route, et dont la tête était à cinq cents toises de la rivière, s'arrêta. Ce fut un magnifique coup de théâtre.

J'évacuai Béry-au-Bacq. Ma droite se replia sur mon centre placé sur les hauteurs de Pont-à-Vair, où l'ennemi travaillait à un passage que je contrariai. Un de mes aides de camp, officier très-distingué, fils d'un homme fort célèbre à divers titres, bons et mauvais, Laclos, y fut tué. Je fis ma retraite doucement, en bon ordre, sur Roncy, et de là sur la Vesle, à Fismes, où je m'arrêtai. Ce mouvement, exécuté par ma cavalerie dans la plaine entre Roncy et Fismes, fut remarquable par sa lenteur et l'ordre qui y régna.

La cavalerie ennemie était beaucoup plus nombreuse que la mienne. Je donnai l'ordre aux chasseurs de faire des feux par escadron, avec leurs carabines. Cette nouveauté imposa à l'ennemi, et tout le mouvement s'exécuta au pas jusqu'à la fin.

J'écrivis au duc de Trévise pour l'engager à se réunir à mot et à se porter sur Fismes. Devant des forces aussi considérables, nous n'étions pas assez nombreux pour nous diviser.

Après notre réunion, nous prîmes position en arrière de Fismes, sur la hauteur de Saint-Martin. Cette position est très-bonne. Proportionnée à la force des troupes qui l'occupaient, et difficile à tourner, elle exigeait des reconnaissances préalables de la part de l'ennemi. Elle devait tenir des forces considérables en échec pendant un certain temps. Mais, le 21, nous reçûmes l'ordre de passer la Marne et de venir rejoindre Napoléon, dont le quartier général devait être le 21 à Sommesous.

L'armée de Silésie avait renoncé à faire un mouvement offensif sur Paris avant d'avoir opéré sa jonction avec la grande armée. Le gros de ses forces se dirigeait par Châlons, flanqué par une autre colonne qui marchait parallèlement par Épernay.

Nous exécutâmes notre mouvement en passant à Oulchy-le-Château et Château-Thierry, et nous marchâmes avec toute la rapidité possible. Nous fûmes suivis dans notre marche par le corps de Kleist et celui d'York. Arrivés à Oulchy-le-Château, nous fûmes forcés de donner du repos aux troupes. Le matériel des deux corps, extrêmement nombreux, fut laissé fort imprudemment, pour cette halte, entre Oulchy et l'Ourcq. Après quelques moments de repos, j'eus l'idée de monter à cheval pour voir les troupes et les dispositions du terrain avoisinant la rivière. A peine sorti de la ville, j'aperçus le corps de Kleist débouchant et arrivant sur nous. Avec tous nos embarras, le passage du défilé était critique. Heureusement le mouvement put être commencé tout de suite à cause de ma présence. Je le pressai si bien, que tout était sur la rive gauche de l'Ourcq quand l'ennemi fut assez en forces pour être redoutable.

Nous continuâmes notre retraite en bon ordre et sans avoir éprouvé la moindre perte. Le soir, nous arrivâmes à Château-Thierry. Le lendemain, 22, le pont fut rétabli, et, pour faciliter notre marche, nous prîmes deux routes différentes. Le duc de Trévise suivit la grande route, et moi je passai par Condé, Orbais, Montmaur. Le 23 au matin, nos deux corps se réunirent à Étoges, et allèrent s'établir à Bergères et à Vertus. Les dernières troupes de la colonne qui avait passé par Épernay défilèrent alors à notre vue, et l'on essaya une légère poursuite sur elles. Enfin, le 24, nous nous mîmes en marche dans l'espérance de faire notre jonction avec l'Empereur.

Napoléon était parti de Reims, le 19, avec environ dix mille hommes d'infanterie et six mille chevaux pour exécuter le projet dont il m'avait entretenu. Toute la grande année ennemie, forte de cent vingt mille hommes, était postée sur la Seine et occupait, par des corps détachés, les bords de l'Aube. Après divers combats successifs, le maréchal duc de Tarente, qui commandait en ce moment toutes les forces françaises dans cette partie, s'était retiré sur Provins.

Napoléon se dirigea par Épernay et Fère-Champenoise. Il passa l'Aube à Plancy, dont il chassa l'ennemi qui se retira sur Méry. Napoléon l'y suivit, et, avant fait passer sa cavalerie à un gué situé au-dessus de Méry, l'ennemi décida son mouvement sur Troyes, où s'opérait le rassemblement de ses forces. Le duc de Tarente, se trouvant alors en communication avec l'Empereur, se mit en marche pour le rejoindre avec son corps. Le 20 au matin, Napoléon se porta sur Arcis, où sa cavalerie arriva à dix heures du matin, et, peu après, il y fut lui-même de sa personne. Son infanterie s'y rendait de Plancy en suivant la rive droite de l'Aube. L'ennemi était à portée, et, voyant la cavalerie française inférieure en force et sans soutien, il t'attaqua et la mit en désordre.

Mais, l'infanterie étant arrivée et ayant passé le pont, l'ordre se rétablit. L'armée française prit position en avant de la ville. Des combats partiels et sans résultat occupèrent le reste de cette journée.

Cependant Napoléon, abandonné à ses illusions, croyait à une retraite décidée de l'ennemi. Rejoint par les troupes du duc de Reggio et par celles du duc de Tarente qui étaient encore sur la rive droite de l'Aube, il déboucha, le 21, à dix heures du matin, en avant d'Arcis dans la direction de Troyes. Arrivé sur la crête du plateau, il découvrit toute l'armée ennemie formée sur trois lignes, présentant à la vue toutes ses forces réunies, et ayant sa droite à l'Aube et sa gauche à Barbuisse. Malgré cet état de choses, l'Empereur fit engager l'affaire; mais, peu après, des observations réitérées lui ayant été faites sur les résultats infaillibles d'un combat véritable dans une situation semblable, avec des forces si disproportionnées, et qui donnaient à l'ennemi le moyen, en opérant par sa droite, de s'emparer de nos ponts et de notre ligne de retraite, il se décida à faire cesser l'attaque. La retraite fut ordonnée; mais l'exécution était difficile et le danger imminent. La destruction de l'armée aurait été l'effet de la moindre vigueur de la part des alliés.

La grande circonspection du prince de Schwarzenberg fit notre salut. Ce général, craignant une nouvelle attaque, fit ses dispositions pour la recevoir, et l'armée française lui échappa. Le duc de Reggio, chargé de faire l'arrière garde et de contenir l'ennemi à la fin du mouvement, en conservant Arcis jusqu'à ce que toute l'armée eût passé l'Aube, remplit sa tâche avec bonheur et succès. Mais la retraite de ses troupes, exécutée sous le feu de l'artillerie ennemie, leur fit éprouver d'assez grandes pertes et causa du désordre. Le soir, l'Empereur était avec sa garde à Sommepuis. Le gros de l'armée ennemie ne passa pas l'Aube.

Tel est, en résumé, l'exposé des mouvements faits par l'Empereur depuis le 17 jusqu'au 22. On cherche en vain les calculs qui ont pu les motiver, et pourquoi il a fait courir gratuitement à son armée les plus grands dangers auxquels elle pouvait être exposée. On ne comprendra pas davantage les motifs des mouvements qu'il allait opérer dans cette dernière partie de la campagne.

Le 22, Napoléon se porte sur Vitry, fait sommer la place, dont le commandant refuse de se rendre, passe la Marne au gué de Frignicourt, et campe à Farémont. Il commence alors l'exécution du hardi projet de manoeuvrer sur les derrières de l'armée ennemie, en appelant à lui une partie des garnisons des places, que le général Durutte devait lui amener: mais, pour cela, il fallait découvrir Paris; et, si on se le rappelle, il avait annoncé précisément qu'il éviterait de le faire. Il marche, le 23, sur Saint-Dizier. Ce mouvement précipité empêche le duc de Tarente, placé à une marche de lui et faisant son arrière garde, de réunir toutes ses colonnes. Une partie de son artillerie, laissée dans ces immenses plaines, sans escorte ou avec une faible escorte, tomba au pouvoir de l'ennemi. Macdonald passa la Marne au même lieu où Napoléon l'avait franchie, et au moment où le prince de Schwarzenberg, qui, dès le 22, avait passé l'Aube, se mettait, le 23, en communication avec Vitry et y appuyait la droite de son armée.

Le 23, les dernières troupes de l'armée de Silésie avaient quitté Vertus, flanquant les masses qui, par Châlons, se portaient sur Vitry. Cette armée atteignit cette ville dans les journées du 23 et du 24. Ce jour-là, les deux grandes armées, c'est-à-dire la totalité des forces alliées, se trouvèrent réunies. Elles se montaient au moins à cent quatre-vingt mille hommes.

La même jour, nous partîmes de Vertus, le duc de Trévise et moi, pour Vitry, dans l'espérance de faire notre jonction avec l'Empereur.

Je vais analyser les différentes hypothèses que nous étions autorisés à faire dans la position où nous nous trouvions.

1° Nous savions par les habitants que l'on s'était battu à Sommesous le 22 et le 23; il y avait eu des coups de canon tirés près de la Marne; ainsi il était clair que l'Empereur était près de cette rivière; mais nous ignorions s'il l'avait passée.

2° Les deux armées ennemies opéraient évidemment leur réunion; mais il n'était pas certain qu'elle fût complétement effectuée.

3° Dans un état de choses pareil et avec les ordres reçus, il fallait s'approcher de Vitry, de manière à opérer suivant les circonstances. Le point choisi et convenu entre nous, pour notre établissement du 24 au soir, fut le village de Soudé. Nos deux corps ainsi campés ensemble pourraient immédiatement prendre le parti qui serait commandé par les événements:

1° Si l'Empereur était à portée et si nous pouvions communiquer avec lui, nous le rejoindrions et nous enverrions prendre ses ordres.

2° Si l'Empereur avait passé la Marne et s'en était éloigné, l'ennemi pouvait faire trois choses:

a. Le suivre. Nous étions bien placés pour suivre nous mêmes l'ennemi et faire une diversion.

b. Si l'ennemi, profitant de l'éloignement de l'Empereur, voulait marcher sur Paris, nous étions bien placés pour le précéder, évacuer sans perte les grandes plaines que nous avions à traverser jusqu'à Sézanne, et ensuite résister dans toutes les positions favorables.

c. Enfin, si l'ennemi, dans l'intention de suivre l'Empereur, voulait d'abord nous éloigner pour revenir ensuite sur lui, nous pouvions nous retirer d'abord pour revenir ensuite et nous remettre encore à le suivre.

Ainsi Soudé-Sainte-Croix était le lieu indiqué pour prendre position: et il fut bien convenu, le 24 au matin, avec le duc de Trévise, que nous nous y rendrions. Je marchais en tête de colonne, et j'arrivai à Soudé à cinq heures du soir. Je m'y établis.

La nuit venue, j'aperçus un horizon immense couvert de feu, dont le développement embrassait plusieurs lieues. Tous les feux étaient-ils ennemis? ou bien y avait-il des feux français, et où étaient-ils? Pour résoudre ces trois questions, je choisis quatre officiers extrêmement intelligents, parlant allemand et polonais, et je les dirigeai en quatre directions, chacun avec quatre hommes d'escorte. Ils devaient s'approcher, voir, juger, et même communiquer avec les postes ennemis, s'ils croyaient pouvoir le faire sans trop de danger.

Mes quatre reconnaissances revinrent avant la fin de la nuit, et toutes les quatre m'apportèrent la même nouvelle. Tout ce qui était en présence était ennemi. L'Empereur avait passé la Marne, et marchait sur Saint-Dizier. Un des officiers avait même joint un poste de Wurtembergeois, et s'était fait passer pour Russe.

D'après ces renseignements, il fallait se tenir prêt à marcher, soit en avant, soit en arrière. Mais le duc de Trévise, malgré nos conventions, n'était point arrivé à Soudé. Je lui écrivis, en toute hâte, pour lui faire connaître l'état des choses, et lui faire sentir la nécessité de notre très-prompte réunion. L'officier porteur de ma lettre se rendit à Vitry et à Bussy-Lestrée, où je supposais qu'il s'était établi. Mais cet officier le manqua sur la route. Il avait pris un autre chemin que le maréchal, qui arriva chez moi, à Soudé, à la pointe du jour. Je lui fis connaître l'état des choses, et je lui exprimai le regret qu'il se fût arrêté au lieu de venir jusqu'à Soudé. Il me répondit: «Mais j'ai pris une bonne disposition, j'ai échelonné mes troupes!--Comment, monsieur le maréchal, répondis-je, échelonner ses troupes devant l'ennemi, c'est les mettre à distance les unes des autres, sur la ligne d'opération, et non sur une ligne parallèle à son front. Il faut, quand elles sont échelonnées, qu'elles puissent se réunir naturellement quand on se retire, ou bien suivre si on marche en avant.» Ce pauvre maréchal ne connaissait pas mieux le sens des expressions de sa langue que les éléments de son métier! «Maintenant, lui dis-je, il faut réparer le mal et envoyer en toute hâte l'ordre aux troupes de se porter avec la plus grande diligence à Sommesous. Si l'ennemi marche à nous et que nous nous retirions, elles nous précéderont. Si l'ennemi suit Napoléon, et que nous marchions en avant, elles nous rejoindront plus tard. De toutes les manières, nous serons ensemble.» L'ordre fut expédié, mais les moments pressaient, et il ne put être exécuté assez à temps pour éviter de grands embarras et de grands malheurs.

Je fis prendre les armes à mes troupes de grand matin, et je les établis sur le plateau, près de Soudé, dans une belle position. A peine formées, je vis déboucher à l'horizon d'énormes masses de troupes venant dans ma direction. C'était toute l'armée ennemie. Plus de vingt mille chevaux formés en différentes colonnes parallèles, et avec la facilité qu'offraient ces plaines désertes, où pas un seul obstacle ne s'opposait à leur marche, précédaient l'infanterie. Je restai en position jusqu'à ce que l'avant-garde ennemie fût en présence; mais, une fois à portée de canon, je commençai mon mouvement rétrograde, qui, étant prévu et préparé, se fit avec ensemble et sans désordre. Cette marche continua ainsi sans aucun embarras jusqu'à Sommesous. Mais Sommesous était le point de direction donné aux troupes du duc de Trévise, et ces troupes n'étaient pas encore arrivées. J'y pris position pour les attendre et les rallier. Par suite de cette halte, un engagement eut lieu. Pendant que l'ennemi portait de nombreuses forces sur mon flanc droit et me tournait, il renouvelait ses attaques directes.

Abandonner la position avant l'arrivée des troupes de Mortier, c'était assurer leur perte et les livrer. Il valait mieux périr avec elles que de se sauver sans elles. Enfin elles parurent et nous rejoignirent. Je ne tardai pas un moment à continuer mon mouvement rétrograde; mais il fallut soutenir bien des charges et traverser les diverses lignes de cavalerie formées en arrière de nous. Les intervalles de mes petits carrés furent, pendant longtemps, remplis par la cavalerie ennemie, et trois fois de suite, ayant voulu sortir d'un carré pour passer dans un autre, je fus obligé d'y rentrer précipitamment.

La grande difficulté était de traverser le défilé avec tous nos énormes embarras. J'y parvins cependant en éprouvant la perte de sept pièces de canon abandonnées. Je n'eus pas un seul carré d'enfoncé. Le maréchal Mortier, moins heureux, perdit une brigade de la jeune garde, commandée par le général Jamin, qui fut enfoncée et prise, et, en outre, vingt-trois pièces de canon.

En arrivant à Fère-Champenoise, je trouvai un régiment de marche de cavalerie rejoignant l'armée, commandé par le colonel Potier, depuis placé à la tête du régiment des chasseurs de la garde à sa formation. Cet officier me dit qu'en parlant de Sézanne le matin il y avait vu entrer l'ennemi. Or c'était précisément sur Sézanne que nous nous dirigions. Avec un ennemi si nombreux derrière nous, et qui pouvait opérer à la fois sur tant de points différents, la chose devenait impossible. Ce point de retraite ne nous était plus permis.

Pour avoir le temps de nous reconnaître, je changeai la direction de la retraite. Elle se fit sur le village d'Allemand, situé dans une belle position, fort élevée, et tenant au même plateau que Sézanne. De ce point, nous pourrions, le lendemain, choisir entre plusieurs directions.

Après avoir repoussé avec succès plusieurs attaques de l'ennemi qui nous suivait, nous entendîmes, sur nos derrières, à gauche, une épouvantable canonnade. J'en ignorais complètement la cause. Le duc de Trévise me dit que c'était probablement le général Pacthod.

Pendant la nuit, ce général avait fait demander des ordres au duc de Trévise; mais celui-ci, non-seulement ne lui en avait pas donné, mais encore, comme on vient de le voir, il ne m'avait pas prévenu de sa présence. Sans cette négligence, il eût été probablement sauvé.

Pacthod était chargé de conduire à l'Empereur un convoi d'artillerie considérable, avec une escorte de trois mille hommes de gardes nationales. N'ayant pu joindre Napoléon, dont il était séparé par l'ennemi, il errait à l'aventure, sans direction, dans ces immenses plaines. Il s'était enfin mis en marche pour se rapprocher de la route d'Étoges. Si, du lieu où il se trouvait pendant la nuit, il se fût dirigé sur Sézanne, il aurait pu y arriver et suivre le général Compans, qui, comme lui, à la tête d'un convoi, n'avait pas hésité à retourner en arrière dans la direction de Paris. Aussitôt qu'il avait connu l'état des choses. Pacthod, n'ayant point d'ordre ni d'avis précis, hésita. Il s'éloigna de la véritable direction qu'il aurait dû suivre, et tomba au milieu de toutes les forces de l'ennemi. Ayant fait mettre tous ses canons en batterie, il résista, autant qu'il le put, aux charges répétées faites sur lui. Il fut enfin enfoncé. Toutes les troupes et le matériel furent pris. C'était, de la part de l'ennemi, un succès facile.

Tel est l'ensemble des événements que l'ennemi a intitulé du nom fastueux de bataille, simple échauffourée où il n'y a pas eu un seul homme d'infanterie engagé du côté de l'ennemi, parce qu'elle n'était point arrivée. Si l'infanterie eût pu concourir au combat, pas un individu des deux corps n'aurait pu échapper. On voit combien il existait de confusion dans l'armée française. Il est impardonnable à l'état-major de ne m'avoir pas prévenu, en me donnant l'ordre de marcher sur Vitry, de la présence de ces convois, conduits par les généraux Pacthod et Compans. On devait me prescrire de les prendre sous ma protection et de pourvoir à leur sûreté.

Arrivé au village d'Allemand, j'envoyai une reconnaissance sur Sézanne pour savoir si l'ennemi l'occupait. Des Cosaques seuls s'y trouvaient. Le lendemain matin, 26, je me dirigeai sur cette ville par le plateau, et là nous reprîmes la route de Paris.

Nous continuâmes notre mouvement jusqu'au delà du défilé de Tourneloup, près d'Esternay. Les troupes y firent halte et se reposèrent.

Le maréchal duc de Trévise marchait en tête de colonne, et je faisais l'arrière-garde. Ce poste de Tourneloup est inforçable, il faut nécessairement le tourner par le bois de la Traconne, ce qui exige du temps, c'est-à-dire plusieurs heures.

Un officier du train d'artillerie, fait prisonnier la veille, me rejoignit. Il me dit avoir quitté Fère-Champenoise à minuit. En ce moment il y arrivait de nombreux convois d'artillerie.

Cette circonstance m'éclaira parfaitement sur les projets de l'ennemi. S'il n'avait voulu que nous écarter, nous éloigner pour marcher ensuite avec plus de sécurité contre Napoléon, il aurait suspendu toute marche de ce côté après le succès obtenu pendant la journée. Puisqu'il arrivait de l'artillerie à minuit, c'était un mouvement décidé sur Paris.

D'après cela, vers une heure, les troupes se remirent de nouveau en mouvement dans la direction de la Ferté-Gaucher.

L'ennemi me suivait avec toutes ses forces; il pressait quelquefois mon arrière-garde, dont l'attitude lui imposait constamment.

A quatre heures du soir, le duc de Trévise me fit dire que son avant-garde découvrait, en avant de la Ferté-Gaucher, un corps d'armée en bataille barrant la route. Je m'y rendis aussitôt pour le reconnaître.

Dans notre mouvement de Fismes sur la Marne, nous avions été suivis par les corps de Kleist et d'York. De Château-Thierry, ces deux généraux s'étaient portés directement sur la Ferté, en passant par Vieux-Maisons, pour s'opposer à notre retraite. Notre position était critique; j'en augurai fort mal. Je regardai comme perdue au moins la totalité de notre matériel, et je dis en plaisantant au général Digeon, commandant mon artillerie, que, le lendemain, il serait probablement général d'artillerie *in partibus*. Cependant nous ne négligeâmes aucun effort pour nous tirer d'affaire, et nous y parvînmes.

Il fut convenu que le duc de Trévise mettrait ses troupes en bataille en présence de celles de Kleist, et ferait bonne contenance, sans provoquer aucun engagement. Pendant ce temps, je me porterais à mon arrière-garde, et je défendrais à toute outrance le défilé de Montis, qui offrait une bonne position très-resserrée. Aussitôt la nuit venue, toutes nos colonnes se dirigeraient, chacune du point où elles se trouveraient, sur Provins et Montis. Les positions de Mortier, les plus rapprochées de l'ennemi, ne devaient être évacuées que deux heures plus tard.

L'ennemi attaqua Montis avec opiniâtreté; mais ce village fut défendu avec succès. Kleist se laissa imposer. Tout se passa comme il avait été convenu; et, chose mémorable! nous sortîmes sans aucune perte de la plus horrible position où jamais troupes aient été placées.

Tout arriva intact à Provins, infanterie, cavalerie, artillerie et équipages.

L'ennemi nous suivit, mais ne tenta rien, et nous occupâmes la position fort belle que présente Provins de ce côté.

La journée fut employée à faire reposer les troupes. Cependant le mouvement de l'ennemi sur Paris, avec toutes ses forces, y rendait nécessaire notre arrivée la plus prompte. En conséquence, je proposai au maréchal Mortier de partir le soir. Il me fit quelques objections, et entre autres celle-ci (elle est si plaisante, que je me la suis toujours rappelée). Il me dit: «Mais, si on nous voit arriver ainsi à Paris, notre présence y jettera l'alarme.

--Croyez-vous, lui répondis-je, que, si l'ennemi y arrive avant nous, l'alarme sera moins forte?»

La réponse était péremptoire. Nous partîmes, dans la nuit, pour la Maison-Rouge et Nangis. Je passai par Melun, où je couchai. Le lendemain, nos deux corps arrivèrent à Charenton, où ils passèrent la Marne.

Nous nous trouvâmes alors sous les ordres de Joseph, lieutenant de l'Empereur. Il me chargea de la défense de Paris depuis la Marne jusques et y compris les hauteurs de Belleville et de Romainville. Mortier fut chargé de défendre la ligne qui va du pied de ces hauteurs jusqu'à la Seine. Mes troupes, placées pendant la nuit à Saint-Mandé et à Charenton, étaient réduites à deux mille cinq cents hommes d'infanterie et huit cents chevaux. J'avais précédé mes troupes de quelques heures et employé ce temps à parcourir rapidement le terrain sur lequel j'allais être appelé à combattre. Quand je l'avais vu autrefois, c'était, assurément dans des idées tout autres que des idées militaires. Je rentrai à Paris, et je ne pus jamais joindre Joseph Bonaparte. Le ministre de la guerre même ne fut accessible qu'à dix heures du soir.

Le général Compans, parti de Sézanne, où il était avec un convoi d'artillerie, le 25 mars, jour du combat de Fère-Champenoise, s'était trouvé à Meaux à l'arrivée de l'ennemi. Après avoir fait sauter le pont de cette ville, il s'était retiré par Claye. Quelques renforts lui avaient été envoyés, et la force de ses troupes s'élevait à cinq mille hommes. Retiré, le 29, à Pantin, il avait été mis sous mes ordres. Ainsi, avec sept mille cinq cent hommes d'infanterie, appartenant à soixante-dix bataillons différents et par conséquent ne se composant que de débris, et quinze cents chevaux, j'ai soutenu, contre une armée entière, qui a eu plus de cinquante mille hommes engagés, un des plus glorieux combats, dont les annales françaises rappellent le souvenir. J'avais reconnu l'importance de la position de Romainville, et, sachant que le général Compans ne l'avait pas occupée en se retirant, j'ignorais si l'ennemi s'y était posté. J'envoyai de Saint-Mandé, pendant la nuit, une reconnaissance pour s'en informer. L'officier qui la commandait, sans s'y rendre, me fit un rapport comme y ayant été, et me dit que l'ennemi ne l'occupait pas.

Cette faute, véritable crime à la guerre, eut un résultat favorable, et fut la cause en partie de la longueur de cette défense si mémorable, avec une si grande disproportion de forces. Elle eut cette influence en me faisant prendre l'offensive et en donnant à la défense un tout autre caractère. Sur ce faux rapport je partis de Charenton, une heure avant le jour, pour aller occuper la position avec mille à douze cents hommes d'infanterie, du canon et de la cavalerie. J'y arrivai à la pointe du jour; mais l'ennemi y était et l'affaire s'engagea immédiatement par une attaque de notre part dans le bois qui couvre le château. J'étendis ma droite dans la direction du moulin à vent de Malassis, et j'appelai à moi de nouvelles troupes. L'ennemi, étonné de cette brusque attaque, qu'il attribua à l'arrivée de Napoléon avec des renforts, agit avec une grande circonspection, et resta sur la défensive.

Comme il n'avait pu se développer complétement, nous jouissions de tous les avantages de la position, et d'une artillerie formidable qui y avait été placée. L'ennemi répugnait à s'étendre par sa droite, seule manoeuvre qu'il eût à faire, afin de ne pas dégarnir le point attaqué. Car, si effectivement il eût été culbuté sur ce point, les troupes avancées près du canal auraient été fort compromises.

Ainsi les choses se soutinrent dans une espèce d'équilibre jusqu'à onze heures; mais, en ce moment, l'ennemi, ayant fait un effort par sa gauche sur ma droite, la culbuta; et ces troupes, en se retirant, ayant découvert la communication en arrière du parc des Bruyères par laquelle l'ennemi pouvait déboucher, je fus obligé de me replier et de prendre position à Belleville. Mes troupes devaient y être plus concentrées, et en position de défendre à la fois toutes les avenues qui se réunissaient à ce noeud des communications.

Ce mouvement périlleux à exécuter, surtout étant engagé d'aussi près et suivi avec vigueur par l'ennemi, était en outre gêné par le passage du défilé; aussi fut il accompagné de quelque désordre. Resté avec les dernières troupes, selon mon usage dans les circonstances difficiles, j'eus une douzaine de soldats tués à côté de moi à coups de baïonnette à l'entrée même de Belleville, et je fus sauvé de l'immense danger d'être pris par le courage et le dévouement du plus brave soldat et du plus brave homme que j'aie jamais connu, le colonel Genheser. Cet officier, placé dans le parc des Bruyères, voyant mon péril, déboucha sur les derrières de plusieurs bataillons des gardes russes qui nous pressaient vivement, avec une poignée de soldats rassemblés à la hâte, et arrêta les Russes dans leur poursuite. Ce moment de repos donna les moyens de rétablir l'ordre. Nous forçâmes l'ennemi à s'éloigner, et les troupes prirent régulièrement la position nécessaire à la défense de Belleville.

Peu après ce montent, c'est-à-dire vers midi, je reçus du roi Joseph l'autorisation d'entrer en arrangement pour la remise de Paris aux étrangers [11]. Mais déjà les affaires étaient en partie rétablies, et j'envoyai le colonel Fabvier pour dire à Joseph que, si le reste de la ligne n'était pas en plus mauvais état, rien ne pressait encore. J'avais alors l'espérance de pousser la défense jusqu'à la nuit. Mais le colonel ne trouva plus le roi à Montmartre. Celui-ci était parti pour Saint-Cloud et Versailles, emmenant avec lui le ministre de la guerre et tout le cortége de son pouvoir; et cependant aucun danger ne le menaçait personnellement.

Note 11: (retour) «Si M. le maréchal duc de Raguse et M. le maréchal duc de Trévise ne peuvent plus tenir, ils sont autorisés à entrer en pourparlers avec le prince de Schwarzenberg et l'empereur de Russie, qui sont devant eux. «Ils se retireront sur la Loire.

«JOSEPH.

«Paris, de Montmartre, le 30 mars,
à dix heures du matin.»

L'ennemi n'avait point encore passé sur la rive gauche du canal, et ne combattait que dans les lieux où je commandais. Sur le rapport du colonel à son retour, je résolus de continuer l'action.

L'ennemi attaqua ma nouvelle position avec le plus grand acharnement. Six fois nous perdîmes, mais sept fois nous reprîmes les postes importants situés sur notre front, et, entre autres, les tourelles qui flanquaient les murs du parc des Bruyères. Le général Compans, à la gauche de Belleville, repoussait avec le même succès toutes les attaques dirigées sur lui de Pantin, et écrasait les assaillants. Enfin l'ennemi, informé par les prisonniers du peu de monde qu'il avait devant lui, crut avec raison pouvoir s'étendre sans danger, puisque aucune circonstance ne pouvait nous donner les moyens de prendre une offensive sérieuse. Il fit alors un développement de forces immense. On put voir, des hauteurs de Belleville, de nouvelles colonnes formidables se diriger sur tous les points rentrants de la ligne, depuis la barrière du Trône jusqu'à la Villette, tandis que d'autres troupes passaient le canal et se portaient sur Montmartre. Dans peu de moments, nous devions être attaqués partout à la fois.

Il était trois heures et demie: le moment était venu de faire usage de l'autorisation de capituler, en mon pouvoir depuis midi. J'envoyai trois officiers aux tirailleurs comme parlementaires, et un des trois était le trop célèbre Charles de la Bédoyère. Son cheval étant tué, son trompette également tué, il ne put franchir la ligne ennemie. Un aide de camp du général Lagrange parvint à pénétrer.

Inquiet de ce qui se passait à la gauche de Belleville, au poste important qu'occupait le général Compans, j'envoyai un officier pour voir l'état des choses et m'en rendre compte. Il revint promptement, et m'annonça que l'ennemi occupait la position. Je courus pour m'en assurer. A peine avais-je descendu quelques pas dans la grande rue de Belleville, que je reconnus la tête d'une colonne russe qui venait d'y arriver.

Il n'y avait pas une seconde à perdre pour agir; le moindre délai nous eût été funeste. Je me décidai à entraîner à l'instant même un poste de soixante hommes qui était à portée. Sa faiblesse ne pouvait pas être aperçue par l'ennemi dans un pareil défilé. Je chargeai, à la tête de cette poignée de soldats, avec le général Pelleport et le général Meynadier. Le premier reçut un coup de fusil qui lui traversa la poitrine, dont heureusement il n'est pas mort. Moi, j'eus mon cheval blessé et mes habits criblés de balles. La tête de colonne ennemie fit demi-tour. La retraite étant alors ouverte aux troupes, elles se retirèrent sur un plateau en arrière de Belleville, où se trouvait alors un moulin à vent.

Nous venions de nous réunir sur ce point lorsque l'aide de camp, qui avait franchi les avant-postes, revint avec le comte de Paar, aide de camp du prince de Schwarzenberg, et le colonel Orloff, aide de camp de l'empereur de Russie. Le feu cessa; il durait depuis douze heures. Il fut convenu que les troupes se retireraient dans les barrières, et que les arrangements seraient pris et arrêtés pour l'évacuation de la capitale.

Telle est l'analyse et le récit succinct de cette bataille de Paris, objet de si odieuses calomnies, fait d'armes cependant si glorieux, je puis le dire, pour les chefs et pour les soldats. C'était le soixante-septième engagement de mon corps d'armée depuis le 1er janvier, jour de l'ouverture de la campagne, c'est-à-dire dans un espace de quatre-vingt-dix jours, et dans des circonstances telles, que j'avais été dans l'obligation de charger moi-même, l'épée à la main, trois fois, à la tête d'une faible troupe [12]. On voit par quelle succession d'efforts constants, de marches dans la saison la plus rigoureuse, de fatigues inouïes et sans exemple, enfin de dangers toujours croissants, nous étions parvenus à prolonger, au delà de tous les calculs, notre lutte avec des forces si disproportionnées, lutte dont la fin même imprimait encore à notre nom un caractère de gloire et de grandeur.

Note 12: (retour) On se rappellera que le duc de Raguse avait fait toute cette campagne le bras en écharpe, par suite de la blessure reçue en Espagne; il avait deux doigts blessés à l'autre main, de sorte qu'il ne lui restait que trois doigts de valides pour tenir son épée. (*Note de l'Éditeur.*)

Le duc de Trévise, qui, pendant toute la matinée, n'avait eu aucun engagement sérieux, vit tout à coup ses troupes repoussées jusqu'à la barrière de la Villette. Un peu plus tard Montmartre lui fut enlevé, après une très-faible résistance. Il avait pu juger, comme moi, des événements, des circonstances et de la situation des choses. Il se rendit dans un cabaret attenant à la barrière de la Villette pour traiter de la reddition de Paris, et m'y donna rendez-vous. M. de Nesselrode et les autres plénipotentiaires s'y rendirent de leur côté. A une insultante proposition de mettre bas les armes, nous répondîmes par un geste d'indignation et de mépris; à celle de prendre la route de Bretagne en sortant de Paris, nous répondîmes que nous irions où nous voudrions, sans recevoir une loi qu'on ne pouvait nous contraindre d'accepter. Les conditions premières et simples de l'évacuation de Paris et de la remise des barrières, le lendemain matin, étant arrêtées, il fut convenu que les articles seraient signés dans la soirée.

Pendant tout le cours de cette partie de la campagne, et de mes mouvements combinés avec Mortier, j'avais toujours eu l'avant-garde en marchant à l'ennemi, et l'arrière-garde quand nous nous retirions. Par suite de cet arrangement, le duc de Trévise et ses troupes se mirent en marche les premières, et se portèrent le soir dans la direction d'Essonne. Les miennes bivaquèrent dans les Champs-Élysées, et je me mis en route le lendemain, à sept heures du matin. A huit heures, les barrières avaient été remises à l'ennemi.

Je dois rendre compte ici d'une conversation qui eut lieu chez moi, pendant la soirée, et qui est une peinture fidèle de l'opinion de l'époque. Un grand nombre de mes amis s'était réuni chez moi. On parla avec abandon de la situation des choses et du remède à y apporter. En général, tout le monde semblait d'accord sur ce point, que la chute de Napoléon était le seul moyen de salut. On parlait des Bourbons. La voix la plus énergique en leur faveur, celle qui me fit le plus d'impression, fut celle de M. Laffitte. Il se déclarait hautement leur partisan, et, quand je renouvelais les arguments adressés quelque temps avant à mon beau-frère, il me répondit: «Eh! monsieur le maréchal, avec des garanties écrites, avec un ordre politique qui fondera nos droits, qu'y a-t-il à redouter?» Quand je vis un homme de la bourgeoisie, un simple banquier, exprimer une pareille opinion, je crus entendre la voix de la ville de Paris tout entière. Peu de mois s'étaient écoulés, et il était devenu un de leurs ennemis les plus ardents; mais j'aurai lieu de faire connaître plus d'une fois cet étrange caractère dont la vanité est la base, et dont le coeur n'a jamais éprouvé un sentiment véritablement généreux.

Les magistrats de la ville vinrent chez moi, avant d'aller faire leur soumission. Mais un homme bien marquant dans cette circonstance s'y présenta aussi par plusieurs motifs. M. de Talleyrand fit demander à me voir seul, et je le reçus dans ma salle à manger. Il prit, pour entrer en matière, le prétexte de savoir si je croyais les communications encore libres: il me demanda s'il n'y avait pas déjà des Cosaques sur la rive gauche de la Seine. Il me parla ensuite longuement des malheurs publics. J'en convins avec lui, mais sans dire un mot sur le remède à employer. Il cherchait l'occasion de me faire une ouverture; mais, quoique je pressentisse d'étranges événements, il ne pouvait pas me convenir d'y concourir; et, dès lors, un secret m'eût été à charge. Je voulais faire loyalement mon métier, et attendre du temps et de la force des choses la solution que la Providence y apporterait. Le prince de Talleyrand, ayant échoué dans sa tentative, se retira.

J'ajouterai à cette digression un fait peu important en lui-même, mais qui prouve le sentiment dont chacun était animé alors. Lavalette, ce séide, cet homme, en apparence si dévoué à Napoléon, cet ami ingrat, qu'à mes périls je cherchai plus tard à sauver de l'échafaud, et qui, pour prix de mes efforts, s'est réuni à mes ennemis, était chez moi le soir du 30. Voulant emmener le plus d'artillerie possible, je lui demandai un ordre pour prendre tous les chevaux de poste dépendant de l'administration dont il était le chef. Eh bien!

il me le refusa de peur de se compromettre. Combien il y a d'hommes braves hors du danger, et de gens dévoués quand il n'y a plus rien à entreprendre!

On a vu, dans le cours de ces récits, l'erreur dans laquelle l'Empereur était tombé en faisant passer la Marne à ses troupes. Il fut confirmé dans l'idée de l'effet qu'il supposait avoir produit sur l'ennemi par le rapport de Macdonald, annonçant que toute l'armée le suivait dans son mouvement sur Saint-Dizier.

Ce maréchal avait pris pour l'armée ennemie le corps de Wintzingerode. Instruit enfin du véritable état des choses, et jugeant les dangers de la capitale, Napoléon mit en mouvement toutes ses troupes pour s'en rapprocher; mais elles étaient à plusieurs jours de distance. Parti de sa personne en poste, il arriva à la Cour-de-France dans la nuit du 30 au 31. Là, il rencontra les troupes du duc de Trévise en marche, avec le général Belliard à leur tête. Celui-ci lui rendit compte des événements de la journée. Il m'expédia son aide de camp Flahaut, qui arriva à deux heures du matin et auquel je confirmai les récits faits à Napoléon. Flahaut retourna vers l'Empereur, qui se rendit à Fontainebleau.

Le 31, j'occupai la position d'Essonne, et, dans la nuit du 31 au 1er avril, j'allai à Fontainebleau voir l'Empereur et lui parler des derniers événements. La belle défense que nous avions faite reçut ses éloges. Il m'ordonna de lui soumettre, pour mon corps d'armée, un travail de récompense en faveur de ces braves soldats, qui, jusqu'au dernier moment, avaient soutenu avec tant de dévouement et de courage une lutte devenue si prodigieusement inégale.

L'Empereur comprenait alors sa position. Il était abattu et disposé enfin à traiter. Il s'arrêta, ou parut s'arrêter, au projet de réunir le peu de forces qui lui restaient, de les augmenter s'il était possible sans faire de nouvelles entreprises, et, sous cet appui, de négocier. Le même jour, il vint visiter la position du sixième corps. En ce moment, les deux officiers laissés à Paris pour faire la remise des barrières aux alliés, MM. Denys de Damrémont et Fabvier, rentraient au quartier général. Ils apprirent à l'Empereur les démonstrations de joie et les transports qui avaient accueilli les troupes ennemies à leur entrée dans la capitale, l'exaltation des esprits, enfin la déclaration de l'empereur Alexandre de ne plus désormais traiter avec lui. Un pareil récit affligea profondément l'Empereur et changea le cours de ses idées. En effet, quoiqu'il fût familiarisé avec la pensée du mécontentement public, il ne pouvait prévoir l'accueil que recevraient les étrangers, à leur entrée dans Paris, de la part de l'immense majorité des habitants de cette capitale. La paix devenant impossible pour lui, il fallait continuer la guerre à tout prix. C'était une nécessité de sa position, et il n'hésita pas à me le déclarer; mais cette résolution, fondée sur le désespoir, avait rendu ses idées confuses: en me parlant de passer la Seine et d'aller attaquer l'ennemi là où j'avais combattu, il oubliait que la Marne, dont tous les ponts avaient été détruits, était sur notre route. En général, dès ce moment, je fus frappé du dérangement complet qui avait remplacé sa lucidité ordinaire et cette puissance de raisonnement qui lui était si habituelle.

Ce fut dans ces dispositions qu'il me quitta pour retourner à Fontainebleau. Il me donna quelques ordres de détail pour deux bataillons de vétérans restés avec moi, et il continua son chemin. C'était la dernière fois de ma vie que je devais le voir et l'entendre.

MM. Denys de Damrémont et Fabvier me racontèrent toutes les circonstances du mouvement de Paris, et les transports de joie dont il était accompagné. Ainsi la fierté nationale, le sentiment d'un noble patriotisme, si naturel aux Français, disparaissaient devant la haine inspirée par Napoléon. On voulait la fin de cette lutte obstinée, commencée il y avait deux ans, sous des auspices si imposants, suivis de désastres dont l'histoire n'offre pas d'exemple, renouvelée ensuite par les efforts inouïs de la nation, mais rendus bientôt impuissants par un monde d'ennemis composé de l'Europe entière, et auquel s'étaient joints même des souverains de la famille de Napoléon. Cet état de choses, accompagné de la défection des provinces les plus anciennement réunies et de l'épuisement absolu de la France, avait changé les opinions et les sentiments de tous. On ne voyait plus le salut public que dans le renversement de l'homme dont l'ambition avait amené de si grands désastres.

Les nouvelles de Paris se succédaient avec rapidité. Le gouvernement provisoire me fit parvenir le décret du sénat prononçant la déchéance de l'Empereur. Cet acte me fut apporté par M. Charles de Montessuis, anciennement mon aide de camp en Égypte. Après être resté six ans près de moi, cet officier avait renoncé au service, s'était jeté dans la carrière de l'industrie et avait embrassé avec ardeur les idées dont toutes les têtes étaient remplies alors à Paris. Il était, en outre, porteur de lettres de diverses personnes dont j'appréciais l'esprit et j'honorais le caractère. Dans toutes, on s'accordait à me montrer la révolution qui s'opérait comme le seul moyen de salut pour la France. Au nombre des plus marquants de ces correspondants, étaient MM. Dessoles et Pasquier. Montessuis avait aussi diverses lettres pour Macdonald, entre autres de Beurnonville, et je les lui fis passer.

Il serait difficile d'exprimer ici la foule de sensations que ces nouvelles me firent éprouver et les réflexions qu'elles occasionnèrent. Cette agitation profonde était le signe précurseur des sensations que le souvenir de ces grands événements ne cessera de faire naître en moi pendant toute ma vie. Attaché à Napoléon depuis si longtemps, les malheurs qui l'accablaient réveillaient en moi cette vive et ancienne affection qui autrefois dépassait tous mes autres sentiments; et cependant, dévoué à mon pays et pouvant influer sur son état et sa destinée, je sentais le besoin de le sauver d'une ruine complète. Il est facile à un homme d'honneur de remplir son devoir quand il est tout tracé; mais qu'il est cruel de vivre dans des temps où l'on peut et où l'on doit se demander: où est le devoir? Et ces temps, je les ai vus, ce sont ceux de mon époque! Trois fois dans ma vie j'ai été mis en présence de cette difficulté! Heureux ceux qui vivent sous l'empire d'un gouvernement régulier, ou qui, placés dans une situation obscure, ont échappé à cette cruelle épreuve! Qu'ils s'abstiennent de blâmer; ils ne peuvent être juges d'un état de choses inconnu pour eux! Je voyais d'un côté la chute de Napoléon, d'un ami, d'un bienfaiteur, chute certaine, assurée, infaillible, quoi qu'il arrivât; car les moyens de défense avaient tous disparu, et l'opinion de Paris et d'une grande partie de la France, devenue hostile, complétait la masse des maux qui nous accablaient. Cette chute, retardée de quelques jours, n'entraînait-elle pas la ruine du pays, tandis que le pays, en se séparant de Napoléon, et prenant au mot la déclaration des souverains, les forçait à la respecter? La reprise d'hostilités impuissantes ne les dégageait-elle pas de toutes les promesses faites? Ce mouvement d'opinion si prononcé, ces actes du sénat, du seul corps représentant l'autorité publique, n'étaient-ils pas la planche du salut pour sauver le pays d'un naufrage complet? Et le devoir d'un bon citoyen, quelle que fût sa position, n'était-il pas de s'y rallier afin d'arriver immédiatement à un résultat définitif? Assurément il était évident que la crainte et la force seules étaient capables de vaincre la résistance personnelle de Napoléon. Mais fallait-il se dévouer à lui, aux dépens mêmes de la France? Les débris de l'armée, en se réunissant au gouvernement provisoire, ne donneraient-ils pas à celui-ci une sorte de dignité qui le ferait respecter des étrangers? Ce gouvernement provisoire ne devait-il pas y trouver les moyens de négocier comme une puissance, tout à la fois avec eux et avec les Bourbons, et enfin un appui pour obtenir toutes les garanties dont nous avions besoin et que nous devions réclamer?

Quelque profond que fût mon intérêt pour Napoléon, je ne pouvais me refuser à reconnaître ses torts envers la France. Lui seul avait creusé l'abîme qui nous engloutissait. Que d'efforts n'avions-nous pas prodigués, et moi plus que tout autre, pour l'empêcher d'y tomber! Le sentiment intime d'avoir dépassé l'accomplissement de mes devoirs pendant cette campagne était d'accord avec l'opinion. Plus qu'aucun de mes camarades j'avais payé de ma personne dans ces cruelles circonstances, et montré une constance et une persévérance soutenues. Ces efforts inouïs, renouvelés tant qu'ils pouvaient amener un résultat utile, ne m'avaient-ils pas acquitté envers Napoléon, et n'avais-je pas rempli largement ma tâche et mes devoirs envers lui? Le pays ne devait-il donc pas avoir son tour, et le moment n'était-il pas venu de s'occuper de lui? N'y a-t-il pas des circonstances tellement importantes, qu'un homme d'un caractère pur et droit puisse et doive s'élever au-dessus de toutes les considérations vulgaires et comprendre de nouveaux devoirs? Le sentiment de ce qu'on a fait ne doit-il pas donner la force de les envisager? Et quand une fois ils sont reconnus, ne faut-il pas agir?

Dans la circonstance, la première chose à faire était de suspendre les hostilités, afin de donner à la politique le moyen de régler nos destinées. Pour atteindre ce but, il fallait entrer en pourparler avec les étrangers. Cette démarche était pénible, mais nécessaire. Les étrangers eux-mêmes n'avaient-ils pas changé de caractère et de physionomie depuis qu'ils avaient été adoptés, pour ainsi dire, par la masse des habitants de la capitale, par le sénat, par toutes les autorités, et lorsque, sous leur appui, une opinion puissante et universelle se manifestait? On se rappelle mal, aujourd'hui, de ce temps si extraordinaire, si près de nous encore par le nombre des années, mais si éloigné par le sentiment. On est oublieux en France. On renie promptement ses principes, ses paroles et ses actions; mais les faits n'en sont pas moins constants, et l'histoire impartiale, écrite dans des temps plus reculés et hors de l'influence des partis, consacrera la vérité. Or cette vérité, la voici: l'opinion d'alors considérait Napoléon comme le seul obstacle au salut du pays. Je l'ai déjà dit: ses forces militaires, réduites à rien, ne pouvaient plus se rétablir. Un recrutement régulier était devenu impossible. Au moment où Paris était perdu, tout tombait en lambeaux.

On voit donc ce qui se passait en moi. Si les sentiments se combattaient, tous les calculs se réunissaient pour faire pencher la balance en faveur de la révolution qui venait d'éclater à Paris et pour mettre, autant que possible, mes devoirs de citoyen en harmonie avec mes sentiments personnels et mon affection pour Napoléon. Pour montrer les motifs qui m'avaient fait agir, j'eus la pensée de me consacrer aux devoirs de l'amitié et de suivre Napoléon dans l'exil, après avoir exécuté ce que le salut de mon pays commandait. Mais, avant d'arrêter définitivement un parti, il était convenable et nécessaire de prendre l'avis de mes généraux et de m'entourer de leurs lumières.

Tous les généraux placés sous mes ordres furent donc réunis chez moi. Je leur communiquai les nouvelles reçues de Paris. Chacun avait le sentiment des prodiges opérés pendant la campagne, prodiges hors de tous calculs, mais aussi tous étaient convaincus de l'impossibilité de les continuer. La décision fut unanime. Il fut résolu de reconnaître le gouvernement provisoire et de se réunir à lui pour sauver la France. Des pourparlers s'ouvrirent avec le prince de Schwarzenberg, et je rédigeai la lettre qui devait être envoyée à l'Empereur quand tout serait convenu et arrêté. Dans cette lettre, je lui annonçais que, après avoir rempli les devoirs que m'imposait le salut de la patrie, j'irais lui apporter ma tête et consacrer, s'il voulait l'accepter, le reste de ma vie au soin de sa personne [13]. Mais, les événements ayant marché par eux-mêmes, comme on le verra bientôt, je ne crus pas devoir en prendre sur moi la responsabilité, et cette lettre ne fut pas envoyée.

Note 13: (retour) La lettre originale se trouve △ dans mes papiers, à Paris. (*Le duc de Raguse.*)

Note A: (retour) Cette lettre ne s'est pas retrouvée. (*Note de l'Éditeur.*)

Pendant ce temps, et précisément au même moment (4 avril), Napoléon cédait aux énergiques représentations de deux chefs de l'armée, portées jusqu'à la brutalité de la part du maréchal Ney. Reconnaissant l'impossibilité de soutenir la lutte, il abandonnait l'Empire en faveur de son fils, et nommait plénipotentiaires le prince de la Moskowa, le duc de Tarente et le duc de Vicence. Ceux-ci vinrent, en traversant mon quartier général, m'apprendre ce qui s'était passé à Fontainebleau.

Cet événement changeait la face des choses. Isolé à Essonne, je n'avais pu consulter, sur le cas présent, les autres chefs de l'armée. J'avais fait au salut de la patrie le sacrifice de mes affections; mais un sacrifice plus grand que le mien, celui de Napoléon, venait de le sanctionner. Dès lors mon but était rempli, et je devais cesser de m'immoler. Mes devoirs me commandaient impérieusement de me réunir à mes camarades. Je serais devenu coupable en continuant à agir seul. En conséquence, j'appris aux plénipotentiaires de l'Empereur mes pourparlers avec Schwarzenberg, en ajoutant que je rompais à l'instant toute négociation personnelle et que je ne me séparerais jamais d'eux.

Ces messieurs me demandèrent de les accompagner à Paris. Réfléchissant que, d'après ce qui s'était passé, mon union avec eux pourrait être d'un grand poids, j'y consentis avec empressement. Avant de partir d'Essonne, j'expliquai aux généraux auxquels je laissais le commandement, et, entre autres, au général Souham, le plus ancien, et aux généraux Compans et Bordesoulle, les motifs de mon absence. Je leur annonçai mon prochain retour. Je leur donnai *l'ordre, en présence des plénipotentiaires de l'Empereur*, de ne pas faire, *quoi qu'il arrivât, le moindre mouvement avant mon retour.*

Nous nous rendîmes au quartier général du prince de Schwarzenberg (toujours 4 avril) pour prendre l'autorisation nécessaire à notre voyage à Paris. Dans mon entretien avec ce général, je me dégageai des négociations commencées. Je lui en expliquai les motifs. Le changement survenu dans la position générale devait en apporter un dans ma conduite. Mes démarches n'ayant eu d'autre but que de sauver mon pays, et une mesure, prise en commun avec mes camarades et de concert avec Napoléon, promettant d'atteindre ce but, je ne pouvais m'en isoler. Il me comprit parfaitement et donna son assentiment le plus complet à ma résolution.

Arrivés à Paris, dans l'entretien que nous eûmes ensuite avec l'empereur Alexandre, je ne fus pas un des moins ardents à défendre les droits du fils de Napoléon et de la régente. La discussion fut longue et vive. L'empereur

Alexandre la termina en déclarant qu'il ne lui était pas possible de prononcer seul sur cette importante question. Il devait en référer à ses alliés, mais tout semblait annoncer qu'il persisterait dans la déclaration déjà faite.

Le 5 au matin, nous nous rendîmes chez le maréchal Ney pour attendre la réponse définitive. Nous y étions réunis depuis quelque temps lorsque le colonel Fabvier, arrivant en toute hâte d'Essonne, vint m'annoncer que, peu de temps après mon départ de cette ville, plusieurs officiers d'ordonnance étaient venus me chercher pour aller trouver l'Empereur à Fontainebleau, et le dernier venu avait ajouté que, puisque le maréchal était absent, le général commandant à sa place devait se rendre au quartier général impérial. Effrayés de cette injonction, les généraux, croyant avoir des dangers à courir, n'avaient trouvé rien de mieux pour s'y soustraire que de mettre les troupes en mouvement pour franchir les lignes ennemies. Le colonel Fabvier les avait rejoints lorsque la tête des troupes était déjà au pont sur la grande route. Il avait fait aux généraux les plus énergiques représentations sur leur détermination. Il leur avait demandé d'attendre mon retour et les ordres qu'il irait chercher. Ils l'avaient promis formellement. A l'instant, je fis partir mon premier aide de camp, Denys de Damrémont, pour Essonne. Je me disposais à m'y rendre, lorsqu'un officier étranger, envoyé à l'empereur Alexandre, vint annoncer que le sixième corps devait être, en ce moment, arrivé à Versailles. Aussitôt après le départ du colonel Fabvier, les généraux avaient repris l'exécution de leur coupable dessein. Tel est l'historique de ces événements.

Lorsque, en 1815, je crus de mon devoir de publier une réponse aux accusations dont j'étais l'objet, je rendis compte de cette circonstance, et je m'expliquai ainsi:

«Les généraux avaient mis les troupes en mouvement pour Versailles, le 5 avril, à quatre heures du matin, effrayés qu'ils étaient des dangers personnels dont ils croyaient être menacés et dont ils avaient eu l'idée par l'arrivée et le départ de plusieurs officiers d'état-major, venus de Fontainebleau le 4 au soir. La démarche était faite et la chose irréparable.»

Ces événements étaient alors si récents, que j'eusse été, à coup sûr, contredit par ceux qui y avaient pris part, si j'eusse le moins du monde altéré la vérité, et certainement je n'aurais pas entrepris de me justifier; mais il est une preuve bien plus positive. J'ai entre les mains une lettre du général Bordesoulle, écrite de Versailles, par laquelle ce général, en m'annonçant l'arrivée du corps d'armée dans cette ville, s'excuse par les raisons que j'ai détaillées, d'avoir enfreint mes ordres [14]. Ainsi que je le disais en 1815, la démarche faite était irréparable, et le mal d'autant plus grand, qu'aucune convention n'avait été arrêtée avec le général ennemi. Je lui avais, au contraire, annoncé la rupture de la négociation commencée. Les troupes se trouvaient ainsi à la merci des étrangers, et non-seulement celles qui s'étaient détachées, mais encore celles qui entouraient l'Empereur, qui n'étaient plus couvertes.

Note 14: (retour) «Versailles, le 5 avril 1814.

«Monseigneur,

«M. le colonel Fabvier a dû dire à Votre Excellence les motifs qui nous ont engagés à exécuter le mouvement que nous étions convenus *de suspendre jusqu'au retour de MM. les princes de la Moskowa, des ducs de Tarente et de Vicence.*

«Nous sommes arrivés avec tout ce qui compose le corps [B]. Absolument tout nous a suivis, et avec connaissance du parti que nous prenions, l'ayant fait connaître à la troupe avant de marcher.

«Maintenant, monseigneur, pour tranquilliser les officier sur leur sort, il serait bien urgent que le gouvernement provisoire fît une adresse ou proclamation à ce corps, et qu'en lui faisant connaître sur quoi il peut compter on lui fasse payer un mois de solde, sans cela il est à craindre qu'il ne se débande.

«MM. les officiers généraux sont tous avec nous, M. Lucotte excepté. Ce joli monsieur nous avait dénoncés à l'Empereur.

«J'ai l'honneur d'être, avec le plus profond respect,
«De Votre Excellence,
«le très-humble et dévoué serviteur,
«Le général de division comte BORDESOULLE.

Note B: (retour) La défection du sixième corps n'a donc eu lieu que vingt-quatre heures après la première abdication de l'empereur Napoléon. (*Note de l'Éditeur.*)

Il ne restait plus qu'une chose à faire, c'était d'assurer à la France leur conservation, en les plaçant sous l'autorité du gouvernement provisoire, et de remplir le vide que leur éloignement causait dans l'armée impériale par des garanties pour la personne de l'Empereur. Je ne vis que le bien à faire, sans m'arrêter à cette réflexion que c'était jeter en quelque sorte un voile d'absolution sur la conduite coupable des généraux. Je demandai au prince de Schwarzenberg et j'obtins de sa loyauté si connue la déclaration qui remplissait mon double objet. Cette déclaration fut mise, *quoique après coup*, à la date du 4 avril, époque où les pourparlers avaient eu lieu, dans le but de cacher la confusion qui avait existé et de donner une apparence de régularité à ce qu'avaient produit la peur et le désordre.

Je me rendis à Versailles pour y passer la revue de mes troupes et leur expliquer les nouvelles circonstances dans lesquelles elles se trouvaient; mais, à peine en route pour m'y rendre, je reçus la nouvelle qu'une grande insurrection venait d'éclater. Les soldats criaient à la trahison. Les généraux étaient en fuite et les troupes se mettaient en marche pour rejoindre Napoléon. Elles n'eussent pas fait deux lieues sans avoir sur les bras des forces qui les auraient détruites. Je pensai que c'était à moi à les ramener à la discipline, à l'obéissance et enfin à les sauver. Je hâtai ma marche. A chaque quart de lieue, je trouvais des messages plus alarmants. Enfin j'atteignis la barrière de Versailles, et j'y trouvai tous les généraux réunis; mais le corps d'armée était en marche dans la direction de Rambouillet. Lorsque j'eus fait connaître aux généraux mon intention de rejoindre les troupes, ils m'engagèrent fort à ne pas exécuter ce projet. Le général Compans me dit: «Gardez-vous-en bien, monsieur le maréchal, les soldats vous tireront des coups de fusil.--Libre à vous, messieurs, de rester, leur dis-je, si cela vous convient. Quant à moi, mon parti est pris. Dans une heure, je n'existerai plus, ou bien j'aurai fait reconnaître mon autorité.» Là-dessus je me mis à suivre la queue de la colonne à une certaine distance. Il y avait beaucoup de soldats ivres. Il fallait leur donner le temps de retrouver leur raison.

J'envoyai un aide de camp pour voir leur contenance. Il revint et me dit qu'ils ne vociféraient plus et marchaient en silence. Un second aide de camp fut envoyé et annonça partout ma prochaine arrivée. Enfin un troisième apporta l'ordre de ma part de faire halte, et aux officiers de se réunir par brigade à la gauche de leurs corps.

L'ordre s'exécuta, et j'arrivai. Je mis pied à terre, et je fis former le cercle au premier groupe d'officiers que je rencontrai. Je leur demandai depuis quand ils étaient autorisés à se défier de moi. Je leur demandai si, dans les privations, ils ne m'avaient pas vu le premier à souffrir, et, dans les dangers et les périls, le premier à m'exposer. Je leur rappelai tout ce que j'avais fait pour eux et les preuves d'attachement que je leur avais données. Je parlais avec émotion, avec chaleur, avec entraînement. On avait voulu les livrer, disait-on, pour les désarmer! Mais leur honneur et leur conservation ne m'étaient-ils pas aussi chers que mon honneur et ma vie? N'étaient-ils pas tous ma famille, et ma famille chérie? etc., etc.

Les coeurs de ces vieux compagnons s'abandonnèrent à un mouvement de sensibilité, et je vis plusieurs de ces figures, basanées et marquées de cicatrices, se couvrir de larmes. Je fus moi-même profondément attendri.

Oh! qu'un chef digne de ses soldats, après avoir vécu avec eux dans les chances variées de la guerre, a de puissance sur leurs esprits, et qu'il est malhabile s'il la laisse échapper! Je recommençai les mêmes discours aux divers cercles d'officiers, et je les envoyai reporter mes paroles à leurs soldats. Le corps d'armée prit les armes, et défila en criant: Vive le maréchal, vive le duc de Raguse! et se mit en marche pour aller prendre les cantonnements que je lui avais assignés du côté de Mantes. Je peux difficilement exprimer ma satisfaction d'avoir obtenu un succès aussi complet. C'était bien mon ouvrage, le prix d'un ascendant, mérité d'avance, sur des troupes dont je partageais depuis si longtemps les travaux.

C'était aussi le prix de ma généreuse confiance en elles. Ma situation aurait été bien différente si j'avais suivi les conseils timides qu'on m'avait donnés. On était à Paris, pendant ces événements, dans un grand émoi. On éprouvait de vives inquiétudes. Quand je revins, le soir, chez M. de Talleyrand, je fus fêté, complimenté; chacun me demandait des détails sur ce qui s'était passé.

Tel est le récit fidèle des événements de cette époque, en tout ce qui me concerne. Ils ont été pour moi la source de cuisants chagrins. Je l'ai déjà dit et je le répète, ce qui m'a donné la confiance d'agir ainsi était particulièrement le sentiment intime de ce que j'avais fait pendant la campagne où j'avais dépassé mes devoirs et montré un tel dévouement, que je croyais m'être placé au-dessus de toute accusation et de tout soupçon possible. Ma conviction fut si intime alors, et mes intentions si droites, que jamais depuis je ne me suis reproché rien de ce que j'ai fait. Un homme sensé doit, quoi qu'il arrive, agir toujours ainsi, quand il est abandonné à ses lumières et à la voix de sa conscience. L'infaillibilité n'est pas dans notre nature; et c'est l'intention qui, à mes yeux, doit caractériser les actions. Je ne regrette qu'une seule chose, c'est de n'avoir pas suivi Napoléon à l'île d'Elbe après qu'il fut descendu du trône, n'importe quelles en eussent été pour moi les conséquences [15].

Note 15: (retour) On a toujours reproché au maréchal duc de Raguse d'avoir fait crouler l'Empire *vingt-quatre heures plus tôt* par la défection du sixième corps, qu'il commandait.

Quant au mouvement même du sixième corps, on a vu que, le maréchal absent, ce sont les généraux commandant les troupes du sixième corps qui l'ont effectué, *malgré ses ordres précis*. La preuve de ce fait résulte de la lettre du général Bordesoulle.--Mais, bien plus, cette défection n'a eu lieu que vingt-quatre heures *après* l'abdication de l'Empereur.--Celle-ci avait été faite *le* 4 *avril*, et le mouvement du sixième corps ne fut opéré que *le* 5. (*Note de l'Éditeur.*)

Avant de terminer cet important chapitre, je veux jeter un coup d'oeil rapide sur les symptômes de l'opinion incontestable de cette époque. Les faits ont été complétement dénaturés depuis, et l'on a eu jusqu'à la pensée de représenter Napoléon comme populaire à l'époque de sa chute, tandis qu'il était partout réprouvé.

Le peuple de Paris particulièrement voulait la chute de l'Empereur; et ce qui le prouve, c'est son indifférence quand nous combattions avec tant d'énergie sous les murs de la capitale. C'est sur les hauteurs de Belleville et sur la droite du canal que le combat véritable s'est livré. Eh bien, il n'est pas venu une seule compagnie de garde nationale pour joindre ses efforts aux nôtres. A peine quelques hommes isolés se sont-ils réunis à nos tirailleurs. Les postes mêmes de police situés à la barrière, dont la consigne était d'empêcher les soldats fuyards de rentrer, s'étaient retirés à l'arrivée de quelques boulets ennemis.

Napoléon avait jugé les dispositions des habitants de Paris lorsqu'il avait refusé d'armer toute la garde nationale. Il les avait jugés quand, étant, le 30 mars, à une heure du matin, à la Cour-de-France, il avait renoncé à venir à Paris, occupé encore par mes troupes. J'ai dit précédemment qu'elles y séjournèrent pendant toute la nuit du 30 au 31 jusqu'à huit heures du matin. Certes, il n'était pas homme à être arrêté par la considération de refuser l'exécution d'une convention faite par ses lieutenants quelques heures seulement auparavant. Il avait le pouvoir, il avait le droit de l'annuler, puisqu'il était arrivé avant son exécution. Sa retraite sur Fontainebleau prouve qu'il ne voyait aucun moyen de prolonger la lutte.

Il l'a prouvé par la facilité avec laquelle il s'est décidé à se démettre de sa couronne, et la manière dont il a appris les événements et s'en est expliqué avec le duc de Tarente. Enfin il les avait jugés quand, en partant pour l'armée, il avait tenu à M. Mollien le discours que j'ai rapporté et que celui-ci m'a certifié souvent. Cette opinion sur les dispositions du peuple a été confirmée par la manière dont les premiers intéressés ont quitté la partie, par le départ de Joseph, lieutenant de l'Empereur, muni des pouvoirs civils et militaires, qui quitta la capitale plus de trois heures avant la fin du combat, et qui emmena avec lui le ministre de la guerre, les ministres, et tout ce qui avait caractère de gouvernement. Les habitants de Paris l'ont prouvé par la physionomie si remarquable qu'ils eurent le jour de l'entrée des alliée, par les transports de joie auxquels ils se livrèrent le 12 avril et le 3 mai, jours de l'entrée de Monsieur et du roi. Ce n'était pas et cela ne pouvait être de l'amour pour ceux-ci de la part d'une génération nouvelle, c'était de la haine pour un ordre de choses détruit que l'on ne voulait plus revoir.

Je ne sais si je suis parvenu à donner une juste idée de ce qui s'est passé dans cette mémorable époque. Jamais tant de combats ne se sont accumulés en un si petit nombre de jours, et jamais lutte n'a été soutenue avec des moyens aussi faibles, aussi misérables. On peut se figurer la difficulté de mouvoir des débris sans organisation, une réunion d'hommes appartenant à tant de corps différents, et dont la force, si peu considérable, était à peine entretenue par l'incorporation journalière de jeunes gens sortant de la charrue et ne sachant pas charger leurs armes. Chaque jour les pertes étaient grandes. Ainsi c'étaient toujours des soldats arrivés de la veille, d'une même ignorance, d'une inexpérience semblable, qui étaient appelés à combattre.

Si la chute de l'ordre politique qui nous régissait n'avait pas été le résultat de la campagne, aucune autre de nos temps n'aurait été vantée avec plus de raison. C'est sans armée proprement dite que nous l'avons entreprise et faite. Le prestige encore vivant de notre grandeur passée était notre arme la plus puissante. Mais aussi que de dévouement n'a-t-il pas fallu de la part des chefs pour donner un peu de consistance à ce qui avait si peu d'ensemble et de moyens réels! Que de fois n'ai-je pas fait le métier de chaque grade, depuis le devoir de chef suprême jusqu'à celui d'officier major d'un régiment! Je l'ai déjà dit, ces quelques milliers d'hommes avec lesquels j'ai combattu, pendant trois mois, appartenaient à cinquante-deux bataillons différents, et sous Paris c'étaient les débris de soixante-dix bataillons.

On peut se demander si les succès obtenus, et qui ont suspendu la catastrophe, n'ont pas été plus funestes qu'utiles aux intérêts de Napoléon. Une fois le congrès de Châtillon assemblé, peut-être serait-on arrivé assez vite à une conciliation si le sourire de la fortune à Champaubert et à Vauchamp n'était pas venu plonger Napoléon dans les plus étranges illusions. Lion rugissant et se débattant dans les rets dont il était enlacé, à chaque succès il donnait de nouvelles instructions. Il espérait toujours un miracle, comme il lui en était arrivé tant de fois en sa vie; et le miracle serait arrivé si Soissons ne se fût pas rendu. Mais le miracle eût été sans résultat définitif.

Napoléon portait en lui le germe de sa destruction. Son caractère l'entraînait visiblement et inévitablement vers sa perte. Après d'aussi grands revers que ceux qu'il avait éprouvés, il ne pouvait exister à ses propres yeux, sans être remonté à la hauteur dont il était tombé. Le retour même au faîte de la puissance ne l'aurait pas satisfait. Ses finalités, causes puissantes de son élévation, sa hardiesse, son goût pour les grandes chances, son habitude de risquer beaucoup pour obtenir davantage et son ambition sans bornes devaient à la longue amener sa perte, et d'autant plus sûrement qu'alors, c'est-à-dire autrefois, ses passions étaient modifiées par des facultés qui, en grande partie, avaient disparu. Ses calculs et sa prudence, sa prévoyance et sa volonté de fer avaient fait place à beaucoup de négligence, d'insouciance, de paresse, à une confiance capricieuse et à une incertitude ainsi qu'à une irrésolution interminable.

Il y a eu deux hommes en lui, au physique comme au moral:

Le premier, maigre, sobre, d'une activité prodigieuse, insensible aux privations, comptant pour rien le bien-être et les jouissances matérielles; ne s'occupant que du succès de ses entreprises, prévoyant, prudent, excepté dans le moment où la passion l'emportait; sachant donner au hasard, mais lui enlevant tout ce que la prudence permet de prévoir; résolu et tenace dans ses résolutions, connaissant les hommes et le moral qui joue un si grand rôle à la guerre; bon, juste, susceptible d'affection véritable et généreux envers ses ennemis.

Le second, gras et lourd, sensuel et occupé de ses aises jusqu'à en faire une affaire capitale, insouciant et craignant la fatigue; blasé sur tout, indifférent à tout, ne croyant à la vérité que lorsqu'elle se trouvait d'accord avec ses passions, ses intérêts ou ses caprices; d'un orgueil satanique et d'un grand mépris pour les hommes; comptant pour rien les intérêts de l'humanité; négligeant dans la conduite de la guerre les plus simples règles de la prudence: comptant sur sa fortune, sur ce qu'il appelait son *étoile*, c'est-à-dire sur une protection toute divine; sa sensibilité s'était émoussée, sans le rendre méchant; mais sa bonté n'était plus active, elle était toute passive. Son esprit était toujours le même, le plus vaste, le plus étendu, le plus profond, le plus productif qui fut jamais; mais plus de volonté, plus de résolution, et une mobilité qui ressemblait à de la faiblesse.

Le Napoléon que j'ai peint d'abord a brillé jusqu'à Tilsitt. C'est l'apogée de sa grandeur et l'époque de son plus grand éclat. L'autre lui a succédé, et le complément des aberrations de son orgueil a été la conséquence de son mariage avec Marie-Louise.

Après avoir parlé si longuement de Napoléon, je pense l'avoir dépeint tel que je l'ai vu et jugé, et cependant j'ai cru utile d'ajouter l'analyse qui précède, au moment où je vais cesser de prononcer son grand nom. Je vais quitter cette époque de gloire et de calamité, où tant de grandes choses ont été faites et où les jours étaient marqués par des événements qui bouleversaient les peuples, pour peindre un monde nouveau. Ici tout est petitesse, et souvent la petitesse va jusqu'à la dégradation. Je vais quitter le récit des combats qui échauffent et élèvent l'âme, pour raconter des intrigues et les actions d'êtres souvent abjects. Je me croyais arrive au terme de mes récits militaire: et cependant, quand le temps sera venu, je raconterai encore des combats livrés sur ce même théâtre que je viens de quitter, combats bien plus affligeants; car ce sont des Français combattant contre des Français avec acharnement, et pour comble de maux, et pour excès de misère, j'aurai à raconter des revers! Ainsi le succès ne viendra pas même m'offrir des consolations aux malheurs résultant de la nature de la guerre!

NOTE DU DUC DE RAGUSE SUR SES RAPPORTS PERSONNELS AVEC NAPOLÉON

J'ajouterai aux récits que je viens de terminer un examen rapide des rapports qui ont existé entre Napoléon et moi. Celui qui a lu avec attention ces *Mémoires* le connaît; mais je vais rétrécir le cadre et en présenter l'esprit.

Quelques personnes ont dit et répété que j'avais été l'objet d'une prédilection toute particulière de Napoléon, et traité par lui comme un fils chéri. M. de Montholon, dans ses récits de Sainte-Hélène, met dans la bouche de

Napoléon que, «lorsqu'il était lieutenant d'artillerie, il avait partagé avec moi son existence.» Tout cela est faux et ridicule, et ne mérite aucune réponse. C'est comme capitaines et non comme lieutenants que nous avons servi ensemble. Peu importe! Mais je ne sais pas ce que nous aurions pu nous donner: il ne possédait rien, et moi fort peu de chose. C'est donc une phrase poétique dont l'imagination seule fait les frais. Pendant assez longtemps, il n'a pu me rendre aucun service ni influer d'aucune manière sur ma destinée; et, précisément alors, j'ai pu lui donner plus d'une preuve d'amitié et de dévouement. Quand il s'est élevé, j'ai suivi de loin sa fortune. Ce résultat était dans son intérêt, il dérivait de la force des choses. Assurément, il ne viendra jamais dans ma pensée de méconnaître les obligations que j'ai eues envers Napoléon; mais, tout en les reconnaissant, j'ai le droit de les apprécier à leur juste valeur.

Deux jeunes officiers du même grade se rencontrent: l'un a vingt-quatre ans, l'autre dix-neuf: l'un est un homme de génie dévoré d'ambition, l'autre est ardent et désire parvenir. Des antécédents ont déjà établi quelques rapports entre eux. Ils se conviennent, et dès lors les mêmes intérêts, les mêmes vues, les unissent. L'un d'eux, favorisé par des circonstances qu'il saisit avec habileté, devient général; l'autre lui reste attaché sans obtenir aucun avantage personnel. Il suit la fortune du premier à ses risques et périls, même en compromettant son avenir, par pur sentiment d'affection. Des chances favorables et contraires se succèdent, jusqu'au moment où la fortune comble de ses biens celui qu'elle a déjà favorisé. N'est-il pas naturel que celui qui l'a accompagné constamment jusque là le suive, malgré la distance qui les sépare? Un chef a besoin de collaborateurs, et n'est-il pas dans ses intérêts, comme dans la nature des choses, de les choisir parmi ceux qu'il connaît, parmi ceux dont il a pu apprécier l'aptitude, le zèle et la capacité? Alors, dans la mesure des conditions différentes, ceux-ci s'élèvent, et une incapacité démontrée ou des torts graves peuvent seuls interrompre pour eux la route des grandeurs. L'intérêt bien entendu, comme la justice, commande impérieusement cette manière d'agir, et, si déjà le dévouement de ces collaborateurs a été jusqu'à compromettre leur tête pour servir l'ambition du chef qu'ils se sont choisi, comme au 18 brumaire et plus anciennement dans d'autres circonstances, n'ont-ils pas des droits acquis, que rien ne peut détruire?

Je crois donc devoir conclure que, si j'ai fait une carrière brillante, je l'ai dû d'abord au hasard, qui, dès ma grande jeunesse, m'a placé dans des circonstances favorables, et ensuite à mes bons services et à un zèle qui jamais ne s'est démenti un seul jour.

J'ai donc été traité par Napoléon avec justice, avec bienveillance; mais, je le déclare hautement, jamais comme un favori ou une personne objet d'une prédilection particulière.

Un souverain donne à sa faveur des caractères qu'il est facile de spécifier. Il place l'homme qu'il aime dans une situation où la gloire est facile à acquérir par l'abondance des moyens qu'il met à sa disposition. Il fait valoir ses actions dans chaque occasion; il le comble de richesses; il l'associe à ses plaisirs, aux charmes de sa cour; il fait rejaillir sur lui une partie de l'éclat qui l'environne.

Ai-je été traité ainsi?

Assurément non. Les commandements qui m'ont été donnés ont toujours été les pires de ceux que je pouvais recevoir.

En Égypte, je désirais ardemment faire la campagne de Syrie, où mes camarades et mes amis allaient acquérir de la gloire. On me confina à Alexandrie, au milieu de la famine, de la peste et de toutes les misères réunies.

En 1800, je désire commander des troupes, et on me laisse dans le service de l'artillerie.

Les commandements les plus brillants, sur les côtes, sont créés: c'est un corps d'année, abandonné dans les hôpitaux, en partie composé de mauvaises troupes étrangères, qui est mon partage.

Au moment de l'érection de l'Empire, tous les commandants des corps d'armée sont créés maréchaux d'Empire: seul de cette catégorie je suis excepté, et tel cependant qui n'avait jamais commandé qu'un faible régiment avait reçu cette dignité. Je reste simple général commandant un corps d'armée; mais ce commandement me donne la faculté de transformer bientôt les troupes qui me sont confiées en un corps d'élite, et elles font glorieusement la campagne de 1805.

Arrivé en Italie, je passe au commandement de l'armée de Dalmatie, où tout est difficulté et misère, où les moyens manquent, où des forces triples des miennes me sont opposées. J'y rappelle les succès et j'assure la possession de cette province. Je sollicite ardemment ensuite d'être appelé en Pologne; cette faveur m'est refusée.

La guerre de 1809 me fait entrer en campagne. Je suis toujours destiné à combattre des forces au moins doubles des miennes. Mais plusieurs victoires m'ouvrent la route, et, après une série de combats et une marche de plus de cent cinquante lieues, je viens, à jour fixe, prendre ma place à l'avant-garde de la grande armée. Je fais courir un danger imminent à l'armée autrichienne, qui la mène à demander un armistice, et je suis fait maréchal. Cette dignité, reçue sous de pareils auspices, n'était-elle pas une simple dette que payait Napoléon?

Plus tard, toutes sortes de malheurs viennent nous accabler en Espagne. Les plus grands moyens réunis sont réduits à rien par l'impéritie, l'imprévoyance, et c'est sur moi que Napoléon jette les yeux pour aller réparer tous ces malheurs. Une armée de moins de trente mille hommes survit à une autre de soixante-dix mille qui existait peu de mois auparavant; elle n'a plus de cavalerie; elle n'a plus d'artillerie. On l'abandonne, et on se contente de faire mille promesses qui ne se réalisent pas. On divise les commandements, ce qui empêche toute opération d'être combinée avec sagesse et exécutée avec vigueur, tout en faisant peser sur moi la plus injuste responsabilité. On me donne des ordres impératifs dont l'exécution amène des revers certains et prévus. On refuse de me rendre une liberté que je réclame instamment, ne voulant pas être l'agent de tous les maux que je prévois. Enfin on amène la confusion de toutes les manières.

Cependant la campagne est laborieusement conduite, et, après avoir surmonté des difficultés presque surnaturelles, elle ne manque que par une fatalité déplorable, qui met ma vie dans un péril imminent. L'ennemi a perdu autant que nous; la retraite s'est faite avec ordre, et cette bataille, toute fâcheuse qu'elle est, jette encore un grand éclat sur nos armes. Son chef est digne d'intérêt à plus d'un titre, et la première preuve que je reçois de celui de Napoléon est de subir un interrogatoire et d'être l'objet d'une enquête.

Mes blessures encore saignantes, je rentre en campagne, et je remplis ma tâche largement dans la campagne de 1813. J'y vois se renouveler la destruction d'une armée de plus de cinq cent mille hommes par suite d'une incurie sans exemple, d'une faiblesse et d'une indifférence qui ne cesse d'accompagner tous les actes de Napoléon.

1814 arrive: les illusions de son esprit, qui ne cessent de dominer son caractère, rendent infructueux les efforts héroïques de cette campagne, et tout s'écroule.

Si je jette un regard sur les dons que Napoléon m'a faits, ils ont peu d'importance en les comparant à ceux dont d'autres ont été comblés. Jamais aucun bienfait d'argent ne m'a été accordé. Mes dotations ne s'élevaient pas au delà de celles des simples généraux, tandis que mes camarades étaient comblés de richesses. Un million cinq cent mille francs, huit cent mille francs, sept cent mille francs, cinq cent mille francs de rente, constituent leurs majorats. Sous ce rapport, je ne pense pas qu'une bien grande reconnaissance m'ait été imposée. Quant à la manière dont j'ai été associé aux jouissances de la cour, à l'éclat du trône impérial, il me suffira d'un seul mot. Pendant le temps du règne impérial, pendant les dix ans du régime de l'Empire, j'ai passé six semaines à Paris, en voyages de quinze jours chacun. En 1804, lors du couronnement; en 1809, après la paix de Vienne, et en 1811, en allant prendre le commandement de l'armée de Portugal.

On voit que, si j'ai eu ma part des travaux de l'Empire, si j'ai contribué à sa gloire, partagé ses infortunes et ses misères, j'ai bien peu participé à ses triomphes et a ses joies. S'il est flatteur pour moi d'avoir presque toujours été choisi pour commander dans les circonstances les plus difficiles, si je suis heureux d'en être sorti souvent avec succès, je ne puis regarder comme une faveur d'y avoir été placé.

J'ai donc raison de prétendre que jamais je n'ai été traité par Napoléon de manière à avoir envers lui des devoirs de reconnaissance d'*une nature particulière.*

Napoléon a probablement été l'être que j'ai le plus aimé dans ma vie. Mais, quand j'ai vu que ce beau génie s'obscurcissait, quand j'ai pu juger, par ses ordres en Espagne, que sa haute raison faisait place à des hallucinations continuelles, et que, plus tard, servant sous ses yeux, j'ai pu voir la confirmation de mes douloureux soupçons; qu'insensible aux intérêts de la France, à la conservation de ses soldats, il ne vivait que d'orgueil et ne sortait pas de ses aberrations, j'avoue que mon coeur, qui s'était déjà refroidi, s'est glacé, et que je n'ai plus eu d'autres sentiments que ceux qui m'attachaient à la patrie, en méditant cependant la pensée, après avoir sauvé la France de ses folies, de consacrer le reste de ma vie à sa personne.

CORRESPONDANCE ET DOCUMENTS RELATIFS AU LIVRE VINGTIÈME

LE MAJOR GÉNÉRAL AU MARÉCHAL MARMONT.

«Montmirail, le 15 février 1814.

«Monsieur le duc de Raguse, l'ennemi a passé à Nogent et à Bray; il s'est porté sur Donnemarie et menace Nangis. L'Empereur se porte aujourd'hui sur la Ferté-sous-Jouarre, le duc de Trévise est entre Soissons et Reims, suivant l'armée de Sacken.

«Il est nécessaire, monsieur le maréchal, que vous fassiez mine de poursuivre l'ennemi afin de l'obliger à faire une marche rétrograde, et, comme vous êtes supérieur en cavalerie et que l'infanterie ennemie est désorganisée, Sa Majesté ne voit pas d'inconvénients à découvrir un peu votre position; lorsque vous croirez ne plus pouvoir la tenir, vous pourrez prendre la position de Montmirail et successivement celle de la Ferté, mais le plus lentement possible, afin qu'on ne nous vienne pas bloquer sur Paris, et que l'Empereur ait le temps de se retourner.

«Sa Majesté a détruit et mis hors de combat la meilleure armée de l'ennemi, qu'on estime avoir été à peu près de quatre-vingt mille hommes [16].

Note 16: (retour) Les succès de Champaubert et de Montmirail était brillants et glorieux; mais il y avait loin du résultat obtenu à une sorte de destruction de l'armée. (*Note du duc de Raguse.*)

«Maintenant, Sa Majesté va entreprendre l'armée du prince de Schwarzenberg, qui est de cent vingt mille hommes, et, si ce n'était que cette armée a pris trop vivement l'offensive sur Paris, l'Empereur se serait porté sur Châlons et Vitry. Aussitôt que Sa Majesté sera rassurée sur les dispositions de ceux ci, et au moindre mouvement de retraite qu'ils feront, son intention est de gagner sur-le-champ Vitry et l'Alsace; et, comme il est possible qu'ils soient décidés à un mouvement rétrograde par les événements majeurs qui viennent d'arriver, et par l'effet moral qu'ils auront sur la France et sur Paris, aussitôt que l'Empereur aura connaissance que l'ennemi se sera décidé à faire un mouvement rétrograde, Sa Majesté désirerait vous trouver encore à Étoges ou à Montmirail: alors nous appuierons sur vous à pas précipités pour obliger l'ennemi à faire de grandes marches, et, par suite, le mettre en déroule. Toutes les fois que vous m'écrivez, arrangez votre lettre comme si elle devait être lue par l'ennemi: au surplus vous avez un petit chiffre; ou enfin il faut envoyer un officier de confiance qui ferait part de ce qu'on ne pourrait écrire.

«Le prince vice-connétable, major général,

«ALEXANDRE.»

LE MAJOR GÉNÉRAL AU MARÉCHAL MARMONT.

«La Ferté-sous-Jouarre, le 15 février 1814.

«Monsieur le duc de Raguse, il y aura probablement une grande bataille le 17, le 18 ou le 19, du côté de Guignes, contre les Autrichiens. L'Empereur désire que vous teniez à Étoges autant que la prudence peut vous le suggérer, et que vous vous approchiez après cela de Montmirail.

«Le prince vice-connétable, major général,

«ALEXANDRE.»

LE MAJOR GÉNÉRAL AU MARÉCHAL MARMONT.

«Meaux, le 15 février 1814,
onze heures et demie du soir.

«Monsieur le duc de Raguse, vous êtes sûrement instruit qu'il s'est montré quelques partis de cavalerie, et même de l'infanterie sur les hauteurs de Montmirail, quand le général Leval et le général Saint-Germain y sont arrivés. Il paraît que le général Leval a fait marcher sur ces partis. Or ne sait pas si c'est une colonne dirigée sur Montmirail, ou si c'est de l'infanterie égarée dans la journée d'avant-hier; en tout état de cause, arrangez-vous de manière que le général Leval et le général Saint-Germain continuent leur marche de Montmirail sur Meaux, où il est de la plus grande importance qu'ils arrivent promptement. Regardez donc ces deux corps comme indépendants de votre position et manoeuvrez en conséquence dans le sens des instructions que je vous ai données de la part de Sa Majesté, et par lesquelles je vous disais qu'il y aura probablement une grande bataille le 17, le 18 ou le 19 du côté de Guignes, contre les Autrichiens: que l'Empereur désire que vous teniez à Étoges autant que la prudence peut vous le suggérer, et que vous vous approchiez après cela de Montmirail.

«Agissez donc suivant les circonstances, le général Leval et le général Saint-Germain ayant l'ordre de venir à grandes marches sur Meaux.

«Je vous envoie la copie de l'ordre que j'ai donné hier au général Vincent, qui est resté à Château-Thierry.

«Le prince vice-connétable, major général,

«ALEXANDRE.»

«La Ferté-sous-Jouarre, le 17 février 1814,
trois heures après midi.

«Monsieur le général Vincent, l'Empereur ordonne que vous fassiez mettre de suite en marche le bataillon qui a été laissé sous vos ordres à Château-Thierry, ainsi que les deux pièces de canon et tout ce qu'il y aurait à Château-Thierry appartenant à l'armée, pour rentrer à Meaux, et là, rejoindre sa division. Instruisez-moi de la réception et de l'exécution de cet ordre.

«Vous resterez à Château-Thierry avec le détachement de gardes d'honneur; et, si vous étiez poussé par des forces supérieures, prévenez-en le duc de Raguse à Montmirail, et venez couvrir le point important de la Ferté-sous-Jouarre. Ayez soin de donner avis de tout ce qui se passe. L'Empereur vous recommande de nouveau d'armer les habitants de Château-Thierry, puisque les armes ne manquent plus.--Armez aussi les habitants des environs, et formez-vous ainsi une petite armée d'insurrection qui mette à l'abri de toute cavalerie ennemie. Vous pouvez même prendre deux pièces de canon ennemies, de celles qui restent sur le champ de bataille, et les organiser avec les canonniers du pays pour la défense du pays.»

LE GÉNÉRAL GROUCHY AU MARÉCHAL MARMONT.

«Montmirail, le 15 février 1814.

«Mon cher duc, je m'empresse de vous prévenir que, depuis ce matin, un corps de Bavarois, de douze escadrons, et autant de bataillons, avec de l'artillerie, venant de Sézanne, sont sur les hauteurs, entre Mauringe et Martaunay, et tiraillent avec la division Leval, qui est en position ici. Ce corps pourrait bien être l'avant-garde de Wrede.

«Le général Montesquiou, qui se trouvait à Montmirail, en est parti en toute hâte pour prévenir Sa Majesté. J'ignore quels ordres elle croira devoir donner, mais je compte rester ici jusqu'à leur réception.

«Peut-être pensez-vous que devant avoir ce corps sur vos derrières, du moment où j'abandonnerai Montmirail (si j'en reçois l'ordre), il conviendrait que vous vinssiez ici, vous mettant en marche de manière à ce que nous puissions combattre dès demain ces Bavarois et leur donner une poussée avant de nous réunir à l'Empereur.

«Recevez, mon cher maréchal, l'expression de ma fidèle amitié et faites-moi bien vite part de ce que vous allez faire.

«Comte de GROUCHY.»

LE MAJOR GÉNÉRAL AU MARÉCHAL MARMONT.

«Montereau, le 20 février 1814,
cinq heures du matin.

«Monsieur le duc de Raguse, nous venons de recevoir vos dépêches et celles du général Grouchy.

«Puisque vous avez abandonné la route de Montmirail, l'Empereur pense que vous devriez vous porter sur Sézanne pour vous trouver sur la route de Vitry; vous seriez alors en position de vous porter sur Arcis-sur-Aube ou de retourner sur Montmirail pour couvrir la route de Châlons.

«Il est nécessaire que vous avez des partis de cavalerie et d'infanterie à Montmirail.

«Wintzingerode, qui avait occupé Soissons avec cinq ou six mille hommes de troupes, l'avait évacué le 16, pour se porter sur Reims et probablement sur Châlons. Étant opposé à ces corps, il faut, monsieur le maréchal, que vous en suiviez les mouvements.

«L'ennemi, battu à Montereau, a évacué Bray et Nogent, et se porte en toute hâte sur Troyes; quelle est son intention? Veut-il livrer bataille à Troyes, rappeler Blücher, qui, de Châlons par Arcis-sur-Aube, pourrait être en trois ou quatre jours à Troyes? Alors il faut qu'il passe par Arcis-sur-Aube, et vous ne pourrez pas ignorer son mouvement. Ou bien l'ennemi veut-il s'éloigner bien davantage pour se concentrer ou se rapprocher de ses renforts?

«Une raison qui pourrait le déterminer à tenir Troyes, ce serait le désir de couvrir le congrès de Châtillon-sur-Seine; mais cette considération pourtant ne serait que du second ordre.

«Nous avons rétabli le pont de Bray; il est probable que dans la journée nous aurons rétabli le pont de Nogent; une de nos colonnes est déjà arrivée à Sens.

«En résumé, monsieur le maréchal, vos instructions sont donc: 1° de couvrir Paris sur la route de Châlons et Vitry; 2° de vous réunir à l'armée sur l'Aube et Troyes, en même temps que Blücher (si Blücher se réunissait à l'armée alliée).

«Le prince vice-connétable, major général,

«ALEXANDRE.»

LE MARÉCHAL MARMONT AU MAJOR GÉNÉRAL.

Reveillon, le 21 février 1814.

«Monseigneur, je viens de recevoir la lettre que vous m'avez fait l'honneur de inscrire hier matin. Je ferai mes efforts pour me conformer aux instructions qu'elle renferme. *Mais Sa Majesté doit juger de ce qu'il est possible de faire avec deux mille quatre cents hommes d'infanterie formés de quarante-sept bataillons, et neuf cents chevaux, le tout usé par cinquante-trois jours de marche d'hiver* et plus de... *combats* où ce qu'il y avait de meilleur *a péri.* J'avais espéré que Sa Majesté daignerait *penser à moi en distribuant les nouvelles troupes.*

«Mes rapports n'annoncent aucune force ennemie sur Étoges; il ne s'est montré que quelques patrouilles en avant de Montmirail. D'autres patrouilles viennent sur Montmirail de Dannery. L'ennemi n'a personne à Sézanne, mais il a des troupes légères dans les villages en arrière; mes patrouilles entrent plusieurs fois par jour dans Sézanne.

«Je ne me rends point à Sézanne, parce que l'ennemi paraît occuper en force Épernay et semblerait annoncer un mouvement en suivant la Marne. Le général Vincent a informé le général Ledru à la Ferté-sous-Jouarre, que quatre cents cavaliers prussiens étaient venus s'établir à Piroit, s'annonçant comme l'avant-garde d'York. Je ne crois guère à ce mouvement, qui exigerait plus de forces qu'il n'en peut rester à l'ennemi sur ce point; mais je ne puis me dispenser de l'observer, afin que, s'il l'exécutait, je puisse me porter à temps sur la Ferté-sous-Jouarre, ce que je puis faire d'ici en une marche et demie, et en exigerait deux de Sézanne.»

LE GÉNÉRAL DE GROUCHY AU MARÉCHAL MARMONT.

«Lacoix-en-Brie, le 20 février 1814,
huit heures un quart du soir.

«Je m'empresse, mon cher maréchal, de vous donner communication de la lettre que je reçois de M. le général Ledru, commandant à la Ferté-sous-Jouarre: quelque exagération qu'il puisse y avoir quant à la quantité des troupes dont on annonce la marche, toujours est-il certain que ce mouvement de l'ennemi mérite d'être pris en considération. C'est ce qui me fait ne pas perdre un moment à vous le faire connaître, profitant pour cela de l'officier du prince de Neufchâtel qui vous apporte des dépêches.

«Provins est occupé par nos troupes, et, au lieu de marcher sur Montereau, je me rendrai demain à Bray, avec les troupes que je commande.

«L'Empereur aura probablement demain son quartier général à Nogent.

«Recevez, mon cher maréchal, l'expression de mon éternel attachement.

«Le colonel général commandant en chef la cavalerie,

«Comte DE GROUCHY.»

«La Ferté-sous-Jouarre, le 20 février 1814

«A MONSIEUR LE GÉNÉRAL EN CHEF COMTE DE GROUCHY.

«Mon général, une lettre du général Vincent, que je reçois à l'instant, m'annonce que l'ennemi a poussé hier soir quatre cents Prussiens sur Château-Thierry par Dormans et Piroit; cette troupe annonce celle du général York, forte de soixante mille hommes. Les avant-postes sont restés à Piroit.

«J'ai l'honneur d'être avec respect, monsieur le général,

«Votre très-humble et très obéissant serviteur,

«Le général LEDRU.»

«Pour copie conforme:

«Le colonel général comte DE GROUCHY.»

LE MAJOR GÉNÉRAL AU MARÉCHAL MARMONT.

«Nogent, le 21 février 1814.

«Monsieur le duc de Raguse, le quartier général de l'Empereur est à Nogent, le duc de Reggio est à Romilly et Chartres, nouvelle route de Nogent à Troyes, entre Saint-Martin et les hauteurs de Marigny et de Saint-Flary; le général Gérard, commandant le deuxième corps d'armée, est sur Villeneuve-l'Archevêque. Les différentes divisions de la garde à pied et à cheval sont autour de Nogent. Le général Grouchy est sur le point de nous rejoindre à Nogent.

«L'Empereur suppose que vous vous trouvez à ....

«L'intention de Sa Majesté est que vous placiez de la cavalerie à un chemin de Sézanne à Nogent, afin que vos communications soient assurées.

«L'Empereur va marcher sur Troyes; ayez soin de surveiller Arcis-sur-Aube; vous pouvez vous y porter si vous le jugez nécessaire; mais alors il faut que vous marchiez sur la rive droite de l'Aube. Par cette position toutefois, votre but étant d'être opposé à Blücher et à York, vous devez avant tout couvrir, avec le duc de Trévise, Paris, par les routes de Reims, Château-Thierry et Montmirail.

«Si Blücher se réunissait à l'armée ennemie qui est près; de Troyes, vous pourriez nous rejoindre. L'Empereur compte être sur Troyes le 23.

«Le duc de Trévise étant à Soissons, si l'ennemi paraissait vouloir marcher sur Châlons par Reims, il est important qu'il communique avec vous et appuie à Château-Thierry, où Sa Majesté a laissé le général Vincent avec quatre cents gardes d'honneur pour assurer le chemin.

«L'Empereur pense que la position de la Fère-Champenoise est préférable à celle de Sézanne, attendu que le chemin jusqu'à Bergères est moins long, et qu'en même temps elle est plus rapprochée d'Arcis.

«Je vous préviens que huit cents chevaux, commandés par le général Bordesoulle, et qui appartiennent au premier corps de cavalerie, se rendent sur Plancy, où ils seront demain, 22. Vous leur donnerez vos ordres, monsieur le maréchal, selon les circonstances.

«Le prince vice-connétable, major général,

«ALEXANDRE.»

LE MAJOR GÉNÉRAL AU MARÉCHAL MARMONT.

«Troyes le 26 février 1814,
huit heures du soir.

«Monsieur le duc de Raguse, je vous préviens que le prince de la Moskowa a passé aujourd'hui à Arcis-sur-Aube, et qu'il marche sur les derrières de Blücher.

«Vous pouvez, monsieur le maréchal, s'il est nécessaire, vous faire soutenir par le maréchal duc de Trévise.

«Nous sommes entrés à Châtillon-sur-Seine, et l'Empereur y a ordonné la formation d'une cohorte de garde nationale urbaine pour garder le congrès. Nos troupes sont entrées à Bar-sur-Aube et à Clairvaux.

«Le duc de Castiglione est entré à Mâcon, Châlons, Chambéry, Bourg-en-Bresse et Genève.

«Le prince vice-connétable, major général,

«ALEXANDRE.»

LE MAJOR GÉNÉRAL AU MARÉCHAL MARMONT.

«Troyes le 27 février 1814,
huit heures du matin.

«Monsieur le duc de Raguse, l'Empereur marche sur les derrières de l'ennemi pour couper l'armée de Blücher; nos troupes sont déjà à Plancy, et nous serons demain sur la route de Vitry. L'intention de Sa Majesté est que vous vous réunissiez au duc de Trévise, et que vous marchiez ensemble à l'ennemi.

«Le prince vice-connétable, major général,

«ALEXANDRE.»

LE MARÉCHAL MARMONT A NAPOLÉON.

«1er mars 1814.

«Sire, je reçois à l'instant la nouvelle de l'arrivée de Votre Majesté à Jouarre, et je ne perds pas un instant pour lui rendre compte de la position de l'ennemi.

«Après s'être porté sur Meaux par la rive gauche et fait sans fruit quelques tentatives sur cette ville, l'ennemi a jeté deux ponts au-dessous de la Ferté-sous-Jouarre, et a fait le passage de la Marne.

«Le corps de Kleist, formant son avant-garde, s'est bientôt mis en marche pour Lisy, où il opère le passage de l'Ourcq.

«Informé de ce mouvement, et certain que l'ennemi ne pouvait avoir sur la rive droite de l'Ourcq qu'une portion de ses forces, j'ai proposé au duc de Trévise de marcher à lui. Quoique la journée fût avancée et que nous ayons été obligés de combattre pendant une portion de la nuit, nous l'avons culbuté et battu, et nous avons réoccupé les bords de l'Ourcq. L'armée ennemie a bivaqué au confluent de l'Ourcq et de la Marne, et le corps de Kleist, avec beaucoup de cavalerie, s'est retiré sur la Ferté-Milon. Le duc de Trévise a occupé Lisy, et moi, j'ai pris position à May sur la Jargogne. Hier l'ennemi a fait quelques tentatives pour passer l'Ourcq à Lisy; mais toutes ses forces ont remonté la rivière et se sont dirigées sur la Ferté-Milon.

«Nous avons été toute la journée en situation de les compter. Elles sont fort considérables; il y a surtout une très nombreuse cavalerie. Sur le soir, l'ennemi, ayant porté des troupes en face de ma position, a fait passer l'Ourcq à quatre mille chevaux et à quelque infanterie, au pont de Gèvres, et a conservé un camp assez considérable d'infanterie sur les hauteurs de Gèvres, sur la rive gauche de l'Ourcq, et un plus considérable encore sur les hauteurs de Crouy. Les feux que je viens de faire observer indiquent que ces troupes y sont encore. L'armée ennemie n'a laissé personne en face de Lisy. Il est important de suivre ses mouvements en couvrant Paris. J'ai engagé le duc de Trévise à se rendre ici avec toutes ses troupes, afin que, s'il faisait quelque tentative sur nous avec son arrière-garde, nous fussions en mesure de lui résister et j'ai écrit à Meaux pour que tous les renforts qui sont en marche partissent cette nuit pour nous rejoindre.

«Sans notre affaire d'avant-hier l'ennemi serait maître de Meaux, et aurait ses coureurs sur Paris. Mais maintenant son coup est manqué, et l'arrivée de Votre Majesté rendra impossible l'exécution de ses projets.

«Le pont de Triport est détruit, ainsi que celui de Lagny, et, si Votre Majesté, comme je le suppose, veut passer la Marne sur-le-champ, elle ne peut le faire que sur le pont de Meaux, où tout est prêt pour la recevoir.»

LE MARÉCHAL MARMONT AU ROI JOSEPH.

«May, le 1er mars 1814.

«Sire, j'ai reçu la lettre que Votre Majesté m'a fait l'honneur de m'écrire. Les choses étant tout autres que l'Empereur les suppose, la conduite que nous ayons à tenir est toute différente. Voici quelle est notre situation:

«L'affaire d'hier a donné un très-grand résultat en ce qu'elle a forcé l'ennemi à renoncer à se porter sur Meaux, et au contraire à se porter sur la Ferté-Milon. Si nous n'avions pas, hier au soir, attaqué et culbuté l'ennemi, ses troupes légères seraient aujourd'hui aux barrières, et nous aurions eu une très-mauvaise affaire aux environs de Meaux. Au lieu de cela, l'ennemi a perdu toute cette journée, puisque nous l'avons constamment en vue et en présence, et qu'il n'a fait que peu de chemin pour gagner la Ferté, quoique sa direction soit bien décidée.

«L'ennemi a tenté de passer à Lisy, mais sans fruit. Il a passé à Gèvres un bon nombre de troupes. Je ne pouvais défendre ce point, qui était hors de la ligne défensive que j'avais choisie. Toutefois ses masses ont suivi la rive gauche de l'Ourcq. Il nous a présenté un monde très-considérable et que je crois de plus de trente mille hommes, il a certainement de huit à dix mille hommes de cavalerie. Les renforts qui nous sont envoyés et l'arrivée de l'Empereur nous donneront, j'espère, les moyens de faire de belles tentatives; mais il est urgent que l'Empereur vienne, et, d'après la marche que lui-même a tracée, nous sommes autorisés à compter sur lui demain. Il est bien important que l'Empereur soit informé qu'il n'y a de pont praticable pour lui qu'à Meaux, et que ceux de Triport et de Lagny sont détruits. Celui de Meaux peut en trois quarts d'heure être mis en état de donner passage à toute l'armée.

«Nous n'avons plus que deux partis à prendre, si l'arrivée de l'Empereur se diffère. Réunir toutes les troupes, le duc de Trévise et moi, et suivre l'ennemi dans son mouvement sur la Ferté, ou bien nous rapprocher de Meaux. Mais le premier parti me paraît préférable, et je l'ai proposé au duc de Trévise. L'Empereur, arrivant ensuite, pourra agir sans perdre un moment, parce que les troupes seront toutes disposées.

«Je me concerterai avec le duc de Trévise pour faire ce qu'il y aura de mieux, d'après les rapports que nous recevrons cette nuit, et j'aurai l'honneur d'informer Votre Majesté de ce que nous aurons fait.»

LE MAJOR GÉNÉRAL AU MARÉCHAL MARMONT.

«La Ferté-sous-Jouarre,
le 2 mars 1814, six heures du soir.

«Monsieur le maréchal duc de Raguse, je vous préviens *que l'armée passera cette nuit la Marne.* Faites en sorte de correspondre avec le général Wattier qui commande la cavalerie légère, et qui marche dans la direction de Crouy et de la Ferté-Milon.

«L'intention de l'Empereur est que vous passiez l'Ourcq à la pointe du jour pour pousser l'ennemi.

«L'Empereur sera demain de sa personne à Montreuil pour se diriger à la suite de l'ennemi ou pour prendre sur-le-champ sa direction sur Château-Thierry et Châlons, selon les nouvelles que Sa Majesté recevra de vous, et ce qu'elle apprendra sur les mouvements de l'ennemi.

«Le prince vice-connétable, major général,

«ALEXANDRE.»

LE MAJOR GÉNÉRAL AU MARÉCHAL MARMONT.

«Fère-en-Tardenois, le 4 mars 1814,
deux heures après midi.

«Monsieur le duc de Raguse, le quartier général sera ce soir à Fismes, le duc de Bellune à Fère-en-Tardenois; l'Empereur attend de vos nouvelles. Si l'ennemi a marché sur Soissons, c'est vraisemblablement pour se porter sur Laon, et, si vous êtes à Soissons avec le duc de Trévise, nous pourrons, de notre côté, arriver en même temps que vous à Laon. Comme l'ennemi n'aura pas pu prendre la place de Soissons, qu'on dit bien gardée, il aura sûrement quitté la route de Soissons à Noyon, et jeté un pont sur l'Aisne. Wintzingerode a passé, le 2 mars, à Fère-en-Tardenois. L'Empereur pense que vous devez avoir des nouvelles du Bulow, qu'on suppose du côté d'Avesnes.

«Le prince vice-connétable, major général,

«ALEXANDRE.»

LE MAJOR GÉNÉRAL AU MARÉCHAL MARMONT.

«Fismes, le 5 mars 1814,
neuf heures du matin.

«L'Empereur, monsieur le duc de Raguse, me charge de vous faire connaître que les agents envoyés cette nuit à Soissons ont été jusqu'aux portes de la ville par la rive gauche, et ont vu, de l'autre côté de l'Aisne, de grands feux. L'intention de Sa Majesté est de passer l'Aisne à Béry où il y a un pont de pierre, à Maisy, où Sa Majesté fait jeter un pont de chevalets, et au pont d'Arcis où le duc de Trévise a l'ordre d'établir aussi un pont sur chevalets. Mettez à cet effet vos compagnies de sapeurs à sa disposition: telle est l'intention de l'Empereur. Sa Majesté pense qu'avec votre corps vous devez barrer la route de Château-Thierry en vous tenant dans la position de Busancy et Hartennes: vous vous porteriez sur Soissons si l'ennemi évacuait la ville; et, s'il ne l'évacue pas, vous vous porterez sur Braines aussitôt que le pont d'Arcis sera terminé. Nous devons être entrés ce matin à Reims.

«Le prince vice-connétable, major général,

«ALEXANDRE.»

LE MAJOR GÉNÉRAL AU MARÉCHAL MARMONT.

«Fismes, le 5 mats 1814,
onze heures du matin.

«Monsieur le duc de Raguse, *si vous n'êtes pas entré à Soissons, l'intention de l'Empereur est que vous vous rendiez cette nuit à Braines. Le quartier général de l'Empereur sera ce soir à Béry-au-Bac.*

«*Nous nous sommes emparés de Reims* où nous avons fait deux mille prisonniers, pris deux cents officiers et trois mille hommes aux hôpitaux, ainsi que beaucoup de bagages. L'Empereur va marcher demain sur Laon par Béry-au-Bac où il y a un pont de pierre.

«Le prince vice-connétable, major général,

«ALEXANDRE.»

LE MAJOR GÉNÉRAL AU MARÉCHAL MARMONT.

«Béry-au-Bac, le 5 mars 1814,
six heures du soir.

«Monsieur le maréchal duc de Raguse, *l'Empereur pense que vous êtes ce soir à Braines*, comme je vous l'ai ordonné ce matin. Nous sommes arrivés à Béry-au-Bac, dont le pont était gardé par quelques pièces de canon et de la cavalerie ennemie. Nous avons pris deux pièces et fait quelques prisonniers. *Notre avant-garde est ce soir à mi-chemin d'ici à Laon. L'Empereur pense que vous devez rester la journée de demain, 6, à Braines* pour voir si l'ennemi veut évacuer Soissons et couvrir Reims; mais que *vous devez vous tenir en mesure de vous porter rapidement sur nous et vous rendre à Béry-au-Bac après-demain, 7, pour nous joindre le 8 à la bataille qui peut avoir lieu à Laon.* L'Empereur ordonne que vous envoyiez sur-le-champ ici, pour de là nous joindre sur Laon, tous les détachements que vous pourrez avoir, qui appartiendraient au 4e régiment de dragons et la division Roussel, et aux deuxième, cinquième et sixième corps de cavalerie, *ne devant garder avec vous que ce qui appartient au premier corps de cavalerie*: vous formerez de tous ces détachements un régiment de marche qui viendra nous joindre à grandes journées.

«Le prince vice-connétable, major général,

«ALEXANDRE.»

«*P. S.* Le duc de Trévise doit être parti ce soir de Braines pour venir à Béry-au-Bac. Vous saurez où il a couché en faisant suivre sa marche. Faites-lui passer la lettre ci-incluse.

LE MAJOR GÉNÉRAL AU MARÉCHAL MARMONT

«Béry-au-Bac, le 6 mars 1814, onze heures du matin.

«Monsieur le duc de Raguse, je donne l'ordre à la cavalerie du duc de Trévise, qui est à Braines, de se rendre à Béry-au-Bac pour nous rejoindre.

«Je donne en même temps l'ordre au duc de Trévise de venir sur-le-champ ici avec son corps, s'il n'est pas entré à Soissons.

«Dans le cas où vous et le duc de Trévise seriez entrés à Soissons, l'intention de l'Empereur est que vous marchiez, ainsi que ce maréchal, jusqu'à trois lieues de Soissons sur la route de Laon, afin que nous arrivions à Laon tous ensemble. Le quartier général de l'Empereur sera à Corbeny. L'intention de Sa Majesté est que, de Braines, si vous n'avez pas été à Soissons, vous vous rendiez à Béry-au-Bac pour nous rejoindre le plus tôt possible sur la route de Laon. Surtout que votre cavalerie vous précède.

«Le prince vice-connétable, major général,

«ALEXANDRE.»

LE MAJOR GÉNÉRAL AU MARÉCHAL MARMONT.

«Du bivac de Malava, en avant de Bray,
le 8 mars 1814, dix heures du matin.

«Monsieur le duc de Raguse, nous sommes à l'Ange-Gardien. Le prince de la Moskowa marche sur Vreil, route de Laon; le duc de Trévise marche sur Vreil par Chavigny. L'intention de Sa Majesté est que vous marchiez avec vos troupes sur Laon par Aubigny. Vous vous mettrez en communication avec le duc de Trévise. Nous avons envoyé des troupes sur Soissons; aussitôt que nous serons maîtres de cette ville, la ligne d'opération de l'armée sera par Soissons. Laissez quelques troupes à Béry-au-Bac pour garder le pont et la communication de Reims. Le général Bordesoulle, qui est à la ferme de Houstalin, près Craon, rentre à votre disposition; donnez-lui des ordres. Le duc de Padoue est également à vos ordres. Ces corps doivent marcher sur vous.

«Le prince vice-connétable, major général,

«ALEXANDRE.»

LE MAJOR GÉNÉRAL AU MARÉCHAL MARMONT.

«Bray-en-Laonnois, le 8 mars 1814.

«Monsieur le maréchal duc de Raguse, l'Empereur ordonne que vous vous portiez à Corbeny avec votre corps; que vous y preniez sous vos ordres la division d'infanterie du duc de Padoue, ainsi que votre cavalerie, c'est-à-dire le premier corps de cavalerie commandée par le général Bordesoulle.

«L'intention de Sa Majesté est que vous fassiez les dispositions nécessaires pour nettoyer vos derrières, et que vous vous dirigiez sur Laon, mais en ayant pour but de bien maintenir vos communications. Mettez-vous en correspondance avec Reims, où commande le général Corbineau.

«Nous sommes à l'Ange-Gardien; l'Empereur suppose que dans la journée nous serons dans Soissons. Sa Majesté attend cette nouvelle pour prendre sa marche sur Laon. En attendant, poussez-y une avant-garde avec les précautions convenables.

«Je vous envoie un rapport du général Paoz; manoeuvrez avec le duc de Padoue en conséquence.

«Le prince vice-connétable, major général,

«ALEXANDRE.»

LE MAJOR GÉNÉRAL AU MARÉCHAL MARMONT.

«Chavignon, le 9 mars 1814.

«Monsieur le maréchal duc de Raguse, je vous ai écrit ce matin par un de vos courriers. Je vous faisais *connaître qu'il était à présumer que notre avant-garde était en possession de la ville de Laon; qu'en conséquence vous pouviez arrêter votre mouvement*, si vous n'y trouviez pas d'inconvénient. *Mais on s'y bat encore*: l'Empereur s'y porte. *Vous devez continuer à marcher sur cette ville.*

«Le prince vice-connétable, major général,

«ALEXANDRE.»

«*P. S.* Tâchez de vous lier avec nous par des postes sur votre gauche.»

LE MARÉCHAL MARMONT A NAPOLÉON.

«Corbeny, le 9 mars 1814,
deux heures du matin.

«Sire, j'ai à rendre compte à Votre Majesté d'un événement de guerre malheureux et fort extraordinaire, et qui a peu d'exemples. Je me suis mis en marche, conformément à vos ordres, ce matin, pour Laon. Le brouillard était extrêmement épais. Je me suis arrêté à Fétieux; vers midi, votre canon s'étant fait entendre et le temps s'étant élevé, je me suis hâté de marcher. J'ai trouvé l'ennemi à une lieue environ avec quatre mille chevaux, que j'ai poussé devant moi avec mon canon. Plus tard, m'étant emparé d'un bois, j'ai pu découvrir environ douze mille hommes d'infanterie et cinq mille chevaux. La supériorité de ces forces devait m'empêcher de rien entreprendre de très-sérieux; cependant il me sembla indispensable d'occuper l'ennemi et d'agir assez pour neutraliser ses forces et faire une diversion utile à votre attaque. En conséquence, j'ai fait attaquer le village d'Athies et je m'en suis emparé. Plus tard, j'ai fait attaquer une ferme qui me rapprochait de la route de Marles, sur laquelle l'ennemi paraissait faire des dispositions de retraite; je m'en suis également rendu maître. L'ennemi a incendié le village et la ferme avant de se retirer. J'ai fait établir une batterie de vingt pièces de canon, à laquelle l'ennemi a répondu par une batterie de trente, ayant encore beaucoup de pièces en vue, mais non en action. L'ennemi a porté de la cavalerie sur sa gauche, ce qui menaçait ma droite; mais j'avais fait des dispositions en conséquence. Nous sommes restés plusieurs heures dans cette position, nous canonnant de part et d'autre, et repoussant quelques entreprises que l'ennemi avait faites sur les postes que j'avais établis; mais, à nuit bien close, à l'instant où je me disposais à prendre une position de nuit, des masses d'infanterie très-considérables, et formant au moins douze mille hommes, et toute la cavalerie de l'armée, ont débouché sur moi par différents points, et une portion de l'infanterie sur les derrières de ma position. Ce mouvement a eu d'autant plus d'effet, qu'il était moins prévu, parce que deux bataillons de la réserve de Paris, qui occupaient le village d'Athies et la ferme, en sont partis si vite, que je n'ai pas pu supposer même qu'ils fussent attaqués. De la précipitation de cette retraite vint le désordre, et du désordre la confusion; de là une retraite sans ordres donnés et une espèce de fuite pour l'artillerie. L'infanterie ennemie s'approcha assez pour s'engager; il devint indispensable de suivre le mouvement; mais au moins je parvins à faire de toutes ces troupes une masse compacte qui offrit quelques moyens de résistance. En même temps la cavalerie ennemie chargea la nôtre et la renversa; celle-ci est prise pour l'ennemi par notre infanterie, ce qui augmente le mal; en même temps, plusieurs masses de cavalerie ennemie se trouvent sur nos flancs et à cheval sur la route. Nous repoussons constamment cette cavalerie, soit sur nos flancs, soit sur notre front, par un feu bien soutenu et des coups de baïonnette, et nous avançons; mais les équipages et les voitures d'artillerie qui avaient précédé la colonne sont sabrés par l'ennemi; plusieurs pièces tombent en son pouvoir. Nous en reprenons plusieurs, nous les emmenons; mais d'autres restent sur la place, soit parce que les chevaux manquent, soit par toute autre raison; et nous ne pouvons consacrer beaucoup de temps à les mettre en état de nous suivre, à cause de la proximité des masses d'infanterie qui nous suivaient, en fusillant toujours avec nous. Par suite de cette impossibilité, nous avons perdu beaucoup de pièces: je n'en ai pas l'état précis, mais je crois que le nombre s'élève de douze à quatorze. La perte en hommes a été peu considérable, et je suis convaincu que l'ennemi a pris très-peu de monde, parce qu'il n'y a pas eu un seul bataillon d'ouvert par les charges de cavalerie. Nous sommes arrivés à Fétieux. L'ennemi suivant vivement et la confusion étant au comble, il a fallu nécessairement passer le village pour trouver une barrière, arrêter tout le monde, et réorganiser le personnel et le matériel. Le général Digeon se rend cette nuit à Béry-au-Bac, dans l'objet de réorganiser l'artillerie qui reste. Nous n'avons encore pu ce soir mettre de l'ordre dans les corps, qui sont tous confondus et hors d'état de faire aucun mouvement et de rendre aucun service; et, comme il y a bon nombre d'individus qui se sont portés à Béry-au-Bac, je me vois forcé de m'y rendre pour remettre tout dans un état convenable demain matin. Tel est, Sire, l'étrange événement qui a eu lieu ce soir, mais qui aurait pu être bien pis encore, si les troupes, après le premier moment de terreur qui les a fait mettre en marche sans ordre, n'avaient pas été sensibles aux reproches et disposées par là à bien faire. Je prends la liberté de vous le répéter, notre perte ne serait rien sans les canons que nous avons laissés dans les fossés de la route. Nous avons eu sûrement affaire à vingt mille hommes.»

LE MAJOR GÉNÉRAL AU MARÉCHAL MARMONT.

«Soissons, le 12 mars 1814,
sept heures et demie du soir.

«Monsieur le maréchal duc de Raguse, Sa Majesté me charge de vous faire connaître que le général Sébastiani, avec deux mille chevaux, couche ce soir à Braines avec son corps. Sa Majesté part à minuit avec la vieille garde.

«Il est nécessaire, monsieur le duc, que vous vous teniez prêt à partir, avec la division Defrance, le premier corps de cavalerie et toute votre infanterie, pour former notre avant-garde, l'intention de l'Empereur étant d'attaquer demain Saint-Priest dans Reims, de le battre et de reprendre la ville. Vous laisserez les postes de cavalerie que vous avez placés à Sailly et le long de la rivière, et nous continuerons à tenir également un poste de cavalerie à Béry-au-Bac. L'Empereur aura ainsi une trentaine de mille hommes dans la main, dont sept ou huit mille de cavalerie, et plus de cent pièces de canon. Sa Majesté ordonne, monsieur le maréchal, que vous fassiez toutes vos dispositions pour pouvoir partir demain à la petite pointe du jour. Il est bien important que vous laissiez un corps d'observation à Béry-au-Bac, et que vous envoyiez des paysans pour vous instruire s'il déboucherait quelque chose de l'autre côté. L'Empereur espère que nous pourrons attaquer demain à deux ou trois heures après midi. Sa Majesté sera demain à Fismes, probablement de bonne heure; elle vous recommande de ne pas trop ébruiter votre marche par des coureur: il vaut mieux arriver en masse. Il serait bien important de pouvoir prendre quelques coureurs ennemis en leur tendant une embuscade, afin d'avoir des nouvelles.

«Le prince vice-connétable, major général.

«ALEXANDRE.»

LE MAJOR GÉNÉRAL AU MARÉCHAL MARMONT.

«Soissons, le 12 mars 1814,
neuf heures et demie du soir.

«Monsieur le duc de Raguse, je vous ai envoyé un courrier extraordinaire pour vous faire connaître que l'intention de l'Empereur est que vous vous mettiez en marche, demain, 13, à six heures du matin, avec votre corps, pour vous rendre à Reims sans trop vous aventurer.

«L'Empereur marche sur Reims par la route de Fismes.

«Amenez avec vous la division Defrance, et laissez un corps d'observation au pont de Béry-au-Bac, ainsi que des postes de cavalerie aux différentes positions où vous en aviez aujourd'hui.

«Le prince vice-connétable, major général,

«ALEXANDRE.»

LE MAJOR GÉNÉRAL AU MARÉCHAL MARMONT.

«Reims, le 14 mars 1814.

«Monsieur le duc de Raguse, je vous envoie un rapport que je viens de recevoir du colonel Plaugenief et du maire de Fismes. Prenez-en connaissance, vous y verrez les mouvements que fait l'ennemi du côté de Roncy. L'intention de l'Empereur est que vous *fassiez des dispositions pour chasser l'ennemi de Roncy, et que vous veilliez sur la colonne qui voudrait passer la rivière* en marchant sur le pont de Béry-au-Bac.

«Le prince vice-connétable, major général,

«ALEXANDRE.»

LE MAIRE DE LA VILLE DE FISMES AU PREMIER OFFICIER SUPÉRIEUR DE L'ARMÉE FRANÇAISE SUR LA ROUTE DE REIMS.

«Fismes, le 14 mars 1814.

«Monsieur, nous venons de recevoir la nouvelle certaine qu'un parti de Cosaques, évalué deux mille hommes, avec de l'artillerie, vient de mettre en réquisition les ouvriers de Sillery et environs, pour jeter un pont sur la rivière d'Aisne à Bourg, deux lieues de Fismes, et venir couper la communication audit Fismes de Soissons à Reims.

«Je vous donne cet avis pour que vous puissiez sur-le champ prendre les mesures nécessaires.

«J'ai l'honneur d'être avec respect, monsieur,

«Votre très-humble serviteur.»

LE MAJOR GÉNÉRAL AU MARÉCHAL MARMONT.

«Reims, le 14 mars 1814,
huit heures et demie du matin.

«Monsieur le duc de Raguse, l'Empereur ordonne *que vous portiez sur la route de Béry-au-Bac, en avant de vous la cavalerie du général Bordesoulle; vous aurez une avant-*

garde au pont et vous vous placerez de manière à la soutenir. L'Empereur voulant, à quelque prix ce soit, garder ce pont.

«Le prince vice-connétable, major général,

«ALEXANDRE.»

LE MAJOR GÉNÉRAL AU MARÉCHAL MARMONT

«Reims, le 15 mars 1814.

«Monsieur le duc de Raguse, *l'intention de l'Empereur est que vous fassiez prendre les capotes et les schakos des prisonniers, pour en donner aux soldats qui en manquent.*

«Le prince vice-connétable, major général,

«ALEXANDRE.»

LE MAJOR GÉNÉRAL AU MARÉCHAL MARMONT.

«Reims, le 15 mars 1814.

«Monsieur le duc de Raguse, je n'ai point de réponse à faire à la lettre qui vous a été remise pour moi à vos avant-postes. Employez tous les moyens possibles pour avoir des nouvelles de l'ennemi. Il paraît certain que l'ennemi marche, mais dans quelle direction, voilà ce qu'il faut connaître; donnez-nous fréquemment de vos nouvelles. Soyez en observation, envoyez beaucoup de reconnaissances sur différentes directions, faites courir les gens du pays, donnez de l'argent, et je vous le ferai rendre.

«Le prince vice-connétable, major général,

«ALEXANDRE.»

LE MARÉCHAL MARMONT A NAPOLÉON

«15 mars 1814.

«Sire, je reçois la lettre que Votre Majesté m'a fait l'honneur de m'écrire aujourd'hui. Les forces de l'ennemi sont restées toute la journée dans la même position, j'ai pu en juger par la fumée de son camp. Ce soir on reconnaît distinctement trois lignes de feux, telles qu'elles étaient hier, mais il en manque une quatrième qui, la nuit dernière, était placée plus en arrière.

«On a vu dans la journée cinq colonnes en marche pour remonter l'Aisne, mais à une grande distance, de manière que l'on n'a pu déterminer si c'était de la cavalerie ou de l'infanterie.

«L'ennemi a devant Béry des postes de cavalerie et quelque infanterie plus en arrière. Il avait amené ce matin des pièces de canon qu'il a retirées ensuite. J'ai reçu des rapports de toute la ligne, à l'exception du Pont-d'Arcis, et je n'ai pas non plus de nouvelles du détachement de cavalerie qui était en observation au débouché de Veilly, et qui a reçu ordre de se porter sur Pont-d'Arcis. Cette omission de rapport peut tenir à l'éloignement ou à quelque faute dans le service. Ainsi je n'en conclus encore rien: j'ai envoyé ce soir un officier pour vérifier ce qui se passe de ce côté. S'il n'y a rien sur ce point, il me paraîtrait assez probable que l'ennemi remonte l'Aisne et se retire, et que le mouvement qui s'est opéré aujourd'hui à notre vue aurait pour objet de protéger les bagages; cela serait d'autant plus probable, que l'ennemi a eu des patrouilles multipliées sur les bords de l'Aisne, d'ici à Neufchâtel.

«J'espère, dans la nuit, avoir des renseignements qui m'éclaireront sur les mouvements de l'ennemi, et je m'empresserai alors d'écrire au prince de Neufchâtel pour en informer Votre Majesté.

«Demain, au jour, j'essayerai de faire passer par Béry un gros parti de cavalerie, mais je ne pense pas qu'il puisse aller bien loin, attendu que l'ennemi est en force à peu de distance.

«Je vais tenter le moyen que me prescrit Votre Majesté pour recruter des soldats, et je ne négligerai rien pour réussir. Mais que faire, en campagne, d'hommes qui n'ont ni armes ni habits?

«Votre Majesté verra, par l'état ci-joint, que j'ai vingt-deux bouches à feu, y compris deux pièces de la garde qui étaient à Béry-au-Bac, et que j'ai emmenées avec moi; ainsi, ces pièces déduites, j'en ai vingt.--D'après cela, Votre Majesté pourra donner ses ordres pour compléter mon artillerie comme elle le jugera convenable.

«Votre Majesté m'annonce quelques renforts; mais les renforts immédiats sont bien peu de chose, et ceux des places de la Moselle sont bien éloignés. Votre Majesté m'avait fait annoncer que les troupes conduites par le général Jansens seraient pour moi. Il paraîtrait qu'elles reçoivent une autre destination: cependant j'ai bien peu de monde et bien mal organisé. Il me serait bien nécessaire de recevoir des soldats et d'être autorisé à organiser ce qui me reste d'une manière plus régulière. La division du général Ricard n'a guère que quatre cents et quelques combattants. Que faire avec une division de pareille force? elle ne vaut pas même un bataillon de même nombre, car ici il y a beaucoup d'embarras et peu de combattants.

«La cavalerie était restée jusqu'à présent dans un si grand désordre, qu'on ne peut raccorder la situation présente avec les états antérieurs. Il est évident que les chefs de corps ont enflé leurs régiments, ou leur négligence a empêché de rendre compte des mutations journalières, spécialement pour les hommes restés en arrière. Il est de fait qu'il y a en arrière un grand nombre d'hommes pour cause légitime, celle de la ferrure; mais il y a tant de confusion par suite de l'organisation des régiments provisoires, que l'on peut attribuer à cette cause le désordre qui existe. Il y aurait certainement de l'avantage à déterminer quatre régiments, qui recevraient tout ce qui existe, et à renvoyer les cadres en arrière.

«L'échauffourée qu'a eue hier le général Merlin a coûté plus cher qu'on ne l'avait cru d'abord. Nous avons perdu environ quatre-vingts hommes ou chevaux. Les chefs de corps en portent davantage, mais c'est évidemment pour expliquer les hommes restés en arrière depuis plusieurs jours. Le seul moyen qui m'a paru convenable pour voir clair dans ce chaos a été d'ordonner un appel nominal fait par les généraux de division. Cet appel, que je vérifierai moi-même, s'il le faut, nous donnera une base et les moyens de suivre les mutations. Aujourd'hui, le général Bordesoulle n'aurait à ses ordres, pour combattre, y compris les détachements qu'il a sur la rivière, que les débris de quinze escadrons.--Si les trois cents chevaux que Votre Majesté m'annonce arrivent, ses forces seront presque doublées.»

LE MAJOR GÉNÉRAL AU MARÉCHAL MARMONT.

«Reims, le 17 mars 1814.

«Monsieur le duc de Raguse, l'Empereur part dans ce moment pour se rendre à Épernay, avec la vieille garde. Le duc de Trévise se rend ce soir à Reims; il laisse de la cavalerie et de l'infanterie à Soissons.

«Le départ de l'Empereur pour Épernay est nécessité par des affaires qui doivent avoir lieu hors du côté de Nogent. Sa Majesté a donc cru devoir s'approcher d'une journée pour avoir des nouvelles, et, d'après les événements, manoeuvrer suivant les circonstances. Il est possible que Sa Majesté revienne à Reims, ou se porte sur Châlons, les événements en décideront.

«Le maréchal prince de la Moskowa est à Châlons; ayez soin, monsieur le maréchal, de vous entendre avec le duc de Trévise qui sera à Reims, et de nous faire parvenir de fréquents rapports sur tout ce que vous apprendrez de l'ennemi.

«Vous aurez soin aussi de ne plus laisser passer personne sur le pont de Béry-au-Bac, sous quelque prétexte que ce soit, et vous ferez préparer tout ce qu'il vous faut pour détruire ce pont en cas d'événements.

«Le prince vice-connétable, major général,

«ALEXANDRE.»

Par duplicata.

LE MAJOR GÉNÉRAL AU MARÉCHAL MARMONT.

«Épernay, le 17 mars 1814,
six heures et demie du soir.

«Monsieur le duc de Raguse, l'Empereur, en arrivant ici, a appris que l'ennemi avait passé la Seine sur ses ponts à Pont et marchait sur Provins. Sa Majesté s'est résolue à marcher sur Troyes. Le quartier général de l'Empereur sera demain à Semoine, et après-demain à Arcis. Sa Majesté laisse à Épernay le général Vincent.

«L'Empereur désire, monsieur le maréchal, que vous ayez la direction de votre corps et de celui du duc de Trévise, qui, dans ce moment, est à Reims avec deux divisions d'infanterie et la cavalerie du général Roussel, et qui a la division Charpentier à Soissons. Le ministre de la guerre a dû envoyer un général de brigade avec quelques troupes à Compiègne.

«Sa Majesté, monsieur le duc, désire que vous fassiez faire le plus de mouvement possible de cavalerie pour imposer à Blücher et gagner du temps. Si Blücher passait l'Aisne, vous devez lui disputer le terrain et couvrir la route de Paris. Il est probable que le mouvement de l'Empereur va obliger l'ennemi à repasser la Seine, ce qui arrêtera Blücher et rendra disponible le corps du duc de Tarente, qui alors vous serait envoyé.

«Il faut, monsieur le maréchal, pour les choses importantes, écrire en chiffres par Épernay et par des hommes intelligents qui sachent passer ailleurs que par les grandes routes.

«Il est très-important que vous envoyiez ordre sur ordre à la division Durutte, composée de toutes les garnisons de la Meuse, de vous rejoindre sur Reims, Rethel ou Châlons. Envoyez cet ordre de toutes les manières.

«Comme M. le maréchal duc de Trévise est le plus ancien, puisqu'il est de la création, ayez l'air de vous concerter avec lui plutôt que d'avoir la direction supérieure. C'est un objet de tact qui ne vous échappera pas. Je charge le duc de Trévise de nommer un major pour commander la place de Reims, la garde nationale et les batteries qui s'y trouvent, et de faire partir demain le général Corbineau pour venir rejoindre l'Empereur.

«Je recommande au duc de Trévise de porter tous ces soins à l'organisation de la garde nationale et de la levée en masse, et de se procurer quelques chevaux pour atteler la batterie laissée à Reims.

«Si Blücher prenait l'offensive dans la direction de Reims de manière à ce que cette ville se trouvât sous les pas de l'ennemi, et que vous et le duc de Trévise ne fussiez pas en état de la défendre, alors vous retireriez avec vous, l'un ou l'autre, la garnison et les pièces de canon, et vous emmèneriez les gardes nationaux de la levée en masse avec vous.

«Le prince vice-connétable, major général,

«ALEXANDRE.»

LE MAJOR GÉNÉRAL AU MARÉCHAL MARMONT.

«Fère-Champenoise, le 19 mars 1814.

«Monsieur la duc de Raguse, j'ai reçu vos dernières dépêches; vous connaissez la position du duc de Trévise à Reims. Sa Majesté ne doute pas que vous n'agissiez de concert pour le succès de nos armes et pour faire le plus de mal possible à l'ennemi. Vous connaissez les localités; l'Empereur a confiance dans vos talents. Concertez-vous et même dirigez, sans choquer le duc de Trévise, les mouvements. Ayez l'air de vous entendre avec lui. Nous partons d'ici pour passer l'Aube, ensuite la Seine, et couper ce que l'ennemi peut avoir pour menacer Provins. Nous nous portons sur Plancy.

«Le prince vice-connétable, major général.

«ALEXANDRE.»

LE MAJOR GÉNÉRAL AU MARÉCHAL MARMONT.

«Plancy, le 20 mars 1814.

«Monsieur le maréchal duc de Raguse, nous avons forcé hier le passage de l'Aube et celui de la Seine; nous étions hier, à sept heures du soir, maîtres de Méry; nous avions coupé la route de Nogent à Troyes, sur laquelle nous avons enlevé beaucoup de bagages et les équipages de pont de l'ennemi. L'ennemi avait levé en toute hâte, le 19, ses ponts sur la Seine, et battait en retraite sur Bar-sur-Aube. L'empereur de Russie était venu à Arcis-sur-Aube avec le prince de Schwarzenberg. Le corps du duc de Tarente et toute la cavalerie nous rejoignent aujourd'hui à Arcis. Il n'est pas possible que Blücher fasse aucun mouvement offensif, à ce que pense l'Empereur. Si cependant il en faisait un, vous devriez, monsieur le maréchal, ainsi que le duc de Trévise, vous retirer sur Châlons ou Épernay, afin que nous soyons tous groupés, et couvrir la route de Paris par quelques partis de cavalerie. Mais Sa Majesté croit que, dans la position actuelle des choses, il faudrait que Blücher fût fou pour tenter un mouvement sérieux.

«Le prince vice-connétable, major général,

«ALEXANDRE.»

LE MAJOR GÉNÉRAL AU MARÉCHAL MARMONT.

«Plancy, le 20 mars 1814,
dix heures du matin.

«Monsieur le duc de Raguse, l'Empereur me charge de vous mander que, l'ennemi ayant évacué Provins, Nogent et Troyes, et se dirigeant sur Bar-sur-Aube et sur Brienne, il voit avec peine que vous vous soyez retiré sur Fismes, au lieu de vous retirer sur Reims et de là sur Châlons et Épernay. Sa Majesté ordonne donc que vous ayez sur-le-champ à prendre cette communication, car sans cela Blücher va se réunir au prince de Schwarzenberg, et tout cela tomberait sur vous. L'Empereur va peut-être lui-même manoeuvrer sur Vitry.

«Le prince vice-connétable, major général,

«ALEXANDRE.»

LE MAJOR GÉNÉRAL AU MARÉCHAL MARMONT.

«Plancy, le 20 mars 1814, midi.

«Monsieur le maréchal duc de Raguse, l'Empereur ordonne que, de l'endroit où vous recevrez mon ordre, vous et le maréchal duc de Trévise vous vous dirigiez, avec votre infanterie, votre cavalerie et votre artillerie, sur Châlons par Reims, et, si cela ne vous paraissait pas possible, par Épernay; mais vous devez marcher en toute hâte, et surtout accélérer le mouvement de votre cavalerie. Sa Majesté sera demain matin, 21, à Vitry. Le duc de Tarente et le duc de Reggio suivent ce mouvement par Arcis-sur-Aube.

«Le prince vice-connétable, major général,

«ALEXANDRE.»

(Par duplicata.)

LE MAJOR GÉNÉRAL AU MARÉCHAL MARMONT.

«21 mars 1814.

«Monsieur le maréchal duc de Raguse, le corps du général de Wrede a voulu prendre, hier, Arcis-sur-Aube: il a été battu. La grande armée du prince de Schwarzenberg paraît marcher par Brienne sur Bar-sur-Aube pour se joindre à Blücher. L'Empereur se porte sur Vitry. Sa Majesté aura ce soir son quartier général à Sommepuis. Donnez-nous de vos nouvelles.

«Le prince vice-connétable, major général.

«ALEXANDRE.»

LE DUC DE TRÉVISE AU MARÉCHAL MARMONT.

«Vattey, le 24 mars 1814.

«Mon cher maréchal, un habitant arrivant de Châlons assure qu'il y a peu de monde dans cet endroit; que vingt-cinq dragons français y ont été hier, mais qu'ils ont dû en sortir de suite; que l'armée française avait passé la Marne, ainsi que vous me l'avez annoncé vous-même, à Frignicourt, non sur un pont, mais à gué; que l'Empereur remontait la Marne, etc. Le général Blücher, dans ce cas, n'aurait pas opéré sa jonction avec le prince de Schwarzenberg.

«D'après le mouvement que fait l'Empereur, il paraîtrait ne rien craindre du côté d'Arcis; je crois toutefois qu'il nous importe beaucoup d'éclairer cette partie.

«Demain de bonne heure, je serai à Soudé; j'aurai ce soir de la cavalerie à Dammartin.

«Dans tous les cas, notre mouvement sur Champaubert, celui que vous avez fait sur Vertus, auront produit un bon effet en forçant Czernicheff et les nombreux partis jetés sur la rive gauche de la Marne à se retirer.

«Les habitants de Vattey prétendent que quinze mille chevaux ont passé par ici, se retirant sur Vitry; c'est sans doute beaucoup: prenons qu'il n'y en ait que moitié, ce serait encore fort raisonnable.

«D'après le portrait qu'on m'a fait du général russe qui a couché ici hier, je suis tenté de croire que ce serait Wintzingerode.

«Le maréchal duc DE TRÉVISE.»

LE MARÉCHAL MARMONT AU MINISTRE DE LA GUERRE.

«Provins, le 27 mars 1814.

«J'ai l'honneur de vous informer qu'après m'être porté de Sézanne en arrière du défilé d'Esternay, et y avoir pris position, l'ennemi s'est présenté devant moi avec de grandes forces et a fait toutes ses dispositions d'attaque. Nous nous sommes retirés et nous avons continué notre retraite sur la Ferté-Gaucher, avec d'autant plus de raison, que nous étions informés que l'ennemi occupait Montmirail. Arrivés devant la Ferté, nous avons trouvé l'ennemi en position sur la rive droite du Grand-Morin, et battant la route avec une nombreuse artillerie. J'ai pu reconnaître au moins quatre mille hommes d'infanterie prussienne, sans compter ce qui occupait la ville et n'était pas susceptible d'être apprécié; de manière que l'ennemi avait, en calculant très-fort, au moins six mille hommes d'infanterie. M. le duc de Trévise et moi, nous décidâmes qu'il fallait s'emparer d'un plateau qui donnait les moyens de tourner la ville et d'aller prendre la route de Coulommiers plus loin. Les ordres furent donnés en conséquence, et les postes ennemis furent chassés.

Pendant ce temps-là, on me rendit compte que les masses d'infanterie, de cavalerie et d'artillerie qui s'étaient présentées devant nous au défilé d'Esternay approchaient avec diligence. Je donnai l'ordre à la vingtième division d'occuper et de défendre jusqu'à l'extrémité le village de Montis, qui est la clef du défilé, afin de donner le temps d'exécuter une marche difficile dans un terrain fangeux.

«Je donnai l'ordre à ma cavalerie de se porter au delà du bois de Montis pour nous couvrir sur ce point contre la cavalerie ennemie, qui s'y portait pour tourner le défilé. Tout à coup le duc de Trévise, qui marchait en tête, m'informa qu'au lieu de se porter sur la route de Coulommiers, il prenait celle de Provins. Ce changement me contraria beaucoup, parce qu'il était évident que c'était une marche perdue. Après la route de Coulommiers manquée, notre direction était sur Rozoy; mais le mouvement était donné, et, au milieu de l'obscurité de la nuit et des embarras du chemin, il était impossible de changer la direction, et je ne voulais point quitter le duc de Trévise. En conséquence, nous avons marché sur Provins, où nous sommes arrivés ce matin et où nous avons pris position, afin de rallier et de reposer les troupes. L'ennemi est arrivé à midi avec de l'infanterie et de la cavalerie; mais, jusqu'à présent, je n'ai pas reconnu de grandes forces. Nous avons entendu aujourd'hui une vive canonnade dans la direction de Meaux. Le mouvement de l'ennemi sur Paris n'est pas douteux.

«En conséquence, nous marchons sur la capitale, et nous nous mettons en marche cette nuit pour Nangis et Melun, d'où nous descendrons la Seine pour nous porter sur Charenton. Je prie Votre Excellence de me faire connaître la situation des choses, afin que je puisse modifier mes mouvements d'après les circonstances.»

«*P. S.* La défense de Montis a été fort glorieuse. Une poignée d'hommes, avec deux pièces de canon, a résisté à vingt pièces de canon et quatre mille hommes d'infanterie bavaroise, qui les ont attaqués sans succès, et cette poignée de braves a ramené son canon au milieu des embarras causés par la nuit et les mauvais chemins.»

LE DUC DE TRÉVISE AU MARÉCHAL MARMONT.

«Nangis, le 28 mars 1814.

«Mon cher maréchal, je croyais vous trouver ici, ainsi que nous en étions convenus hier.

«Votre aide de camp vous remettra copie d'une lettre que je viens de recevoir du ministre de la guerre. Je regrette que nous ne soyons pas restés aujourd'hui à Provins: nous aurions pu nous jeter, en cas d'événement, sur Nogent, sur Bray ou sur Montereau.

«Je prends le parti de rester à Nangis aujourd'hui si l'ennemi n'occupe pas Rozoy en forces; dans ce dernier cas, je me porterai sur Brie-Comte-Robert, et, finalement, sur Bonneuil, ayant ma gauche à la Marne, ma droite à la Seine, pour couvrir Charenton. Cette position ne m'offre point de chance fâcheuse si le pont de Saint-Maur est suffisamment gardé, et je serai prévenu à temps si l'ennemi forçait le passage de Meaux ou celui de Lagny.

«Je vous engage à faire réoccuper le pont de Nogent par les troupes du général Souham.

«J'ai dû marcher très-lentement et faire de fréquentes haltes, à la pointe du jour, pour rallier mille à douze cents hommes de vos troupes, qui étaient restés en arrière. Je les ai fait passer devant les miennes.

«Je vous prie, mon cher maréchal, de me donner de vos nouvelles, et d'agréer l'assurance de ma haute considération et de mon attachement.

«Le maréchal duc DE TRÉVISE.»

«*P. S.* dans le cas où je ne pourrais pas rester ici ce soir, je prendrais position à Guignes.»

LE MARÉCHAL MARMONT AU MINISTRE DE LA GUERRE.

«Melun, 28 mars 1814, sept heures du soir.

«J'ai eu l'honneur de vous écrire hier par le colonel Fabvier. J'attends avec impatience la réponse de Votre Excellence pour bien connaître ce qui se passé sur la Marne.

«Les troupes que nous avons eues devant nous à la Ferté ont dû arriver hier de bonne heure à Coulommiers et à Rebais. J'ai vu moi-même, étant à la Ferté, des colonnes d'artillerie et de bagages prendre la direction de Rebais. C'est donc par Meaux et la Ferté-sous-Jouarre que l'ennemi veut opérer, et c'est sur ce point qu'il faut porter nos forces et notre attention. De système de l'ennemi est d'autant plus naturel, qu'opérant aussi par Soissons toutes ses colonnes se trouvent liées entre elles. Je voudrais être à Meaux ou à Lagny avec le duc de Trévise; et cela serait sans la marche absurde et ridicule que nous avons faite sur Provins, et que je n'ai pas été à temps d'empêcher. Je marche à tire-d'aile pour réparer le temps perdu, mais je crains bien d'arriver trop tard, et le mal a été augmenté encore par le séjour que nous avons fait à Provins, dont nous aurions dû partir plus tôt; mais, à cet égard, je n'ai rien à me reprocher. On a entendu hier distinctement le canon entre Coulommiers et Rozoy, ou entre Coulommiers et Crécy. En conséquence je n'ai pu prendre la route directe de Meaux ni de Lagny, puisqu'il aurait fallu passer sur le corps à l'ennemi. Je n'ai point pris non plus celle de Guignes, parce que la cavalerie ennemie pouvait être aujourd'hui sur cette route, et que, dans ces immenses plaines de Brie, rien n'est plus dangereux qu'une marche de flanc un peu longue, surtout avec des troupes fatiguées et harassées, et enfin parce que je veux éviter toute espèce d'engagement, jusqu'à ce que j'aie pris ma ligue d'opération sur Paris, et que j'aie reçu les munitions qui me manquent.

«Le duc de Trévise, qui devait d'abord suivre la même direction que moi, m'écrit qu'il a pris position à Nangis, et que, si l'ennemi est en forces à Rozoy, il se portera sur Guignes. Je souhaite qu'il ne lui arrive pas malheur, mais je le crains fort. Sa station à Nangis ne remplit aucun objet, et il court la chance d'être détruit; et, s'il ne l'est pas, il est au moins inutile à la défense de la Marne, qui est le point important. Je viens de lui écrire pour l'engager à passer la Marne et à suivre mon mouvement.

«Je compte aller coucher demain à Charenton, et après-demain j'irai sur Lagny et Meaux; et, si l'ennemi n'est pas en opération sur la rivière, je déboucherai par Meaux pour éclairer ses mouvements.

«J'ai laissé le général Souham sur la Seine, occupant Nogent, Bray et Montereau, et je lui ai ordonné de faire couper les ponts. Par ce moyen la communication avec l'Empereur est assurée par la rive gauche de la Seine.»

LE MINISTRE DE LA GUERRE AU MARÉCHAL MARMONT.

«Paris, le 28 mars 1814,
six heures et demie du soir.

«J'ai l'honneur d'informer Votre Excellence que l'ennemi, qui est parvenu à enlever hier la position de Meaux, se porte en forces sur Paris, et qu'il est déjà sur Claye.

«Il est donc de la plus haute importance, monsieur le maréchal, que vous vous rendiez en toute hâte avec vos troupes, et monsieur le duc de Trévise avec les siennes, vers Paris, c'est-à-dire plus près de la capitale.

«Je prie Votre Excellence de se mettre en marche sans aucun délai; et dans le cas où, d'après les renseignements que vous pourriez avoir, vous croiriez ne pas pouvoir vous diriger par Brie-Comte-Robert sans y trouver des forces ennemies supérieures aux vôtres, vous vous dirigeriez de Nangis droit sur Corbeil, pour y passer la Seine, et de là gagner les abords de Paris.

«J'écris dans le même sens à M. le duc de Trévise, afin que vous combiniez ensemble votre mouvement, qui exige la plus grande célérité.

«Le général Souham, à qui j'écris aussi, gardera la ligne de la Seine, entre Montereau et Nogent, avec ses troupes, pour la communication avec l'Empereur.

«Je vous prie, monsieur le maréchal, de me faire connaître, par le retour du courrier, la direction que vous aurez prise, ainsi que le moment auquel vous serez rendu près Paris.

«DUC DE FELTRE.»

«*P. S.* Nous avons reçu à quatre heures des nouvelles de l'Empereur du 26, de Saint-Dizier. Sa Majesté y avait battu complètement deux divisions commandées par le général Wintzingerode, qui avait pris retraite sur Bar-sur-Ornain. On avait fait deux mille prisonniers, etc.

«Le général Compans était à Ville-Parisis, à trois heures, avec presque toutes les troupes ennemies sur les bras.»

LE MINISTRE DE LA GUERRE AU MARÉCHAL MARMONT.

«Paris, le 29 mars 1814.

«Monsieur le maréchal, vous ne pouvez trop tôt arriver à Charenton avec votre corps d'armée, pour de là manoeuvrer de manière à soutenir le général Compans, qui a couché cette nuit à Vert-Galant, et qui a, en effet, sur les bras toutes les forces des corps de Kleist, de Sacken, d'York, et, je crois, encore, le grand-duc Constantin et tes Wurtembergeois. Avec sept ou huit mille hommes de troupes qui ont déjà faibli, il a fait ce qu'il pouvait. On m'assure que ses avant-postes, attaqués ce matin, avaient été repliés. Si vous arrivez, monsieur le maréchal, on peut espérer de contenir l'ennemi entre Vincennes, qui est fortifié, et Saint-Denis, qui a été mis à l'abri d'un coup de main.

«Vous savez que le pont de Lagny est en partie rompu; c'est donc sur la droite de la Marne que vous pourrez déboucher; mais il n'y a pas une minute à perdre. Je cherche à envoyer encore quelques renforts au général Compans;

mais les heures passent, à cause des distances et des difficultés du service dans une grande ville. J'ai écrit au comte Darn pour que vous ayez des vivres et du vin (si faire se peut) en arrivant à Charenton.

«Le mouvement sur Provins a tout compromis [17].

Note 17: (retour) Il est singulier que le duc de Feltre, qui n'a jamais fait la guerre, se permette de blâmer le premier mouvement sur Provins, qui a été le salut de deux corps d'armée, et qui était rendu nécessaire et indispensable, puisque en même temps que la grande armée nous suivait, nous avons rencontré en bataille, sur la grande route, à la Ferté-Gaucher, en arrière de nous et sur notre communication directe, les corps d'York et de Kleist. Il fallait aller à Provins, ou mettre bas les armes. (*Note du duc de Raguse.*)

«Quoiqu'on n'ait pas de nouvelles de l'Empereur depuis le 26 au soir, et que Sa Majesté n'ait point annoncé la direction qu'elle prendrait, on doit calculer qu'il est impossible que l'Empereur n'arrive pas, sur le dos de l'ennemi qui nous presse, d'ici à trois jours au plus tard, le salut de l'État dépend peut-être de résister pendant ces trois jours. Je reçois à l'instant votre bonne lettre d'aujourd'hui, à sept heures du matin. Il faudra garder le pont de Saint-Maur; cela doit regarder le duc de Trévise, qui, au lieu d'occuper Bonneuil, pourra loger ses troupes à Maisons, à Créteil, à Charenton, et avoir sa gauche à Fontenay-sous-Bois, si cette position lui parait bonne et si les dispositions du terrain ne s'y opposent pas.

«Le ministre de la guerre,

«DUC DE FELTRE.»

LE MINISTRE DE LA GUERRE AU MARÉCHAL MARMONT.

«Paris, le 29 mars 1814,
onze heures du soir.

«Monsieur le maréchal, je reçois à l'instant de nouveaux ordres de Sa Majesté le roi Joseph, que je m'empresse de transmettre à Votre Excellence, et qui contiennent de nouvelles dispositions déterminées par les circonstances.

«L'intention du roi est, monsieur le maréchal, que vous vous réunissiez cette nuit, *entre la Villette et les prés Saint-Gervais*, au corps du général Compans, qui sera sous les ordres de Votre Excellence.

«M. le maréchal duc de Trévise reçoit, de son côté, l'ordre de se porter cette nuit à la Villette, où il réunira sous son commandement les troupes du général Ornano.

«Au moyen de ces dispositions, vous serez chargé, monsieur le maréchal, de la défense de Paris, depuis la Villette exclusivement jusqu'à Charenton; et M. le maréchal duc de Trévise commandera depuis la Villette inclusivement jusqu'à Saint-Denis.

«J'ai l'honneur d'informer en outre Votre Excellence que le roi compte se rendre demain, dès la pointe du jour, à Montmartre, pour être à portée de voir les mouvements de l'ennemi, et de donner des ordres suivant les circonstances.

«Le ministre de la guerre,

«DUC DE FELTRE.»

LE MAJOR GÉNÉRAL AU MARÉCHAL MARMONT.

«Fontainebleau, le 1er avril 1814,
six heures du matin.

«Dans la situation actuelle des affaires, l'Empereur s'est résolu à réunir le gouvernement à Orléans en y rassemblant toutes les réserves de l'intérieur, à se placer avec toute son armée entre Fontainebleau et Paris pour empêcher les malveillants de se livrer à leurs mauvais penchants et encourager les bons; obligeant l'armée ennemie à se tenir réunie, puisque le moindre détachement qu'elle ferait hors de Paris livrerait cette ville à l'Empereur.

«Je donne l'ordre au duc de Trévise de prendre position à la gauche d'Essonne. Vous devez, monsieur le maréchal, prendre position avec votre corps à la droite d'Essonne; par ce moyen, l'ennemi sera obligé de passer la rivière d'Essonne devant l'armée. L'inconvénient de cette position saute aux yeux, puisque la rivière d'Essonne refuse la gauche qui tombe sur la route d'Orléans.

«Le plateau de Fontenay-le-Comte à la Seine n'est que de deux petites lieues; on peut y avoir autant de débouchés que l'on veut sur la position d'École.

«Il serait convenable de se tenir maître d'Essonne et de Corbeil, afin de faire de la poudre dont nous avons grand besoin, et de profiter des magasins de farines qui sont très-considérables.

«Concertez-vous, monsieur le duc, avec M. le duc de Trévise; choisissez votre position; placez votre artillerie en batterie; l'armée arrive demain et suivra le même mouvement. Faites de suite travailler aux fortifications de Corbeil et d'Essonne, afin d'avoir, s'il est possible, deux débouchés. Faites fortifier la rivière d'Essonne; envoyez-moi de suite un mémoire sur cette position; qu'elle ait plus ou moins d'avantages, il faut la prendre dans tous les cas, parce que la rivière l'indique naturellement.

«Reconnaissez s'il y aurait une position entre Corbeil et Choisy, par exemple en avant de Ris, où on peut surveiller les deux routes d'Orléans et de Fontainebleau, avoir les derrières libres pour la retraite, et où on pourrait placer avec avantage une armée de quarante mille hommes. En trois ou quatre jours on aurait construit bien des redoutes et des ouvrages qui ajouteraient à la force naturelle de la position.

«Pour compléter le système, quand vous aurez vu la position, voyez la position de la rivière de l'École, afin de pouvoir donner votre avis sur ces trois positions. L'Empereur compte qu'à midi il doit être sans inquiétude sur la position que vous aurez occupée avec le duc de Trévise. Envoyez de la cavalerie à Arpajon, et poussez votre avant-garde sur la route de Paris aussi loin que vous pourrez, poussant des reconnaissances.

«Je vous envoie cette lettre par M. le colonel Bongars qui vous accompagnera dans vos reconnaissances, et qui ne reviendra que lorsque les troupes seront placées.

«Dans ce système il faut ordonner à la poudrerie de continuer de faire de la poudre, et, au fur et à mesure qu'elle fabriquera, on évacuera sur Fontainebleau, et on établira un artifice.

«Faites-moi connaître, monsieur le maréchal, la quantité de farine qui se trouve à Corbeil, soit sur cette rive, soit dans les magasins de l'autre rive, et faites rétablir le pont, si vous le jugez convenable, afin d'évacuer les farines qui seront de l'autre côté. Comme il y a un filet d'eau qui entoure la ville de l'autre coté, il doit être facile d'occuper cette ville, ce qui assure un bon passage de la Seine, indépendamment du pont de Melun.

«Envoyez de suite un officier du génie à Arpajon pour reconnaître la place. S'il y a une muraille, il fera travailler de suite à la mettre à l'abri des Cosaques.

«Le prince vice-connétable, major général,

«ALEXANDRE.»

LE MAJOR GÉNÉRAL AU MARÉCHAL MARMONT.

«Fontainebleau, le 2 avril 1814,
quatre heures du matin.

«Monsieur le duc de Raguse, je donne l'ordre à la division des gardes d'honneur du général Defrance de partir ce matin de Saint-Germain-sur-l'École, pour se rendre à Fontenay-le-Vicomte et éclairer la rivière d'Essonne depuis la Ferté-Alep, en jetant des partis sur Arpajon. Le général Defrance sera sous vos ordres, et je le charge d'envoyer un officier près de vous.

«Je viens d'ordonner au général Sorbier de prendre des mesures pour qu'aujourd'hui, à cinq heures du matin, vous et le duc de Trévise, ayez au moins à vous deux soixante pièces de canon.

«La division de cavalerie du général Piré partira aujourd'hui vers onze heures ou midi de Fontainebleau pour aller se cantonner du côté de Monceaux, à une lieue derrière Essonne. Le général Piré prendra vos ordres si vous étiez attaqué.

«Le prince vice-connétable, major général,

«ALEXANDRE.»

LE MAJOR GÉNÉRAL AU MARÉCHAL MARMONT.

«Fontainebleau, le 3 avril 1814.

«Monsieur le duc de Raguse, l'Empereur aura ce soir son quartier général au château de Tilly, près Ponthierry: ayez soin d'y envoyer un aide de camp ou officier d'état-major, qui puisse bien faire connaître à Sa Majesté l'endroit où se trouvent les troupes.

«Le prince vice-connétable, major général,

«ALEXANDRE.»

LE MAJOR GÉNÉRAL AU MARÉCHAL MARMONT.

«Fontainebleau, le 4 avril 1814.

«L'intention de l'Empereur est que vous vous rendiez ce soir de votre personne au palais de Fontainebleau, à dix heures; prenez des mesures pour pouvoir être de retour à votre poste avant le jour.

«Le prince vice-connétable, major général,

«ALEXANDRE.»

LE GÉNÉRAL BORDESOULLE AU MARÉCHAL MARMONT.

«Versailles, le 5 avril 1814.

«M. le colonel Fabvier a dû dire à Votre Excellence les motifs qui nous ont engagés à exécuter le mouvement que nous étions convenus de suspendre jusqu'au retour de MM. les princes de la Moskowa, des ducs de Tarente et de Vicence. Nous sommes arrivés à Versailles avec tout ce qui compose le sixième corps.--Absolument tout nous a suivis, et avec connaissance du parti que nous prenions, l'ayant fait connaître à la troupe avant de marcher. Maintenant, monseigneur, pour tranquilliser les officiers sur leur sort, il serait bien urgent que le gouvernement provisoire fit une adresse ou proclamation à ce corps, et qu'en lui faisant connaître sur quoi il peut compter on lui fasse payer un mois de solde; sans cela il est à craindre qu'il ne se débande.

«MM. les officiers généraux sont tous avec nous, M. Lucotte excepté. Ce joli monsieur nous avait dénoncés à l'Empereur.

«J'ai l'honneur d'être, avec le plus profond respect, de Votre Excellence,

«Le très-humble et dévoué serviteur.

«Le général de division,

«Comte BORDESOULLE.»

COPIE D'UNE LETTRE DE M. LE MARÉCHAL NEY A S. A. LE PRINCE DE BÉNÉVENT PRÉSIDENT DE LA COMMISSION COMPOSANT LE GOUVERNEMENT PROVISOIRE.

«Monseigneur, je me suis rendu hier (4) à Paris avec M. le maréchal duc de Tarente et M. le duc de Vicence, comme chargé de pleins pouvoirs pour défendre, près de Sa Majesté l'empereur Alexandre, les intérêts de la dynastie de l'empereur Napoléon.--Un événement imprévu ayant tout à coup arrêté les négociations, qui cependant semblaient promettre les plus heureux résultats, je vis dès lors que, pour éviter à notre chère patrie les maux affreux d'une guerre civile, il ne restait plus aux Français qu'à embrasser entièrement la cause de nos anciens rois; et c'est pénétré de ce sentiment que je me suis rendu ce soir auprès de l'empereur Napoléon pour lui manifester le voeu de la nation.

«L'Empereur, convaincu de la position critique où il a placé la France, et de l'impossibilité où il se trouve de la sauver lui-même, a paru se résigner et consentir à une abdication entière et sans aucune restriction; c'est demain matin que j'espère qu'il m'en remettra lui-même l'acte formel et authentique; aussitôt après, j'aurai l'honneur d'aller voir Votre Altesse Sérénissime.

«Le maréchal NEY.»

«Fontainebleau, le 5 avril 1814,
onze heures et demie du soir.»

COPIE DE LA GARANTIE FAITE LE 6 AVRIL ET ANTIDATÉE. POUR METTRE A L'AISE LES OFFICIERS ET SOLDATS DU SIXIÈME CORPS.

ARTICLE PREMIER.

«Moi, Charles, prince de Schwarzenberg, maréchal et commandant en chef les armées alliées, je garantis à toutes les troupes françaises qui, par suite du décret du sénat du 2 avril, quitteront les drapeaux de Napoléon Bonaparte, qu'elles pourront se retirer librement en Normandie avec armes, bagages et munitions, et avec les mêmes égards et honneurs militaires que les troupes alliées et réciproquement.

ART. 2..

«Que si, par suite de ce mouvement, les événements de la guerre faisaient tomber entre les mains des puissances alliées la personne de Napoléon Bonaparte, sa vie et sa liberté lui seront garanties dans un espace de terrain et dans un pays circonscrit au choix des puissances alliées et du gouvernement français.»

EXTRAIT DU *NATIONAL.*

Jeudi, 8 août 1814.

«... L'officier chargé de porter à Marmont l'ordre écrit de Joseph, dont nous venons de parler, le lui avait remis à deux heures. Cet ordre, formulé dans les mêmes termes pour les deux maréchaux, était ainsi conçu:

«Si M. le maréchal duc de Raguse et M. le maréchal duc de Trévise ne peuvent plus tenir, ils sont autorisés à entrer en pourparlers avec le prince de Schwarzenberg et l'empereur de Russie, qui sont devant eux.

Ils se retireront sur la Loire.

«JOSEPH.»

«Montmartre, ce 30 mars 1814, à dix heures du matin.»

«Le duc de Raguse n'en continua pas moins à se battre. Il avait alors non-seulement à soutenir l'effort de Schwarzenberg, mais encore du centre de l'armée de Silésie, que venait d'amener Giulay. Cette armée, nous l'avons dit, s'était partagée en trois colonnes: celle de droite, conduite par Blücher en personne, se portait, à pas comptés, par Aubervilliers et Clichy, sur la butte Montmartre, tandis que celle de gauche, aux ordres du prince de Wurtemberg, après avoir traversé le bois et le village de Romainville, s'avançait, partie sur Ménilmontant, partie sur Charonne et la chaussée de Vincennes, que défendait une batterie de vingt-huit pièces, manoeuvrées par les élèves de l'École polytechnique, au nombre de deux cent seize, et pointées par des artilleurs de la vieille garde.

«A dix heures du soir, ces braves adolescents faisaient encore feu, lorsqu'on vint leur donner l'ordre de rentrer à l'École.

«Blücher ne devait pas rencontrer la même résistance. Ne pouvant croire que Montmartre n'était pas fortifié, il ne s'en approcha, nous l'avons dit, qu'avec les précautions les plus grandes. Ce fut à trois heures et demie seulement que ses premiers détachements parurent au pied de la butte. Quelques obus et quelques boulets furent lancés contre eux; mais, à quatre heures, il ne restait plus un seul homme armé sur ce point. Blücher l'occupa immédiatement en force, et, à quatre heures et demie, les huit pièces que nos soldats y avaient laissées étaient tournées contre Paris, et jetaient sur les faubourgs les plus rapprochés des boulets et des obus.

«Ce désarroi, cet abandon général, inspiraient les craintes les plus vives à la partie riche de la population de Paris; ils préoccupaient surtout vingt-cinq à trente personnes, banquiers, commerçants, propriétaires, qui attendaient Marmont, lorsque, à six heures du soir, après avoir fait avertir le duc de Trévise, par le général Meynadier, de la signature de l'armistice, il parut dans les salons de son hôtel de la rue de Paradis-Poissonnière. Il était à peine reconnaissable, a dit un témoin oculaire; sa barbe avait huit jours; la redingote qui couvrait son uniforme était en lambeaux; de la tête aux pieds il était noir de poudre. Il annonça la suspension d'armes. «C'est bien pour l'armée, s'écria-t-on autour de lui; mais Paris? qui le garantira des excès de l'ennemi? Il faut une capitulation pour le sauver!»

«Marmont en convint. «L'armistice, ajouta-t-il, a précisément pour objet de faciliter à Paris un arrangement particulier à la capitale. Mais je suis sans autorisation pour traiter en son nom; je ne la commande pas; je ne suis pas gouvernement. Simple chef de corps, je n'ai à m'occuper que des troupes sous mes ordres. Elles ne peuvent plus rien; elles ont fait tout ce qu'humainement on pouvait exiger d'elles. On vient de m'annoncer le retour de l'Empereur par la route de Fontainebleau; je vais me replier sur cette ville, et laisser, à qui doit le prendre, le soin d'une capitulation spéciale pour Paris.--Mais qui la proposera? qui la signera? répliqua-t-on tout d'une voix; le gouvernement, toutes les hautes autorités, nous ont abandonnés; il ne reste plus personne. Ce n'est pas le conseil municipal de Paris qui peut traiter directement avec l'empereur de Russie et le roi de Prusse; ces princes ne connaissent, pas même de nom, un seul de ces membres. Les maréchaux, après avoir défendu la ville, auraient-ils l'inhumanité de l'abandonner à toutes les exigences, à toute la colère du vainqueur? Puisqu'ils ont conclu l'armistice, que leur coûte-t-il de compléter la négociation? Joseph, d'ailleurs, ne leur a-t-il pas donné carte blanche?»

«Marmont résista longtemps. A la fin, entraîné par les supplications de tout ce qui l'entourait, par les prières d'une députation du corps municipal, qui vint le conjurer de s'entremettre, il consentit à prendre la responsabilité d'un acte que tous lui signalaient comme l'unique moyen de salut pour Paris. Deux aides de camp furent chargés de conclure en son nom. Les troupes commencèrent leur mouvement de retraite sur Fontainebleau. Ce furent les détachements les premiers partis que l'Empereur rencontra à Fromenteau.

«La capitulation de Paris étonna, indigna la France. Le peuple ne put comprendre comment Paris, capitale d'un grand empire, centre de toutes les ressources du gouvernement, avec une population de sept cent mille âmes, s'était rendue après une lutte de quelques heures. Les nations ont leur jour d'injustice: le gouvernement de la régente avait été inepte et lâche; l'Empereur imprévoyant et aveugle au delà de toute croyance; l'armée, sous Paris, s'était montrée héroïque; fait inouï! elle venait de tuer à l'ennemi plus de soldats qu'elle ne comptait de combattants; et ce furent les chefs de cette armée qu'on accusa. Les nations ont aussi leurs passions; la défaite, même la plus honorable, leur semble une honte qu'elles ne peuvent accepter; être trahies va mieux à leur orgueil; la capitulation, signée par les aides de camp du duc de Raguse, fut reprochée à ce maréchal comme un acte d'infâme trahison.--Joseph Bonaparte, Clarke, duc de Feltre, le général Hullin, voilà les seuls noms sur qui doit éternellement peser le fatal souvenir de la *première* capitulation de Paris. Le maréchal Marmont était encore un des plus nobles soldats de notre armée au 30 mars 1814.»

«A. DE VAULABELLE.»

CAMPAGNE DE 1814

Tome VI, p. 355.

ORDRE DE BATAILLE DE L'ARMÉE FRANÇAISE DEVANT PARIS, LE 30 MARS 1814, VERS SEPT HEURES DU MATIN (1)

Le roi JOSEPH, lieutenant de l'Empereur, commandant en chef
Le général de division, comte Maurice MATHIEU, chef d'état-major.
Le général de division, duc de FELTRE, ministre de la guerre.
Le général de division, comte ROLLIN, commandant les troupes de la première division militaire.

COMMANDEMENTS.	DÉSIGNATION DES CORPS D'ARMÉE.	GÉNÉRAUX DE DIVISION.	GÉNÉRAUX DE BRIGADE.	EMPLACEMENT DES TROUPES.	COMBATTANTS d'infanterie et d'artillerie	COMBATTANTS de cavalerie
AILE DROITE Aux ordres du maréchal duc de Raguse	Corps provisoire du général COMPANS	Chastel	Vincent	Déployée sur une ligne entre Charonne et Montreuil	»	1,600
	Premier corps de cavalerie	Merlin Bordesoule	Hébert et Fanseur-Latour Thibaut et Laville	Déployée en 2e ligne en arrière de la route de Montreuil.	»	850 893
	Sixième corps d'infanterie	Duc de Padoue	Lecomte	Occupant militairement Montreuil, et couvrant Bagnolet sur le plateau de Malassise	1,250	
		Ricard	Pelleport et Clavet	En réserve massée par bataillon en avant de la butte des Tourelles.	726	
		Lagrange	Fournier et Joubert	Déployées la première brigade à droite, la seconde à gauche du chemin de Belleville à Romainville.	1,395	
	Corps provisoire du général COMPANS	Compans	Chabert	En tirailleurs dans le taillis de Romainville.	2,220	
		Ledru des Essarts	Bougars	Partie déployée, partie massée sur la butte Beauregard.	1,600	
		Boyer de Rebeval	Guye	Partie déployée, partie massée en avant du village de Pré-Saint-Gervais	1,830	
AILE GAUCHE Aux ordres du maréchal duc de Trévise	Dépôts d'infanterie de la garde	Michel	Secrétant et Robert	La première brigade tiraillant en arrière de Pantin, la seconde devant Aubervilliers	4,000	
	Corps de la garde	Charpentier	Lagrange et Le Capitaine	En réserve massée au pied de la Butte-Chaumont.	1,500	
		Lahadie	Bourré	En réserve massée derrière Pantin, prête à soutenir l'attaque de la brigade Secrétant.	1,820	
		Christiani	Gros	En réserve massée entre La Villette et La Chapelle, prête à soutenir la brigade Robert.	1,690	
	Corps de cavalerie du général Belliard	Roussel d'Hurbal	Rigaud et Spaury Grigny, Christophe et Leclerc	Déployées sur une ligne en avant des retranchements de 1792, entre la route de Saint-Denis et l'avenue de la Porte Maillot.	»	1,000
	Dépôts de cavalerie de la garde	Dautancourt	Dautencourt	Déployée à l'extrême gauche, s'appuyant à l'avenue du château de Saint-Ouen.	»	300
COMMANDEMENT Du maréchal duc de Conegliano	Garde parisienne	Détachements de toutes les légions		De l'extrême droite à l'extrême gauche, sur les buttes Fontarabie, de Chaumont, de Montmartre, des Batignolles, de Monceaux et de l'Étoile, en tirailleurs dans les jardins de Bercy, Ménilmontant, de Caronne, de Belleville, et dans la plaine de Clichy. (*)	6,000	
	Artillerie de la garde parisienne	Bataillons des Invalides et de l'École Polytechnique	Evain et Coubert	Sur toutes les parties de l'enceinte	780	
	Artillerie de ligne	Canonniers de marine	Servant les batteries du Rouvray, du Pré-Saint-Gervais et de la butte de Fontarabie		210	
					24,981	5,583
				Total	30,546	

(*) Gardes nationaux qui ont disparu au moment du combat. (Note du duc de Raguse.)

NON COMPRIS

LES GARNISONS DE	Saint-Maur . . .	300 hommes	formée de cadres d'infanterie de ligne.
	Charenton . . .	470	formée d'une compagnie de vétérans et du bataillon des élèves de l'École d'Alfort.
	Vincennes . . .	400	formée d'un bataillon de jeune garde et d'une compagnie de vétérans.
	Saint-Denis . . .	570	formée d'un bataillon de jeune garde et de deux cadres de bataillons d'infanterie de ligne.
	Neuilly	230	formée d'un cadre de bataillon d'infanterie de ligne et d'une compagnie de vétérans.
	Total	1,970 hommes.	

(1) Il est inutile de faire remarquer que ce tableau [illegible]

[Note du transcripteur: ce tableau contient les renvois 18et 19 aux notes ci-dessous.]

Note 18: (retour) Gardes nationaux qui ont disparu au moment du combat. (*Note du duc de Raguse.*)

Note 19: (retour) Il est inutile de faire remarquer que ce tableau dressé à la place de Paris, présente un effectif exagéré, comme l'est toujours un effectif formé sur pièces dans les bureaux. En règle générale, il faut toujours retrancher, sur les effectifs de cette espèce, un cinquième au moins, cinquième qui représente les malade, les traînants, les absents, en un mot, pour quelque motif que ce soit. Il suffit d'examiner avec un peu d'attention ce tableau pour voir combien il est loin de représenter le nombre des combattants véritables. Par exemple les 6000 gardes nationaux; (y en avait-ils 6000?) étaient aux barrières. On compte les hommes qui étaient où on ne se battait pas, les hommes employés à la place, etc... (*Note de l'Éditeur.*)

NOTICE SUR LE GÉNÉRAL KLÉBER [20]

Note 20: (retour) Le duc de Raguse a rédigé ces trois notices en exprimant l'intention formelle de les joindre à ses *Mémoires*. Nous devons dire pourquoi nous les insérons ici, au lieu de les rejeter à la fin de l'ouvrage, où est la place ordinaire des morceaux détachés de ce genre. D'abord elles se rapportent, en grande partie, à la portion des *Mémoires* que l'on vient de lire; mais, ce qui nous a principalement déterminé, c'est qu'ils complètent ce volume. Nous avons préféré ne pas suivre l'usage et conserver, pour le volume prochain, l'histoire complète de la Restauration, histoire très-intéressante, qui forme un tout bien lié, qu'il serait difficile et fâcheux de scinder. C'est donc surtout en vue de l'attrait que cette lecture peut présenter que nous avons agi en cette circonstance. (*Note de l'Éditeur.*)

J'ai connu les hommes les plus marquants de mon époque: j'ai vécu dans la familiarité d'un grand nombre d'entre eux. Ma vie, longue et agitée, m'a mis en rapport avec presque tous les individus dont les noms passeront à la postérité; et, après Napoléon, aucun homme n'a laissé en moi de plus profonds souvenirs que le général Kléber. Bien jeune encore quand je l'ai connu, peut-être l'ai-je jugé avec cet enthousiasme propre au premier âge; mais déjà cependant j'avais assez vu le monde pour pouvoir comparer, et peut-être aussi la nature m'a-t-elle donné quelque instinct pour apprécier les hommes: je pourrais en assigner la preuve par la manière dont j'ai deviné l'immense carrière du général Bonaparte, et cela, au moment où, général de brigade obscur, il était encore inconnu au monde.

Kléber est né à Strasbourg, en 1754, d'une famille bourgeoise. Destiné au métier d'architecte et élevé pour en suivre la carrière, des circonstances particulières lui donnèrent le moyen d'entrer à vingt-trois ans au service de l'Autriche, comme officier, dans le régiment de Kaunitz. Après sept ans, il le quitta pour revenir en France, où il reprit sa première profession. La Révolution ayant réveillé chez lui son instinct belliqueux, il entra, comme grenadier, dans un bataillon de volontaires du Haut-Rhin, où bientôt il devint adjudant-major. Renfermé dans Mayence, il se distingua à la défense de cette place, et fut nommé adjudant général. Envoyé avec cette garnison dans la Vendée, et promu bientôt au grade de général de brigade, destitué et remis peu après en activité de service et devenu général de division, il combattit en cette qualité à Fleurus, et eut ensuite sous ses ordres une aile de l'armée de Sambre-et-Meuse, commandée par le général Jourdan. Resté sans activité en 1797, il demanda au général Bonaparte de le suivre dans l'expédition d'Égypte, et en fit partie comme général de division. Blessé à l'attaque d'Alexandrie, il resta dans cette place pour y commander. Guéri, il revint à la tête de sa division, et fit l'expédition de Syrie. Le général Bonaparte, en partant pour la France, lui laissa le commandement de l'armée. Kléber, opposé au système de colonisation, conclut, peu après, une convention pour l'évacuation de l'Égypte; mais, après avoir commencé l'exécution du traité, informé de la mauvaise foi du gouvernement anglais, il se détermina à attaquer immédiatement l'armée turque, sur laquelle il remporta, avec dix mille hommes, la victoire mémorable d'Héliopolis. Après ce succès immortel, et au moment où il s'occupait à fonder un établissement durable, un fanatique l'assassina et enleva à l'armée un chef qui lui assurait à jamais la conservation de cette riche contrée, si précieuse pour la France, et dont la possession l'eût dédommagée amplement de la perte de toutes ses colonies.

Le général Kléber, d'une haute stature, d'une figure martiale, d'une bravoure brillante, donnait l'idée du dieu de la guerre. Son instruction était étendue, son esprit vif et mâle. Un accent alsacien très-marqué, des phrases souvent imprégnées de germanismes, donnaient à son langage une énergie particulière. Sa personne portait avec elle une grande autorité, et son regard imposait. Bon et agréable dans ses rapports, les troupes l'aimaient; ceux qui vivaient dans son intimité le chérissaient. Cependant, comme rien n'est parfait sur la terre, avec un caractère élevé et prononcé, il ressentait quelquefois de petites passions qui obscurcissaient ses hautes qualités. La manière dont Bonaparte avait paru et figuré à son début sur la scène du monde l'avait rempli d'admiration, et cependant, à peine placé sous ses ordres et en rapports directs avec lui, les faiblesses de l'homme reprirent leur empire, et son entourage, ne négligea rien pour refroidir et rendre bientôt ennemis deux hommes qui étaient faits pour s'entendre et s'apprécier. Du nombre de ceux qui exerçaient une influence fâcheuse sur l'esprit de Kléber, je dois mettre en première ligne Auguste Damas, un de ses aides de camp, jeune homme charmant et officier brillant, mais qui faisait un mauvais usage de son crédit sur l'esprit de son général.

Kléber réunissait chez lui deux dispositions contraires dans son esprit, chose dont on a vu plus d'une fois l'exemple chez les gens de guerre. Il ne savait pas obéir et ne voulait pas commander. Quand le commandement lui fut imposé, il l'exerça à merveille; mais, si on le lui eût offert, il l'aurait refusé opiniâtrement. Il contribua puissamment aux succès de l'armée de Sambre-et-Meuse, et fut en même temps le fléau du général Jourdan, dont il estimait peu les talents et le caractère, et qu'il tournait souvent en ridicule. Après le départ de Bonaparte, il se déclara hautement son ennemi, il critiqua amèrement ses opérations et rallia à lui tous les individus qui désiraient voir évacuer l'Égypte. L'armée se divisa en deux partis, l'un favorable, l'autre contraire à la colonisation. Les troupes qui avaient servi en Italie composaient le premier; à sa tête se plaça le général Menou, et c'est à cette seule circonstance que cet officier a dû cette protection inouïe et si peu méritée dont Napoléon ne se lassa jamais de le couvrir; Kléber adopta toutes les passions du parti opposé; mais, quand l'honneur de l'armée lui commanda de changer de conduite, il n'hésita pas à se montrer homme supérieur et grand général. Jamais ordre du jour ne fut plus éloquent que celui qu'il donna à son armée; jamais proclamation n'exalta plus vivement les sentiments des soldats. Après avoir publié textuellement la lettre de l'amiral Keit, annonçant son refus de reconnaître le traité d'El-Arich, et sa résolution de retenir prisonnière l'armée française, il ajoutait: «Soldats, on ne répond à de telles insolences que par des victoires. Préparez-vous à combattre.» On sait ce qui advint de cette résolution généreuse. La conservation de l'Égypte, s'il eût vécu, en eût été le résultat définitif.

Le langage du général Kléber, souvent ordinaire, ne manquait cependant pas d'une certaine élévation; ses images, prises presque toujours en bas lieu, avaient quelque chose de pittoresque et d'énergique, et beaucoup de mots de lui ont fait fortune dans l'armée. Lors du passage du Rhin en 1793, près de Dusseldorf, Kléber commandait le corps d'armée opérant le premier. Le retard de quelques heures dans l'arrivée des bateaux sembla avoir fait perdre la tête au général Jourdan. Le passage, exécuté de nuit, devait avoir lieu de très-bonne heure; mais, les bateaux n'ayant été disponibles qu'à dix heures, et la lune étant levée, l'opération pouvait être vue par les ennemis, et, comme tous les hommes faibles, Jourdan voulut remettre au lendemain son entreprise, ne voyant pas que le retard mettrait plus de chances contre le succès que la lumière incertaine de l'astre dont il redoutait la présence. Au moment où Kléber s'embarquait avec ses troupes pour opérer, un aide de camp arriva pour lui dire de suspendre le passage. Kléber prit un ton solennel pour répondre à l'aide de camp, et lui adressa ces paroles: «Dites au général en chef que je ch... sur la lune, je fais une éclipse, je passe, et demain je serai à Dusseldorf.» Je ne sais pas si l'éclipse fut faite, mais il est certain que le lendemain il était maître de Dusseldorf. On juge le succès qu'eut un pareil discours dans la circonstance et avec un semblable résultat.

Kléber, en Égypte, s'était promptement mis en opposition contre toutes les niaiseries de cette nuée de prétendus savants qui avaient accompagné l'armée. Ces pauvres gens étaient antipathiques aux soldats, qui les accusaient d'être cause de l'expédition. Aussi se plaisaient-ils à leur signifier qu'ils n'étaient que des ânes, mais cela d'une manière indirecte, en décorant les ânes, si communs en Égypte, du nom de savants. Kléber eut un jour l'occasion de les tourner en ridicule d'une manière sanglante. A Dieu ne plaise que je puisse confondre dans cette tourbe quelques-uns des hommes illustres qui avaient suivi l'expédition, tels que Monge, Berthollet, Dolomieu, etc.! Mais il est certain que ce peuple de savants était fort peu digne de pareils chefs et que les soldats étaient fort excusables de se moquer d'eux. Dolomieu, Monge, Berthollet, etc., étaient à dîner chez le général Kléber à Gizéh, avec une trentaine de convives. Dolomieu avait de la niaiserie dans l'esprit, dans la tournure et dans le langage: d'une taille de six pieds deux pouces, élancé comme un palmier et bègue, sa vue disposait toujours à rire. Quelqu'un ayant dit que, si ou eût trouvé cent millions en arrivant en Égypte, on aurait pu faire de très-belles choses, Dolomieu s'empara vivement de cette idée, et exprima d'une manière particulière ses regrets. Kléber alors lui ayant dit: «Mon cher Dolomieu, quel emploi auriez-vous fait de ce trésor?» celui-ci répondit en bégayant: «D'abord, j'aurais donné trente millions à l'Institut pour faire des fouilles, ensuite une pareille somme pour bâtir une ville à la pointe du Delta, enfin, le reste au gouvernement pour le couvrir des frais de l'expédition, chose juste et convenable.--Nous différons, mon cher Dolomieu, dans notre manière de voir,» lui dit alors Kléber avec autorité, «si j'avais eu mission de répartir cette somme, j'aurais donné cinquante millions à l'armée, et puis cinquante millions à l'armée, des coups de bâton au Directoire, et du foin à l'Institut.»

Cette histoire, dont le général Bonaparte rit beau-coup, fit le bonheur de l'armée.

J'ai raconté ailleurs d'autres mots du général Kléber, je pourrais en citer encore, mais j'en ai dit assez pour faire connaître la nature de son esprit. Homme remarquable sous tous les rapports, sa mort prématurée a été un grand malheur pour la France, et la cause de nos désastres en Égypte.

NOTICE SUR LE PRINCE SCHWARZENBERG

J'ai eu plusieurs fois, dans le cours de mes *Mémoires*, l'occasion de prononcer le nom du prince Charles de Schwarzenberg; mais je n'en ai point dit assez pour le faire connaître, et c'est ce que je veux faire ici.

Le rôle important qu'il a joué à la tête de la croisade qui s'est formée contre nous prouve que c'était un homme d'un rare mérite. Le noble et heureux caractère dont il était doué était merveilleusement adapté à la position élevée qui lui avait été confiée. Il fallait ses belles et nobles qualités pour amener à bien la tâche difficile qui lui était imposée. Ces mêmes qualités, au reste, lui ont valu l'estime et rattachement de tous ceux qui l'ont connu.

Il était issu d'une ancienne et illustre famille de l'Empire, appartenant à la noblesse immédiate, depuis plusieurs siècles établie en Autriche, où elle possède de grands biens. A l'exemple de ses ancêtres, il entra de bonne heure au service militaire. Le prince Charles était né en 1771; aussi avait-il fait les campagnes de 1788 et 1789 contre les Turcs. Il avait également servi avec distinction dans les guerres contre la France. Dès 1796, à vingt-cinq ans, il était déjà officier général, chose rare partout, et plus rare en Autriche qu'ailleurs. Il se trouva à la catastrophe d'Ulm, où, par ses dispositions et sa présence d'esprit, il sauva la plus grande partie de la cavalerie autrichienne. Son esprit aimable et sa séduction personnelle le firent choisir, pendant la paix, pour remplir les fonctions d'ambassadeur à Saint-Pétersbourg. La guerre l'ayant rappelé à l'armée, il combattit avec gloire à Wagram, en 1809.

Après le mariage de Napoléon avec Marie-Louise, le prince de Schwarzenberg devint ambassadeur en France et sut plaire universellement à Paris. La catastrophe qui accompagna les fêtes du mariage de Napoléon, et dont sa maison fut le théâtre, devint comme le pronostic funeste des malheurs dont la nouvelle dynastie serait frappée.

Au moment où la guerre de Russie éclata, il fut choisi pour commander le corps auxiliaire que l'Autriche réunit à l'armée française. Comme Napoléon l'estimait et l'aimait, comme il voulait lui donner une existence égale à celle des maréchaux français, il demanda pour lui à l'empereur François la dignité de feld-maréchal, qui lui fut accordée. Ainsi ce fut à Napoléon qu'il dut sa promotion. Singulière destinée de celui-ci! Principe de tant de grandeurs nouvelles, créateur, soutien et protecteur de tant de dynasties qui, par sa toute-puissance, prirent rang parmi les rois, quand ses nombreuses fautes eurent compromis ses destinées, il succomba écrasé par les efforts de ceux qu'il avait grandis! Le lieutenant qu'il avait choisi en 1812 devint le chef suprême qui conduisit, en 1813 et 1814, les peuples qui avaient pris les armes pour le détruire.

Le prince de Schwarzenberg remplit sa tâche avec talent en 1812. Abandonné à lui-même par Napoléon, habituellement sans ordres de lui, il manoeuvra dans le but d'être le plus utile à l'armée française. Des critiques injustes ont obscurci les services qu'il rendit à cette époque. L'esprit de parti a fait taire la vérité. On l'a accusé d'avoir agi avec faiblesse et trop de circonspection; mais ceux qui ont étudié les faits doivent le laver de cette accusation. Le prince de Schwarzenberg a manoeuvré avec habileté et talent. Il ne pouvait pas raisonnablement faire plus qu'il n'a fait. Il est vrai qu'il ne s'est pas perdu à plaisir au moment où l'armée française a présenté le spectacle d'une immense catastrophe, dont on ne trouve d'exemple que dans l'antiquité.

La position de l'Autriche ayant changé, de nouveaux devoirs le mirent dans le cas de combattre ses anciens alliés. La considération dont jouissait son talent, le cas qu'on faisait d'un caractère noble, désintéressé, conciliant, et la nécessité de flatter l'amour-propre de l'Autriche, dont le poids devait tout décider, firent choisir unanimement le prince de Schwarzenberg pour chef suprême.

Jamais mission plus difficile et plus pénible ne fut donnée à un général d'armée. Commander les troupes de tant de nations différentes, et mettre en harmonie des intérêts quelquefois si opposés; commander au milieu de souverains, environné de leurs états-majors et de leur cour; neutraliser les rivalités funestes et les mauvaises passions: faire une abnégation constante de toute vanité personnelle; accorder souvent une gloire peu méritée pour ne pas déplaire, sans cependant décourager ceux à qui elle appartenait véritablement; ne voir qu'un but marqué dans l'alliance, et se sacrifier sans cesse aux intérêts de l'harmonie et de l'union, tel est le rôle auquel le prince de Schwarzenberg s'est dévoué, et qu'une âme d'une pureté extraordinaire lui a donné le moyen de remplir. Il avait, il est vrai, un puissant appui pour le succès de ses opérations dans la haine universelle qu'inspirait Napoléon.

Je ne fais ici aucune critique des deux campagnes des alliés en 1813 et 1814. Les fautes commises ne peuvent être reprochées à un général peu maître de ses mouvements, auquel on désobéissait souvent, et que mille considérations retenaient sans cesse.

Le prince de Schwarzenberg avait des talents militaires distingués, et doit être placé au nombre des meilleurs généraux de son temps.

On assure que, dans la sécurité de la paix, on a oublié les grands services qu'il avait rendus, et que seul il pouvait rendre. En effet, son influence a été détruite par des médiocrités intrigantes. En cela il a eu un sort commun à beaucoup d'hommes capables et vertueux dont l'histoire a conservé les noms. Une mort prématurée à quarante-neuf ans l'a empêché de jouir, de son vivant, de la position qui lui était due, et que le temps aurait amenée quand les intérêts personnels et les rivalités n'y auraient plus mis d'obstacles.

NOTICE SUR LE PRINCE DE METTERNICH

Le prince de Metternich, dont la longue carrière politique a exercé pendant beaucoup d'années et exerce encore une grande influence sur les événements de l'Europe, sera l'objet légitime de la curiosité de la postérité. Ceux qui, comme moi, l'ont beaucoup fréquenté doivent chercher à le faire connaître.

Le prince de Metternich est né à Coblentz, en 1773. Sa famille appartenait à la noblesse immédiate de l'empire. Elle a eu la gloire de fournir plusieurs électeurs de Trèves et de Mayence. A l'exemple de son père, Metternich s'attacha de bonne heure au service de l'Autriche. Un avancement rapide le porta au poste de ministre de l'empereur à Berlin, qu'il occupait en 1805.

M. de Metternich est un homme d'un esprit étendu et cultivé. Il possède des connaissances multipliées. Sans être un savant, il n'est probablement pas d'homme du monde, livré aux affaires et aux plaisirs, qui ait fait des études aussi variées, et soit au même degré au courant des découvertes et de la marche des sciences et des arts, au moins dans leurs résultats et leur application.

Une tournure élégante dans sa jeunesse, une politesse facile, ont fait de lui le type du véritable grand seigneur. Son caractère égal et bienveillant rend agréables les rapports avec lui. Le prince de Metternich est prodigue de promesses, mais difficilement il les tient et s'occupe de leur exécution. La moindre considération l'arrête; le plus léger obstacle l'intimide. Jamais il n'aborde de front une difficulté; toujours il cherche à la tourner, et, si l'oubli de la vérité dans son langage est un auxiliaire utile, il n'hésite pas à en faire usage, et cela avec un aplomb imperturbable.

Cependant dans les choses essentielles, et en pesant bien la nature de ses expressions, ses paroles méritent confiance; dans les choses de peu d'importance, on doit attribuer la cause d'une moindre franchise au besoin de déguiser son impuissance et ses moyens de crédit dans les affaires de gouvernement intérieur: chose plus vraie qu'on ne croit généralement. Sous le règne de l'empereur François, et plus encore sous la règne actuel, son pouvoir réel s'est toujours borné aux affaires de son département. Sur ce terrain il est maître absolu; mais à ces limites finit sa puissance; en sorte que celui qui petit entraîner l'État dans une guerre qui consommerait des milliers d'hommes et des centaines de millions est tout à fait étranger aux mesures qui doivent servir d'appui au développement de ses forces et au régime intérieur de la société.

L'Autriche est aujourd'hui une oligarchie où chaque département administratif se gouverne isolément. Tout s'y passe d'une manière légale; tout y est régulier et conduit d'une manière paternelle; mais chaque pouvoir y marche pour son compte, et il n'y a pas de centre d'action véritable. Les moeurs de la famille impériale, et un grand esprit de justice généralement répandu dans les dépositaires du pouvoir, conduisent le pays. C'est un état de choses supportable dans le repos; mais c'est une cause de faiblesse et un grand danger au moment de l'agitation. Rien n'est plus propre à produire de grandes catastrophes.

Ce qui distingue particulièrement le prince de Metternich, le trait caractéristique de son esprit, c'est la raison. Il semble sans passion; il entend tout avec calme, et se met à la place de chacun. Gâté par les habitudes d'une position très-élevée et des conséquences qui en résultent, la contradiction lui est désagréable, et rarement il se livre à la discussion avec ceux dont les opinions sont opposées à la sienne, il est habituellement d'accord avec lui-même, et j'ai pu en acquérir la preuve dans les nombreuses conversations que pendant tant d'années j'ai eues avec lui. Alors je l'ai vu presque toujours se conduire comme d'avance il avait annoncé vouloir le faire dans une circonstance donnée et prévue. Je l'ai vu également vouloir toujours des choses raisonnables, et s'occuper de bonne heure à préparer les moyens nécessaires pour atteindre le but qu'il s'était proposé. Chef d'un cabinet dont le système et l'esprit, d'accord avec la position géographique de la puissance qu'il représente, doit avant tout être modéré, conservateur, il a pris d'autant plus facilement ces moeurs, qu'elles sont dans sa propre nature.

On accusé le prince de Metternich d'avoir beaucoup d'amour-propre, d'être infatué de son génie et d'être très-sensible à la flatterie; mais quel est l'homme capable qui ignore sa valeur et n'est pas même disposé à l'exagérer? Comment résister au plaisir d'écouter le doux concert de louanges dont le pouvoir et le succès sont toujours l'objet? Chez lui les souffrances que la contradiction et le blâme lui font éprouver ne se montrent pas par l'irritation, mais par une sorte de dédain et un silence qui lui donne à ses propres yeux un succès facile; il s'abandonne souvent aussi à l'illusion d'avoir tout prévu, même lorsque ses pronostics sont en défaut.

Comme beaucoup d'hommes, il a une grande propension à croire ce qu'il désire. Il a aussi la singulière prétention d'être né avec le génie militaire, et, chose surprenante, c'est que le prince de Metternich, après avoir vécu dans un temps de guerre si long, dans l'intimité des généraux les plus distingués de son époque, et suivi les armées, n'a pas compris un mot de la partie morale de la guerre. Un homme doué des facultés qu'il possède aurait dû la deviner sur-le-champ, et être frappé des mystères qui l'accompagnent.

Il se trompe sur lui-même comme il arrive à tant de gens distingués. Éminemment homme de concession, il ne parle que principes et emploi de la force. Homme de conciliation, il tourne en ridicule le *juste milieu* quand la conduite de toute sa vie en est l'apologie, ce dont assurément on ne peut le blâmer, car il n'y a pas de système invariable dans les affaires. Les choses étant plus fortes que les hommes, l'homme habile modifie sa marche quand les circonstances en indiquent la nécessité, afin de ne pas se briser contre leur puissance irrésistible.

La monarchie autrichienne s'est bien trouvée de la conduite qu'il a tenue après les malheurs qui l'avaient écrasée; car la modération et la fermeté de cette conduite l'ont replacée au point d'où elle était descendue par suite d'une politique imprévoyante et des malheurs de la guerre. L'Europe s'en trouve bien également aujourd'hui; car le système conservateur adopté l'a préservée d'une guerre qui n'était pas indispensable, et des malheurs qui en auraient été la suite.

Malgré un esprit supérieur, le prince de Metternich a une simplicité et une bonhomie qui lui font trouver un véritable délassement dans des niaiseries, qui, d'abord plaisantes, devraient promptement lui paraître fastidieuses. Singulière bizarrerie qui lui est tout à fait particulière, il s'amuse à faire une collection de toutes sortes de bêtises, des choses ridicules écrites qu'il a pu rassembler. Il consacre quelquefois des heures entières à les montrer en détail et à en faire l'exposition.

Le prince de Metternich a été très-bien traité par les femmes. De nombreux succès ont rempli sa carrière galante. Sa première femme, la princesse Laure, née comtesse de Kaunitz, m'a dit quelle ne comprenait pas qu'une femme put lui résister. Il s'est marié trois fois. Sa première femme, celle que je viens de nommer, était petite-fille du célèbre ministre tout-puissant sous Marie-Thérèse et Joseph. Elle avait beaucoup d'esprit. Devenu veuf, une véritable passion le détermina à donner sa main à une personne charmante, mademoiselle Antoinette Leicham, d'une famille obscure, et que l'aristocratie autrichienne repoussait à cause de cela. Cette dame mourut en couches à son premier enfant. Metternich prit alors une troisième femme, mademoiselle Mélanie Zichy; c'est celle que j'ai le plus connue. Quoique bien née, sa famille n'est pas ancienne. Charmante de figure, et de moeurs très-pures, son caractère passionné a eu de grands inconvénients pour son mari, pour ceux avec lesquels elle vit et pour elle-même. Cependant on ne peut révoquer en doute quelle ait de la bonté et possède de grandes qualités de coeur. En dernière analyse, le prince de Metternich, comme homme privé, a toutes les qualités qui rendent sa société sûre, commode et douce; et, comme homme politique, il justifie en grande partie, malgré quelques fautes graves que la postérité lui reprochera, la réputation d'habileté que ses longs succès lui ont donnée.

Après avoir essayé de faire le portrait du prince de Metternich, peut-être est-il à propos de jeter un coup d'oeil rapide sur l'histoire de sa vie et sur les actions principales auxquelles il a attaché son nom.

Sa carrière embrasse quatre époques principales: la première commence à son entrée au service, et se termine avec son ambassade à Paris.

La deuxième commence à sa nomination de chef du cabinet et remplit tout le temps de l'Empire.

La troisième comprend la Restauration jusqu'à la Révolution de juillet.

La quatrième se compose des temps qui ont suivi et qui durent encore.

La première période ne présente d'abord aucun intérêt politique. Occupant alors des postes secondaires, le prince de Metternich a été étranger aux grandes affaires. Son occupation principale fut alors de plaire et de se faire des amis. Il alimentait l'activité de son esprit par l'étude des sciences. Pendant le temps où il attendit à Vienne qu'un poste lui fût donné, il se livra à l'étude de la médecine, pour laquelle il a toujours un goût prononcé. Il suivit les hôpitaux de cette capitale et ne manqua jamais d'assister aux opérations de quelque importance. Il en est résulté qu'il est particulièrement instruit dans cette partie, et l'opinion que je crois être autorisé à concevoir de ses connaissances me fait penser que souvent un malade confié à un médecin de profession est moins en sûreté qu'il ne le serait entre ses mains.

Le prince de Metternich fut fort à la mode dans sa jeunesse. D'une tournure distinguée et élégante, il fut très-bien traité par le beau sexe et eut beaucoup de louangeurs. Le mariage qu'il contracta avec une petite-fille du célèbre ministre, prince de Kaunitz, ajouta puissamment à ses moyens d'avancement et de fortune.

Une circonstance fortuite, insignifiante en elle-même, le fit sortir de pair et le plaça sur le plus grand théâtre de l'époque. L'ambassade de Paris lui fut donnée. C'est de sa bouche même que j'ai entendu le récit des événements qui motivèrent le choix dont il fut l'objet.

A l'époque de la guerre de 1805, le prince, alors comte de Metternich, était ministre à Berlin. Il était fort aimé de tous ses collègues; il vivait, entre autres, en bonne harmonie avec le ministre de France, M. de Laforest, vieil employé des affaires étrangères, assez peu spirituel, mais galant homme. La guerre déclarée et les armées en mouvement, leurs relations durent cesser; mais le comte de Metternich, très-éloigné de la moindre pédanterie et de toute exagération, dit à M. de Laforest qu'il était dans leurs intérêts réciproques de se communiquer les nouvelles que chacun d'eux recevrait. Les événements militaires devaient décider toutes les questions politiques, et ils étaient également intéressés à les connaître promptement. Peut-être sa curiosité aurait-elle été moins impatiente s'il eût pu pressentir les résultats de cette campagne. Toutefois les grandes nouvelles arrivèrent. Il fit contre mauvaise fortune bon coeur, accepta sans murmurer les terribles communications que M. de Laforest fut dans le cas de lui faire, et ce dernier en instruisit Napoléon, en se louant beaucoup de lui.

La paix faite, l'Autriche dut choisir un ambassadeur pour résider à Paris. Avant la guerre, ce poste était occupé par le comte Philippe de Cobentzel, très-digne homme sans doute, mais type véritable de la bureaucratie autrichienne, il était formaliste et méticuleux; il déplaisait souverainement à Napoléon. Celui-ci s'en expliqua avec l'empereur François dans l'entrevue qu'il eut avec lui; il l'engagea à lui envoyer un jeune homme qui put le comprendre: il lui nomma Metternich comme en ayant entendu parler avec éloge, et Metternich fut nommé ambassadeur à Paris. Il plut à Napoléon, s'insinua dans sa confiance et son amitié. Les circonstances déterminèrent plus tard, en 1809, l'empereur François à lui confier la direction de la politique de la monarchie autrichienne, au moment où une série de fautes avait ouvert l'abîme qui semblait devoir l'engloutir. On crut à Vienne, non sans raison, que lui seul était en position de le fermer et d'amener des jours meilleurs. On sait qu'il a dépassé les espérances, et on connaît avec quelle habileté il a prévu tes événements et profité des folies de Napoléon. Il est à remarquer que Metternich, qui a contribué si puissamment à la chute de Napoléon par l'ensemble qu'il a su mettre dans les efforts dirigés contre lui, a dû particulièrement à Napoléon lui-même la place redoutable qu'il a occupée et dont il a tiré un si grand parti.

La paix de Vienne étant conclue, le prince de Metternich fut donc appelé à la direction des affaires. C'est à ce moment seulement que l'on peut placer le commencement de la deuxième époque de sa carrière politique.

La guerre de 1800 avait été conçue avec discernement. Le moment pour attaquer Napoléon était opportun. L'Autriche avait de grandes chances de succès, et jamais les positions respectives ne lui avaient offert et semblé promettre un plus bel avenir. Presque toute la vieille armée française était en Espagne, où elle s'épuisait en vains efforts, au milieu des souffrances de toute espèce que déguisaient des succès éphémères. Trouvant une nation sous les armes, mais sans chef pour traiter de ses intérêts, aucune négociation n'était possible. Cette puissance d'opinion que donne la victoire n'amenait elle-même aucun résultat. Ne pouvant s'exercer sur un souverain qui représente toute une nation, elle s'évanouissait bientôt et laissait constamment l'armée en présence des difficultés matérielles de chaque jour et des réalités d'une situation impossible. Maîtresse partout où elle se trouvait, elle perdait son pouvoir dans le lieu qu'elle quittait, parce qu'aucune action morale ne venait à son secours. Dès 1809, on pouvait calculer de quelle série de maux la France était menacée.

D'un autre côté, les calamités de l'Allemagne et ses humiliations avaient éveillé chez ses peuples un désir ardent de vengeance. Jamais le sentiment de la patrie allemande ne s'était développé avec plus d'énergie, et l'armée autrichienne, en prenant les armes, avait montré un enthousiasme qu'on ne lui avait jamais connu.

Des circonstances très-favorables, des moyens relatifs puissants, n'amenèrent cependant aucun résultat, aucun des succès sur lesquels on avait droit de compter. De mauvaises combinaisons militaires amenèrent des revers. La fortune vint inutilement en aide à l'armée autrichienne. L'armée français, après Essling, pouvait et devait périr; mais le général autrichien, au milieu de l'étonnement que lui causait sa victoire, manqua à sa destinée, à la fortune de son pays, et bientôt Wagram replaça Napoléon dans l'opinion à une plus grande hauteur que celle dont il avait paru devoir descendre.

Au moral, comme en mécanique, l'action est égale à la réaction. On avait cru pouvoir briser le joug de Napoléon; mais le joug devint plus lourd encore. Napoléon vainqueur devint un maître. Les peuples, lassés de voir leurs généreux efforts constamment inutiles, s'associèrent sincèrement à la soumission de leur monarque.

C'est donc sous ces auspices que le prince de Metternich devint l'arbitre des destinées de l'Autriche. Une paix très-désavantageuse venait d'être signée sans son concours, et, quoique conclue au moment même où il entrait aux affaires, il n'en a jamais accepté la responsabilité. Bien loin de là, il a protesté dans toutes les occasions. Elle fut en effet condamnable par sa précipitation. Elle fut en quelque sorte imposée à un souverain par la volonté très-suspecte d'un de ses sujets.

Metternich était à..., attendant l'ouverture des négociations, quand Napoléon eut l'idée de faire mettre toute cette affaire entre les mains d'un homme borné, vaniteux, et que ses cajoleries lui soumettraient. Il écrivit à l'empereur François pour lui demander de lui envoyer le prince Jean Lichtenstein, avec lequel, dit-il, il lui serait facile de s'entendre. L'empereur François, par déférence, prescrivit au prince Jean de se rendre à Vienne pour écouter les propositions de Napoléon et lui en rendre compte. Au lieu de se borner à un rôle si facile, n'ayant de pouvoirs d'aucune espèce, le prince Jean consentit à signer des préliminaires de paix. Napoléon lui avait promis, il est vrai, de tenir la chose secrète; mais ce n'était pas le compte de celui-ci, qui voulait exploiter la position habile qu'il avait prise et appeler l'opinion à son aide; aussi n'eut-il rien de plus pressé que de proclamer la paix en faisant tirer cent coups de canon. C'était un moyen de forcer l'empereur à ratifier le traité, par respect pour l'opinion, qui, de belliqueuse qu'elle avait été trois mois auparavant, était devenue très-pacifique. Il eut fallu, pour justifier un refus, faire tomber la tête du mandataire infidèle et que François développât un caractère supérieur à celui dont il était doué. Il se soumit et accepta en définitive un traité dont la nécessité n'était pas suffisamment démontrée. La soumission, les complaisances et la séduction devaient donc être dès lors, pour l'avenir, les armes de l'Autriche. Ce fut ce système qu'adopta Metternich, et il faut convenir qu'il l'a suivi avec habileté. Mettant de côté l'orgueil des Césars, une union de famille avec Napoléon lui parut nécessaire. C'était un refuge où la monarchie autrichienne pouvait respirer.

Depuis la mort du fils aîné de Louis Bonaparte, que diverses circonstances avaient amené Napoléon à regarder comme son successeur, on ne doutait pas qu'un divorce et un nouveau mariage ne fussent dans les projets de l'Empereur. Le comte Louis de Narbonne, resté à Vienne pour l'exécution du traité de paix, fut mis sur la voie d'une alliance, et avec tant d'adresse, qu'il crut en avoir eu la première idée. Ce projet fut transmis à Paris, où il fut accueilli avec complaisance par Napoléon, dont l'orgueil fut flatté, et ou arriva assez vite à une conclusion. Metternich, au surplus, trouva dans l'empereur François une disposition plus favorable qu'on n'aurait pu le supposer; car précédemment, et dès 1807, il s'était familiarisé avec quelque chose d'analogue. Le fait est assez extraordinaire pour être consigné ici; il m'a été raconté par le fils même de la personne avec laquelle l'Empereur s'était expliqué.

Lors de la dernière maladie de l'impératrice Marie-Thérèse, que l'empereur François aimait très-tendrement, causant intimement avec le comte Tdouel, ministre des finances, dans lequel il avait une grande confiance, il lui dit ces paroles les larmes aux yeux: «Et si j'ai le malheur de la perdre, je devrai me remarier très-promptement, car, sans cela, ils me forceront à prendre une Française.» On comprend alors que l'envoi de sa fille en France, après les nouveaux malheurs de 1809, ne fut pour lui l'objet d'aucune difficulté.

L'opinion publique, au surplus, ratifia en Autriche cette résolution, qui ne fut blâmée que par un très-petit nombre de personnes étrangères aux affaires et de peu de poids comme jugement. En général, on espérait beaucoup de l'avenir qui se présentait. On avait raison sans doute, mais on n'avait pas deviné de quelle manière l'avenir se développerait. On ne prévoyait pas dans quels écarts insensés la confiance et l'orgueil de Napoléon devaient le précipiter.

Le mariage de l'archiduchesse Marie-Louise avec Napoléon amena le prince de Metternich à Paris. Il y résida assez longtemps. Il étudia la nouvelle cour et chercha à reconnaître quel effet avait produit sur l'esprit de l'Empereur son admission dans la famille des souverains de l'Europe. Entré dans son intimité, il conquit ses bonnes grâces et son affection. Il supposait que peut-être Napoléon, uni à une fille des Césars et ayant ainsi donné une nouvelle base à son trône, ne s'occuperait plus que de le consolider; mais bientôt il fut détrompé. Il reconnut que le caractère de Napoléon n'avait été modifié d'aucune manière; que l'avenir était gros de tempêtes, dont la violence et la force croîtraient avec la masse des éléments qui devaient les former, et il en sentit d'autant plus vivement la nécessité de tout faire pour se mettre à couvert contre leur action. Aussi toute sa politique consista à éviter que, sous aucun prétexte, la bonne intelligence entre l'Autriche et la France ne fût troublée. Sa complaisance s'étendit à tout. Une guerre avec la Russie étant projetée, Napoléon exigea de l'Autriche un traité d'alliance qui lui assurât le concours d'un corps auxiliaire mis à ses ordres; mais Metternich eut l'habileté d'en réduire beaucoup l'effectif, de manière à laisser intactes presque toutes les forces de son pays. Le choix du prince de Schwarzenberg pour commander le corps auxiliaire fut fait par Napoléon. Sur sa demande, il fut nommé feld-maréchal. Ces circonstances le portèrent, plus tard, à occuper le poste de généralissime de la croisade qui fut faite contre lui: singulière destinée de Napoléon, de créer lui-même les instruments qui devaient lui être les plus funestes!

Dans son séjour à Dresde, en 1812, Napoléon parut atteindre à une hauteur de position inconnue depuis l'antiquité. Là, véritable roi des rois, tous les souverains du continent, excepté celui qu'il allait combattre, vinrent lui rendre hommage, et l'empereur d'Autriche, comme les autres, se plaça modestement parmi les courtisans. Mais l'éclat de ce diadème si brillant allait se ternir et bientôt s'éteindre; bientôt aussi devaient finir la soumission et l'obéissance.

On connaît les résultats de la campagne de Russie. Une armée aussi nombreuse que celles de Darius et de Xerxès, pourvue de moyens immenses et bien organisée, fut engloutie faute de la prévoyance la plus vulgaire. Le feu de l'ennemi ne fut que l'auxiliaire de la misère qui la détruisit et des besoins de toute espèce qu'elle éprouva. Le manque de vivres et les désordres qui s'ensuivirent causèrent sa ruine pendant son offensive. A Moscou, l'effectif de l'armée ne présentait pas le sixième de ce qu'elle était moins de deux mois auparavant, et le reste devait disparaître par un redoublement de privations, éprouvé sur la même route, au milieu de l'hiver. Des sept cent mille hommes entrés en Russie, il ne devait pas revenir en Allemagne plus de vingt mille hommes.

On conçoit que, dans cet état de choses, la politique de l'Autriche avait dû changer, la force et la crainte l'avaient rendue esclave; la faiblesse l'affranchissait et lui rendait sa liberté. Plus le prince de Metternich s'était soumis, plus il devait être impatient de rendre l'indépendance à son pays et à son gouvernement. Il ne mit cependant aucune précipitation dans ses démarches, et il se posa, non pas comme ennemi, mais comme conciliateur et pacificateur.

Les succès de Lutzen et de Bautzen vinrent rendre aux armées françaises quelque chose de leur premier éclat. La France se montra de nouveau redoutable. Aussi l'Autriche accepta-t-elle franchement le rôle dont le but était de faciliter les arrangements équitables d'une paix durable; mais, le mauvais vouloir de Napoléon pour amener ce résultat une fois démontré d'une manière évidente, elle dut se joindre aux ennemis de Napoléon. C'était la seule politique raisonnable à suivre. Metternich l'adopta. Ceux qui lui en font un reproche parlent sans justice et sans raison. L'empereur d'Autriche était-il donc le vassal, l'homme lige de Napoléon? Les intérêts de sa conservation l'avaient rendu, malgré lui, son allié. Maintenant les intérêts de son affranchissement devaient le rendre son ennemi, puisque le rôle de conciliateur et de pacificateur lui avait été refusé. Metternich donna à sa politique la seule direction qu'en bon serviteur de l'Autriche il pouvait lui faire prendre.

La guerre éclata donc en 1813 avec l'Autriche. Maintenant les questions se décideront par les armes. De nouveaux revers nous accablent. Une armée de cinq cent mille hommes et de soixante-dix mille chevaux, créée comme pur enchantement, est encore détruite en peu de mois. L'Allemagne est évacuée, et à peine arrive-t-il sur nos frontières du Rhin quarante mille hommes en état de combattre échappés à ces désastres. Cependant une offre de paix à signer immédiatement, à des conditions honorables et encore avantageuses, est faite, et les propositions qu'elle renferme sont encore refusées par des réponses évasives. Enfin le Rhin est passé, la France est envahie, et, malgré d'héroïques efforts, Paris est pris; l'Empire croule aux applaudissements frénétiques des Parisiens et des habitants du midi de la France.

Le prince de Metternich, que les hasards de la guerre avaient éloigné, ainsi que l'empereur François, du théâtre des grands événements, ne put pas exercer une action directe sur la question de changement de dynastie et du retour de la maison de Bourbon; mais il s'associa sans hésiter aux résolutions prises en son absence. Depuis il m'a assuré qu'il aurait adopté les mêmes principes s'il se fût trouvé à Paris le 31 mars; car il ne voyait aucun élément de vie et de durée à la dynastie impériale après la chute de Napoléon.

Maintenant vient la troisième période de la carrière du prince de Metternich.

De très-grandes fautes ont été faites au début de la Restauration. Des principes opposés et contradictoires, mis en présence et réunis dans la même oeuvre (l'esprit d'émigration et les idées libérales), devaient se combattre et détruire l'ouvrage qu'on élevait. Un esprit élevé comme celui du prince de Metternich devait pressentir les conséquences d'un pareil système. S'il est équitable de ne pas le lui attribuer, il est juste de lui reprocher de ne pas s'y être opposé. Les directions principales, du reste, étaient déjà prises avant son arrivée, et ceux qui doivent porter la responsabilité de ce qui a été fait devant la postérité sont l'empereur de Russie et le prince de Talleyrand. Ce dernier, plus que tout autre, en reprenant l'esprit courtisan de Versailles et en forçant la nation et l'armée à renier l'esprit de la Révolution, a frappé de mort son ouvrage. Mais laissons de côté les affaires de la France, sur lesquelles le prince de Metternich ne pouvait avoir qu'une action plus ou moins indirecte. C'est au congrès de Vienne qu'il faut arriver pour examiner la conduite qu'il a tenue.

Il y a des principes immuables de justice qui doivent toujours servir de règle, et des voeux légitimes des peuples qu'il faut respecter. Au lieu de prendre pour base de telles maximes, on a compté les peuples pour rien et les princes pour tout. L'empire français parut une curée, dont chacun voulut avoir un morceau. L'empire français avait eu une extension insensée, et il devait rentrer dans des limites raisonnables; mais, à force de le craindre, on finit par s'acharner à l'amoindrir et au delà des limites que ses droits comparatifs l'autorisaient à prétendre. Lorsque tous les souverains de l'Europe accroissaient leurs États, les rendaient plus compactes et par conséquent plus forts, il était injuste de réduire la France à son ancien territoire. Il était imprévoyant et impolitique de diminuer ainsi un contre-poids que l'avenir rendra un jour si nécessaire. On voulut alors non-seulement réduire la France, mois encore l'humilier, et on a ainsi blessé les sentiments d'un peuple généreux. Avec une conduite différente, on prévenait les révolutions.

Dans le but de satisfaire l'avidité des princes, on tenta des réunions impossibles, et dont le temps a fait justice. Ainsi, pour plaire à la maison de Nassau, on a uni la Belgique, pays riche par son agriculture, aristocratique et catholique exalté, à la Hollande, pays d'égalité, important par sa navigation et sa marine, d'esprit mercantile, et professant la religion réformée. Les actes du congrès de Vienne sont pleins de pareilles anomalies. L'injustice et le malheur pour l'Europe de la destruction du royaume de Pologne sont reconnus par le monde entier, et avoués même par ceux qui s'en sont partagé le territoire. Quelle belle occasion se présentait pour le rétablir au moment où les principes de justice, la réparation des torts, étaient proclamés! Quelle habile politique eut suivi l'Autriche en cette circonstance si elle eût élevé cette barrière contre la puissance immense que l'avenir promet à la Russie! Quel mérite pour elle auprès de ce peuple généreux, si cruellement et si constamment joué par Napoléon! Au lieu de cela, une politique vulgaire, mesquine, qui n'osa jamais s'élever à cette hauteur. La Pologne continua à offrir le spectacle d'un peuple inconsolable d'avoir perdu sa nationalité, qui, quelque chose que l'on fasse, ne cessera jamais d'être un sujet d'inquiétude pour ses moitiés. Et non-seulement on n'a pas opéré le rétablissement du royaume de Pologne, si nécessaire un jour à l'indépendance de l'Europe, maison a livré ce pays à la Russie, en la laissant s'établir d'une manière solide sur la Vistule. Dès ce moment, placée aux portes de l'Allemagne, avec des moyens puissants, une base d'opération inexpugnable, on lui a accordé une action prépondérante sur toutes les affaires de l'Europe.

Ce n'est pas tout encore. Le prince de Metternich, pour éviter des embarras, a fermé constamment les yeux sur les empiétements continuels de la Russie. Il n'a pas osé essayer de rivaliser d'influence dans les provinces des bouches du Danube. Il en a été de même de la Servie, qui semble si naturellement placée dans la sphère d'action de l'Autriche. La Moldavie, la Valachie et la Servie sont devenues russes, comme si elles appartenaient nominalement à cet empire. Cependant elles enveloppent la Hongrie et la Transylvanie, et garantissent à la Russie la possession absolue, incontestable, quand elle le voudra, de l'empire ottoman. La mansuétude qui a laissé s'établir un semblable état de choses sera l'objet d'une sérieuse et juste critique et d'un blâme mérité de la part de la postérité envers le prince de Metternich.

Ces simples aperçus suffisent pour montrer l'imprévoyance qui a régné dans les délibérations du congrès de Vienne. Le prince de Metternich et le prince de Talleyrand, qui y jouèrent le premier rôle, doivent porter la responsabilité des fautes qui furent commises. Cependant l'esprit de justice dont je fais profession me force à remarquer que le retour de Napoléon, en 1815, apporta des complications funestes, et réveilla des passions dont le but ne devait plus être Napoléon seulement, mais aussi la France elle même.

Les Bourbons, rétablis sur leur trône, se livrèrent à de petites passions contre l'Autriche, et la réaction en fut fâcheuse. Jamais ils ne purent lui pardonner le mariage de Marie-Louise avec Napoléon. Le prince de Metternich, auteur de cet acte politique, dont l'habileté ne saurait être trop admirée en cette circonstance par les hommes impartiaux, fut constamment l'objet de leur défiance. Ils reprirent les vieilles idées de la rivalité des maisons de Bourbon et d'Autriche, qui n'avaient plus d'application ni de fondement. Le mauvais vouloir que rencontra souvent le prince de Metternich dans ses relations diplomatiques lui inspira plus d'une fois des sentiments malveillants pour la France. Ces sentiments ont fini même par prendre une grande place dans son esprit. Ainsi il est indubitable que, lors des événements d'Espagne, en 1823, il chercha à accroître les embarras du gouvernement français.

Aux yeux de tout homme qui a étudié le caractère du peuple espagnol, c'était une chose grave que de venir se mêler de ses affaires. Opérer la dispersion de ses forces était chose facile; mais rétablir l'ordre et gouverner jusqu'au moment où Ferdinand, mis en liberté, serait remonté sur son trône, était rempli d'obstacles. Le moyen le plus simple d'y parvenir était de placer tous les pouvoirs dans la même main, et de confier la régence à M. le duc d'Angoulême, qui, déjà, avait le commandement de l'armée. Rien de plus naturel sans doute; et cependant le prince de Metternich remua ciel et terre pour faire donner cette régence accidentelle et temporaire au roi de Naples, qui ne pouvait ni ne voulait l'exercer en personne, et qui l'aurait confiée à l'ambassadeur de Naples à Paris, vieil intrigant, d'un esprit brouillon et confus, auquel toutes les mauvaises passions du pays se seraient rattachées. On prit un terme moyen. On forma la régence d'un conseil composé d'Espagnols, mais les choix ne furent pas heureux. Au reste, il était difficile qu'il fût à la hauteur des circonstances; car comment trouver en Espagne des gens tout à la fois d'un esprit éclairé et d'un caractère sage et modéré? On confia donc le pouvoir à des gens orgueilleux, de peu de portée d'intelligence, enivrés d'une position que le hasard leur avait donnée, et qui, sans avoir rien fait pour la mériter, ne mettaient aucunes limites à leurs prétentions. Aussi ces gens qui n'avaient retrouvé leur liberté qu'à l'arrivée de l'armée française se hâtèrent de se déclarer hostiles envers elle et de lutter ouvertement contre son chef. Le duc d'Angoulême, après avoir longtemps souffert des embarras qu'ils lui suggéraient, fut réduit, pour ne pas laisser flétrir son caractère et sa position, à prendre des mesures de rigueur envers eux, en se plaçant au-dessus de leurs actes impolitiques, injustes et insensés, qui établissaient partout l'anarchie.

Je rappelle ici la célèbre ordonnance d'Andujar, qui fut l'objet des plus vifs débats entre les cabinets. Elle était sage, nécessaire, indispensable, et ceux qui voulaient perpétuer le désordre en Espagne pouvaient seuls la blâmer. Le prince de Metternich l'attaqua avec la plus grande ardeur. Une guerre civile ne se termine que par des transactions et des amnisties. Ballesteros, qui commandait l'armée principale, avait mis bas les armes à des conditions déterminées, et les différente chefs avaient suivi son exemple. Une amnistie avait suivi la soumission, et tout était rentré dans l'ordre. Tout à coup la régence, méconnaissant les traités conclus par le duc d'Angoulême, ordonne l'arrestation des personnes que les traités protégent. Il en est souvent ainsi: ceux qui n'ont pas su combattre sont impitoyables après la victoire, que d'autres ont obtenue pour eux. Des listes de proscription sont dressées, les arrestations se multiplient, le repos public est menacé, l'autorité française est insultée. Non-seulement un grand scandale était offert au monde, mais les motifs secrets étaient placés dans une basse cupidité des agents; car avec de l'argent chaque prisonnier pouvait faire ouvrir sa prison. Le duc d'Angoulême, instruit de ces événements, ordonna aux commandants des villes et des postes militaires de faire mettre immédiatement en liberté tout homme couvert par les traités, et qui n'était l'objet d'aucune accusation pour des faits postérieurs. Le duc d'Angoulême, en cette circonstance, suivit non-seulement une bonne politique, mais il fit un acte d'honnête homme et défendit, comme il en avait le devoir, l'honneur du nom français qu'une faiblesse de sa part aurait flétri.

Le blâme connu du prince de Metternich en cette circonstance autorisa à l'accuser de sentiments hostiles envers nous.

Je viens d'indiquer les traits caractéristiques de la conduite du prince de Metternich envers la France, pendant la Restauration. J'aborderai avec une égale franchise celle qu'il a tenue avec l'Allemagne.

D'abord de justes louanges lui sont dues. Il s'est occupé avec succès de maintenir l'union en Allemagne, et de la préserver de l'esprit révolutionnaire, qui, soufflé par la France, était prêt à l'envahir. De bonne heure il jugea les effets infaillibles de la liberté de la presse, et s'occupa de se mettre à l'abri de son action. Dès 1819, il concerta avec tous les cabinets de cette vaste contrée l'emploi des moyens légaux pour y parvenir. Le bon sens des Allemands leur fit comprendre ce que ces mesures avaient de sage. Il trouva constamment dans une diète, qu'il avait organisée sur la base de l'égalité entre puissances des divers ordres, le concours désirable. Il obtint par le fait, mais sous l'apparence d'une simple influence, un pouvoir qui presque jamais n'éprouva de contradiction; système d'autant plus louable, qu'il exige, pour réussir, de la part de celui qui l'emploie, un grand respect pour la justice, pour la raison, et l'habitude d'une grande modération.

La prévoyance du prince de Metternich a donc contribué puissamment à conserver en Allemagne le bon ordre, la paix et l'union; et cela, malgré les germes de trouble qu'avait semés l'empereur Alexandre par le seul besoin d'obtenir une popularité dangereuse et passagère. Mais, au milieu de ces préoccupations, le prince de Metternich ne s'est pas aperçu que la Prusse voulait enlever à l'Autriche une partie de son influence en Allemagne. De très-bonne heure la Prusse a compris qu'avec une population faible, des revenus peu considérables, elle n'aurait jamais le moyen de jouer un rôle important si par sa politique elle ne devenait pas le point de réunion d'intérêts spéciaux. Elle a pensé avec raison qu'en se faisant le centre d'un faisceau, autour duquel des puissances d'un ordre inférieur viendraient se réunir, elle réglerait l'emploi de leurs forces et pourrait contre-balancer la puissance de l'Autriche, si supérieure à la sienne. Pendant les derniers siècles, la religion a servi à créer un lien moral dont elle a tiré un grand parti, et cela au profit de la liberté publique et du libre exercice de la religion réformée. La position de la Prusse en a été agrandie; son pouvoir s'en est accru. Elle a joué un rôle supérieur à ses ressources naturelles, et l'habitude a consacré cet ordre de choses jusqu'à ce qu'un grand homme soit venu ajouter à sa considération, lui donner un nouveau relief et un nouvel éclat, et augmenter son territoire. Mais cette ligue des intérêts religieux a perdu aujourd'hui presque toute sa force. Des intérêts d'une autre nature absorbent aujourd'hui toutes les pensées. Le siècle est devenu positif. On s'occupe de produire; on veut créer des richesses, développer l'industrie, étendre le commerce.

La Prusse, placée au milieu de petits États qui ne peuvent s'isoler, a pensé que ces pays, ayant un besoin urgent de protection commerciale, devaient la trouver dans une association qui les affranchirait de la dépendance des grandes puissances, qui favoriserait leur industrie et en outre accroîtrait leurs revenus par des impôts faciles à percevoir puisqu'ils seraient volontaires. La Prusse, en se mettant à la tête de cette réunion d'intérêts, a eu moins en vue d'augmenter ses revenus que de favoriser ses manufactures et son commerce maritime, en leur assurant des consommateurs nombreux; mais elle a eu en outre pour but d'organiser à son profit une influence puissante et durable, fondée sur les intérêts matériels, influence qui équivaudra bientôt à un pouvoir réel; car, dans une association du fort et du puissant avec les faibles, le fort devient bientôt le maître. Ce système était donc favorable à tout le monde, et dès lors il devait réussir. Le prince de Metternich ne l'a ni pensé ni compris. Il en est résulté nécessairement de graves inconvénients pour la prospérité de l'empire d'Autriche, qui est devenu un centre très-actif de fabrication. Cette idée, appliquée à l'Autriche avec les modifications nécessaires, lui eût assuré de grands avantages, et aurait accru son influence de toute celle dont la Prusse s'est emparée. Enfin, si seulement elle l'eût partagée, elle y eût suffisamment gagné. Elle peut encore intervenir aujourd'hui, mais autre chose est d'entrer dans un système établi, ou de l'avoir créé et d'en être le fondateur.

Reste à examiner l'époque qui a suivi la Révolution de 1830. Deux opinions existent en Autriche sur la conduite que le prince de Metternich devait tenir. Les uns approuvent celle qu'il a suivie; les autres prétendent qu'il devait déclarer la guerre d'une manière immédiate, en haine de la Révolution et des dangers dont elle menaçait l'Europe. Se résoudre à la guerre était un grand parti. Peut-être aurait-il été choisi si l'esprit des gouvernements de l'Europe eût été plus homogène et leurs moyens militaires plus complets. Mais les années de la Restauration avaient apporté un changement aux relations des puissances, et cette union, qui avait fait leur force quinze ans auparavant, n'existait plus. Un danger immédiat, des passions de vengeance contre Napoléon, avaient seuls pu opérer ce prestige et créer cette intensité d'énergie qui amena le triomphe en 1814. En 1830, le danger de la Révolution, tel qu'il pouvait encore se présenter à l'horizon, était éloigné et hypothétique. L'esprit de propagande avait perdu son prestige aux yeux des Allemands et des Italiens, instruits, à leurs dépens, du peu de réalité des biens qu'il promet.

Un grand refroidissement entre l'Autriche et la Russie avait commencé à la guerre de Turquie et durait encore.

L'Angleterre, toute guerrière autrefois, l'Angleterre, le point d'appui de l'Europe et le noeud des intérêts opposés à la France, était devenue calme et pacifique, et l'opinion publique avait accordé dans le pays une sorte de bienveillance et de faveur à la Révolution.

Le roi de Prusse, devenu vieux, pacifique de sa nature, froissé par le souvenir des malheurs qui avaient accablé sa jeunesse, n'était pas disposé à compromettre les avantages que la fortune lui avait accordés plus tard.

La Russie aurait été plus disposée à intervenir, par suite, non de l'opinion publique, mais en raison des sentiments personnels de l'Empereur. Mais deux cent mille hommes perdus dans la guerre de Turquie, qui n'avaient pas été remplacés par mesure d'économie, lui rendaient bien difficile de mettre en campagne une grande armée, et bientôt la révolution de la Pologne, en lui enlevant toute l'armée polonaise et en la tournant contre lui, absorba tous ses moyens.

Enfin l'insurrection de la Belgique vint encore compliquer la question et accroître les embarras.

L'union des puissances eût-elle été complète, les moyens disponibles et la guerre prochaine, il y avait de l'habileté à laisser à la Révolution l'odieux de la déclaration de guerre et des premières hostilités. La France, divisée, le deviendrait encore davantage si on n'entrait en France qu'à la suite de succès qui auraient suivi une légitime défense de l'Europe; tandis qu'en attaquant la France pacifique on risquait de trouver tous les Français réunis contre les étrangers intervenant dans nos affaires sans provocation. La religion politique consacrée aujourd'hui les exclut de toute intervention, et ceux qui seraient les plus disposés à les appeler sont obligés de professer publiquement une doctrine contraire.

On était donc beaucoup plus fort pour le cas de guerre en attendant l'agression de la part de la France. L'Autriche avait le temps de se préparer à entrer en campagne. La politique expectative du prince de Metternich en cette circonstance fut donc sage, habile et la seule à suivre. Il se borna à s'appuyer sur des armements considérables qui mettaient l'Autriche en sûreté et à même de prendre le parti que les circonstances pourraient rendre utile.

Je passe maintenant à la politique de l'Autriche à l'égard de l'Espagne, divisée par suite du testament de Ferdinand, qui changeait l'ordre de succession au trône, et je cherche à reconnaître si elle a été exercée dans ses véritables intérêts.

Toutes les familles souveraines de l'Europe sont plus ou moins ambitieuses, et la maison d'Autriche a montré plus qu'une autre qu'elle a toujours été fort préoccupée des intérêts de l'avenir dans ses alliances. A ce système constamment suivi, elle a dû les héritages qui l'ont amenée au point de grandeur où elle est aujourd'hui. Elle devait donc être opposée à la loi salique, qui régnait en Espagne. Or cette loi se trouvait renversée par le testament de Ferdinand VII, et l'Autriche, en la soutenant, renonçait pour l'avenir à la chance de voir un archiduc d'Autriche remonter sur le trône de ce pays.

Le prince de Metternich prétexta, pour motif de sa politique, le respect pour les droits; mais les droits de don Carlos, fort contestables, peuvent être certainement l'objet d'une discussion interminable. Si l'Autriche n'eût pas donné un appui moral constant et des secours d'argent à don Carlos, nul doute qu'aucune lutte sérieuse n'eût pu exister en Espagne entre Isabelle et lui. L'absence de résistance eût empêché le développement de l'esprit révolutionnaire, et la malheureuse Espagne n'eût pas été livrée aux dévastations et aux malheurs qui, pendant quinze ans, ont pesé sur elle.

Quand, plus tard, après d'immenses efforts, la lutte semblait indécise, il eût été habile de fonder les calculs de la politique sur le mariage du prince des Asturies avec Isabelle. D'abord le prince de Metternich en a rejeté la proposition avec indignation, tandis que, plus tard, il l'a fait revivre avec ardeur, mais sans succès.

La politique du prince de Metternich a donc été funeste à l'Espagne et contraire aux intérêts de ce pays. Si elle eût réussi, elle eût été favorable aux seuls intérêts de la France. Et, fait remarquable, fait dont ce temps de passion, où tout est confusion dans les esprits, a donné plus d'un exemple, la France a soutenu également un système opposé à celui qu'elle devait suivre. Elle a combattu celui de l'Autriche, qui lui était favorable, et servi celui de l'Angleterre, qui lui était contraire. L'Angleterre seule a été d'accord avec ses propres intérêts de tous les temps. Elle a affaibli l'Espagne en donnant des forces à Isabelle pour résister à don Carlos. Elle a préparé aussi le passage de la couronne d'Espagne dans une autre maison que celle des Bourbons, qui la possède depuis cent cinquante ans.

Je terminerai l'examen qui nous occupe en traitant des événements de 1840, dont le retentissement a été si grand et les conséquences auraient pu être si funestes.

Ici, tout est à blâmer, et on ne reconnaît en aucune façon la prudence du prince de Metternich, sa modération et la constance habituelle de ses projets.

D'abord il conçoit, dans l'intérêt du repos de l'Europe, qu'il est important de fixer le sort de l'Orient et d'empêcher de nouvelles collisions d'avoir lieu. Il sait, à n'en pas douter, que tous les projets guerriers viennent du Grand Seigneur; que le corps diplomatique, à Constantinople, est sans cesse occupé à l'empêcher d'entreprendre une campagne qui lui serait funeste. Il reconnaît en même temps que les prétentions de Méhémet-Ali de transmettre à ses enfants la position éclatante qu'il s'est créée, sont justes; que l'ordre qu'il a établi dans ses États est un moyen de civilisation pour tout l'Orient, et il regarde comme un devoir des puissances d'intervenir pour fonder quelque chose de permanent sous leur garantie, et qui sera placé dans le droit public de l'Europe. Le prince de Metternich est si convaincu de la marche à suivre, qu'il s'occupe de l'exécution. Il fait à l'Angleterre, à la France et à la Russie la proposition d'établir un concert dans ce but.

Sur ces entrefaites, les Turcs entrent en campagne contre Ibrahim-Pacha, et la bataille de Nézib est gagnée par les Égyptiens. Ibrahim renonce à tirer parti de sa victoire. Comme son père n'a d'autres prétentions que de conserver ce qu'il possède, comme il n'a aucun projet sur l'Asie Mineure, ne convoite rien, ne forme de désir que pour la paix, il reste en place, convaincu que la politique de l'Europe, qui est favorable aux intérêts de l'Égypte, trouvera de nouveaux arguments dans sa victoire. Il se conforme à tout ce qui lui est prescrit au nom de l'Europe, et montre par le fait la sincérité de sa modération.

En même temps, Méhémet-Ali négocie avec la Porte. Celle-ci, accablée par ses revers, par le mécontentement universel, qui a amené la défection de la flotte et fait considérer par les musulmans Méhémet-Ali comme le défenseur de l'islamisme, se décide à se soumettre à ses exigences. En cette circonstance, tout pouvait s'arranger en un moment. La Porte était résolue aux concessions et allait signer quand le ministre d'Autriche à Constantinople reçoit l'ordre d'intervenir et de promettre, au nom de l'Europe, au Grand Seigneur des conditions beaucoup plus favorables.

Cependant l'Europe, au nom de laquelle on avait parlé, n'était pas d'accord. Ce fut par un subterfuge que le ministre de Russie à Constantinople fut amené à se réunir à ses collègues en cette occasion; car, au moment même où M. de Boutenief, au nom de l'empereur de Russie, accordait son concours, le cabinet de Saint-Pétersbourg refusait d'entrer dans les combinaisons qui lui étaient proposées par l'Autriche. L'ambassadeur de France, qui, on ne sait pourquoi, avait déclaré une guerre ouverte à Méhémet-Ali, savait bien que la modération était du côté de celui-ci, puisqu'il n'avait cesse de blâmer la conduite, les actes et les illusions du Grand Seigneur. Il n'avait non plus aucun ordre de son gouvernement de signer cet acte d'intervention, qui devint funeste et jeta le trouble et le désordre, quand, au contraire, il eût fallu terminer tout en un moment en garantissant, pour l'avenir, l'exécution du traité conclu entre Méhémet-Ali et le Grand Seigneur. Dès cet instant, le sort de l'Orient était fixé. Mais ce n'était pas le compte de l'Angleterre, qui était jalouse de la suprématie de la France en Égypte et voulait à tout prix amener la confusion, dans l'espérance d'en tirer parti. D'un autre côté, l'empereur de Russie, dont la conduite avait été bien calculée et pleine de sagesse dans les intérêts généraux de la paix, entrevit un germe de discorde entre la France et l'Angleterre dans l'opposition de leurs intérêts et de leurs vues, et il s'occupa à le développer. A cet effet, il se rapprocha de l'Angleterre: il flatta ses passions, et atteignit enfin le but le plus cher à sa politique, en brisant l'alliance de la France et de l'Angleterre, qui lui était odieuse.

Cependant on avait établi une conférence à Londres, qui ne résolvait rien, et le temps s'écoulait sans aucune solution. La Turquie était impatiente de voir son sort réglé. Elle était réduite aux abois. Le prince de Metternich, sans être aussi favorable à Méhémet-Ali qu'avant la bataille de Nézib, et tout en se refusant à ses demandes, voulait cependant qu'il fût bien traité. En même temps, il voulait régler, d'une manière rassurante pour l'avenir, le mode de concours de protection pour l'empire ottoman, et ne pas en laisser le droit et le devoir uniquement à la Russie, intéressée un jour à sa destruction. Il proposa donc que, si de nouveaux dangers menaçaient Constantinople, en même temps qu'une escadre russe viendrait dans le Bosphore, une escadre combinée de vaisseaux français et anglais passerait les Dardanelles et croiserait à l'entrée de la mer de Marmara. Il ignorait sans doute que les Dardanelles sont, pour les Russes, l'arche sainte; qu'ils les regardent comme leur frontière militaire que personne ne doit franchir sans leur permission; et qu'ils préféreraient, avec raison, accepter les conséquences d'une guerre de dix ans plutôt que de consentir à les voir en possession d'une puissance qui ne leur serait pas subordonnée. Le prince de Metternich fit donc faire cette proposition à l'empereur de Russie. Nicolas la reçut avec un emportement qui alla jusqu'à la menace de déclarer la guerre à l'Autriche traitant la conduite du prince envers lui de perfidie et de trahison.

Le prince de Metternich, en apprenant la manière dont ses propositions avaient été accueillies, tomba malade subitement et fut pour plusieurs jours en danger de mort. Remis de cette crise, les négociations continuèrent; mais le prince de Metternich, mal avec l'empereur de Russie, peu confiant dans l'état de la France et l'appui qu'il pouvait en tirer, livra sa politique à la direction de lord Palmerston, homme passionné et nullement pourvu des qualités nécessaires aux fonctions qu'il remplissait. Il se mit à sa remorque. C'était se résoudre à être hostile à la France.

Après le départ du prince pour les bords du Rhin, il arriva à Vienne une proposition du cabinet de Paris, qui, trouvée sage et convenable, fut acceptée sans observation par celui qui le remplaçait (le comte de Fiquelmont), et acheminée à la conférence de Londres avec approbation. Mais, soumise au prince de Metternich en route, il en suspendit l'envoi, et, de cette manière, il resserra chaque jour davantage les liens qui l'unissaient à la politique de lord Palmerston. Alors les exigences de celui-ci ne cessèrent d'augmenter contre Méhémet-Ali, et le prince de Metternich n'y cédait qu'à regret.

Il eût été sage au gouvernement français de profiter de l'espèce d'appui que lui offrait l'Autriche, et d'accepter les conditions consenties en faveur de Méhémet-Ali; mais une infatuation sans excuse des agents de ce gouvernement les égara. Ils ne voulurent jamais croire à un traité qui isolerait la France, et, le 13 juillet, le traité fut signé, et la France isolée.

Dans cette circonstance, le ministre d'Autriche à Londres ne remplit pas ses devoirs. Il devait, huit jours avant la signature du traité, faire part confidentiellement, mais d'une manière positive et sans équivoque, à l'ambassadeur de France, des projets arrêtés. Nul doute que le gouvernement français n'eut réfléchi, et Méhémet-Ali était forcé alors d'accepter les propositions qui lui étaient faites.

Par la conduite qu'il a tenue, le ministre d'Autriche à Londres, M. le baron de Neuman, a plutôt servi les passions de lord Palmerston que les véritables intérêts de l'Autriche; car, dans la politique du prince de Metternich, quel était le but à atteindre? se conserver l'amitié de l'Angleterre, et établir la paix en Orient. Or, en faisant un mystère profond à la France de ce qui allait se conclure, on l'encourageait indirectement à ne rien céder, et on faisait naître des chances de guerre. Cette guerre, dont personne ne voulait, pouvait amener les plus grandes catastrophes, ou au moins de grandes humiliations pour l'alliance.

Si la politique de la France eut été à la fois énergique et sage, après avoir fait la faute de se laisser écarter de l'alliance, le gouvernement français aurait armé d'une manière formidable, mais en donnant toutes les assurances et tous les gages possibles de sécurité à l'Allemagne. Il eut dû envoyer une escadre à Alexandrie avec un renfort de matelots destiné à monter les vaisseaux turcs amenés par le capitan-pacha, faire transporter trois mille hommes d'infanterie française à Saint-Jean-d'Acre pour maintenir le Liban dans l'ordre et l'obéissance, et empêcher la révolte des Druzes et des Maronites, seuls dangers véritables pour les Égyptiens. Si, en outre, il avait rassemblé une armée pour entrer en Italie au moment où la guerre éclaterait en Orient, et fait la déclaration formelle qu'il ne demandait, pour désarmer, que de voir l'Europe d'accord pour conserver à Méhémet-Ali et assurer à ses enfants les domaines qu'il possédait, le gouvernement français eut alors dominé les événements; car, je le répète, personne ne voulait la guerre, et personne, excepté la France, n'était préparé à la soutenir. Une transaction eût été faite en un moment, et la France sortait glorieuse et puissante sans avoir tiré un coup de canon! Ce résultat brillant était la conséquence immédiate de la complaisance du prince de Metternich pour l'Angleterre qui l'avait entraîné.

Si la guerre eut éclaté, il est impossible de déterminer les conséquences qui en auraient résulté pour l'Autriche. L'armée était sur le pied de paix, le trésor vide et sans crédit, les membres du gouvernement divisés, l'opinion publique révoltée d'avoir une guerre qu'aucun intérêt autrichien ne réclamait, et cela sans l'avoir prévue et s'être disposé à la soutenir. De tout cela, il serait résulté nécessairement un bouleversement intérieur et des désastres probables pour la monarchie autrichienne. Or, quand une politique peut amener de semblables résultats sans promettre dans le succès d'immenses avantages, elle ne saurait être que l'objet de la plus vive critique.

Je dois ajouter cependant ici que jamais le prince de Metternich ne s'est glorifié du succès obtenu dans cette circonstance. Je l'ai entendu même s'en étonner et dire qu'il était loin de s'y attendre. Alors pourquoi entrer dans une politique et pourquoi concourir à des opérations qui doivent amener des humiliations? Or ni les gouvernements ni les hommes d'État ne doivent être indifférents à Faction qu'exerce le succès sur les esprits et sur l'opinion des peuples, source de toute-puissance dans le monde.

En résultat, le prince de Metternich a eu pour motif réel de plaire au gouvernement de l'Angleterre. Il a fallu qu'il y attachât une bien grande valeur pour l'acheter au prix de semblables dangers. Il a eu pour motif apparent de sauver le Grand Seigneur d'un péril qui était imaginaire, et de rétablir l'empire ottoman sur d'autres bases. Il a échoué complètement à cet égard, car cet empire est aujourd'hui beaucoup plus faible qu'il n'était alors, attendu qu'à l'ordre qui régnait en Syrie a été substitué le désordre, et que le désordre, source de faiblesse, qui ne cessera de s'accroître, amènera la destruction de ce vieil empire, qu'il mine depuis si longtemps.

Du reste, le prince de Metternich avait d'avance déterminé la limite qu'il ne voulait pas dépasser dans sa politique. Quand les affaires de Syrie furent terminées selon les désirs de l'alliance et que l'armée égyptienne eut évacué le pays, lord Palmerston, ivre de ce succès, voulait bouleverser l'Égypte et chasser Méhémet-Ali, afin de mettre un pied dans ce pays pour pouvoir s'en emparer plus tard. Le prince de Metternich, qu'il avait cru pouvoir entraîner, résista aux instances de l'Angleterre. Il s'unit alors loyalement et énergiquement à la France pour conserver intacte la base de l'édifice que Méhémet-Ali avait élevé, et contribua puissamment à assurer le repos de son avenir.

ORDRE DE FORMATION
ET
DE RÉORGANISATION DE L'ARMÉE FRANÇAISE
ARRÊTÉ PAR L'EMPEREUR LE 7 NOVEMBRE 1813 [21].

Note 21: (retour) Sous ce même titre, nous avions voulu insérer la pièce que l'on va lire page 105 et suivantes de ce volume. Nous avons même exposé à cette place, et en note, pour quels motifs cette pièce était intéressante et digne d'être conservée.--Par une erreur que nous nous expliquons mais qui importe peu au lecteur, à cette même page 105 et suivantes on en a omis la plus grande partie. On a laissé de côté le commencement et la fin.--Nous rétablissons ici et nous reproduisons la pièce dans son intégralité. Nous sommes certain que les lecteurs préfèreront une exactitude complète à une apparente régularité. (*Note de l'Éditeur.*)

ARTICLE PERMIER..

L'armée sera organisée de la manière suivante:

Le onzième corps, commandé par le duc de Tarente, sera composé de la trente et unième et de la trente-cinquième division.

Le sixième corps, commandé par le duc de Raguse, sera composé des vingtième et huitième divisions.

Le quatrième corps, commandé par le général Bertrand, sera composé de la douzième division, de la treizième, de la cinquante et unième et de la trente-deuxième.

Le cinquième corps sera composé de la dixième division.

Le deuxième corps, commandé par le duc de Bellune, sera composé de la quatrième division.

ART. 2..

Tous ces corps seront successivement portés à quatre divisions.

ONZIÈME CORPS D'ARMÉE.

ART. 3..

La trente et unième division sera formée avec les bataillons ci-après désignés:

Troisième bataillon du 5e de ligne.

Tout ce qui existe du quatrième bataillon sera incorporé dans le troisième, et le cadre renvoyé au dépôt.

Troisième bataillon du 11e de ligne.

Tout ce qui existe du quatrième bataillon sera incorporé dans le troisième, et le reste renvoyé au dépôt.

Sixième bataillon du 20e de ligne.
Quatrième bataillon du 102e *id.*
Troisième bataillon du 6e *id.*

Tout ce qui existe des quatrième et septième bataillons sera incorporé dans le troisième, et les cadres renvoyés au dépôt pour servir à réorganiser le quatrième bataillon, le septième étant supprimé.

Premier et deuxième bataillon du 112e de ligne.

Tout ce qui existe des troisième et quatrième bataillons sera incorporé dans les premier et deuxième, et les cadres renvoyés au dépôt.

Premier et deuxième bataillon du 22e léger.

Tout ce qui existe des troisième et quatrième bataillons sera incorporé dans les premier et deuxième, et les cadres renvoyés au dépôt.

Quatrième bataillon du 10e de ligne.

Tout ce qui reste du sixième bataillon sera incorporé dans le quatrième, et le cadre renvoyé au dépôt.

Troisième bataillon du 3e léger.

Tout ce qui existe du quatrième et septième bataillon sera incorporé dans le troisième, et les cadres renvoyés au dépôt.

Troisième bataillon du 14e léger.

Tout ce qui existe du quatrième et septième bataillon sera incorporé dans le troisième, et les cadres renvoyés au dépôt pour réorganiser le quatrième bataillon, le septième étant supprimé.

Total, douze bataillons.

Le général Charpentier aura le commandement de cette division.

ART. 4..

La trente-cinquième division sera composée ainsi qu'il suit:

Trois bataillons du 123e de ligne.
Trois id. *du 124e* id.
Trois id. *du 127e* id.
Trois id. *Suisses.*
Un id. *du 51e de ligne.*
Un id. *du 53e* id.

Total, quatorze bataillons.

Le général Brayer aura le commandement de cette division. Son artillerie lui sera fournie par l'artillerie du général Rigaud. Les administrations nécessaires à cette division seront complétées par celle de la trente-sixième.

SIXIÈME CORPS D'ARMÉE.

ART. 5..

La vingtième division sera composée ainsi qu'il suit:

Premier et quatrième bataillons du 32e léger.

Tout ce qui existe du deuxième bataillon sera incorporé dans le premier, et le cadre renvoyé au dépôt.

Premier bataillon du 57e léger.

Tout ce qui existe des deuxième, troisième et quatrième bataillons sera incorporé dans le premier, et les cadres renvoyés au dépôt pour servir à réorganiser le deuxième bataillon, les troisième et quatrième étant supprimés.

Premier bataillon du régiment espagnol.

Premier bataillon du 23e léger.

Tout ce qui existe du quatrième bataillon sera incorporé dans le premier, et le cadre renvoyé au dépôt.

Premier bataillon du 1er de ligne.

Il sera incorporé cent conscrits hollandais dans ce bataillon.

Deuxième et sixième bataillons du 62e de ligne.

Il sera incorporé cent conscrits hollandais dans le deuxième bataillon.

Premier bataillon du 16e de ligne.

Il sera incorporé cent conscrits hollandais dans ce bataillon.

Premier bataillon du 14e de ligne.

Il sera incorporé cent conscrits hollandais dans ce bataillon.

Premier et deuxième bataillons du 15e de ligne.

Tout ce qui existe du quatrième bataillon sera incorporé dans le premier bataillon, et le cadre renvoyé au dépôt.

Premier bataillon du 70e de ligne.

Tout ce qui existe du quatrième bataillon sera incorporé dans ce bataillon, et le cadre renvoyé au dépôt. Il y sera incorporé cent conscrits hollandais.

Premier et sixième bataillons du 121e.

Tout ce qui existe du quatrième bataillon sera incorporé dans ce bataillon, et le cadre renvoyé au dépôt. Il y sera incorporé cent conscrits hollandais.

1er, 2e, 3e et 4e régiments de marine.

Ces quatre régiments seront égalisés à quatre bataillons chacun et un bataillon de dépôt. Le major général me présentera un projet à ce sujet. Tous les bataillons et dépôts d'artillerie de marine qui peuvent se trouver dans l'intérieur seront envoyés pour les compléter.

ART. 6..

Les six cents conscrits hollandais nécessaires seront pris sur les quatre bataillons hollandais, à raison de cent cinquante par bataillon.

La vingtième division sera commandée par le général Lagrange, qui aura sous ses ordres trois généraux de brigade.

ART. 7..

La huitième division, qui faisait partie du troisième corps, et qui en ce moment fait partie du sixième, sera composée ainsi qu'il suit:

Deuxième bataillon du 6e léger.

Tout ce qui existe du troisième bataillon sera incorporé dans le deuxième, et le cadre renvoyé au dépôt.

Deuxième bataillon du 16e léger.

Tout ce qui existe du troisième bataillon sera incorporé dans le deuxième, et le cadre du troisième renvoyé au dépôt.

Premier bataillon du 22e de ligne.

Tout ce qui existe des troisième et quatrième bataillons sera incorporé dans le premier, et les cadres renvoyés au dépôt.

Premier bataillon du 28e léger.

Tout ce qui existe du troisième bataillon sera incorporé dans le premier, et le cadre renvoyé au dépôt.

Troisième bataillon du 40e de ligne.

Tout ce qui existe du quatrième bataillon sera incorporé dans le troisième, et le cadre renvoyé au dépôt.

Deuxième bataillon du 59e de ligne.

Tout ce qui existe du troisième bataillon sera incorporé dans le deuxième, et le cadre renvoyé au dépôt.

Troisième bataillon du 69e de ligne.

Tout ce qui existe du quatrième bataillon sera incorporé dans le troisième, et le cadre renvoyé au dépôt.

Troisième bataillon du 2e léger.
Troisième bataillon du 4e léger.
Troisième bataillon du 43e de ligne.

Tout ce qui existe du quatrième bataillon sera incorporé dans le troisième, et le cadre renvoyé au dépôt.

Premier bataillon du 136e.

Tout ce qui existe des deuxième et troisième bataillons sera incorporé dans le premier, et les cadres renvoyés au dépôt, pour servir à l'organisation du deuxième bataillon, le troisième étant supprimé.

Premier bataillon du 138e.

Tout ce qui existe des deuxième et troisième sera incorporé dans le premier, et les cadres des deuxième et troisième renvoyés au dépôt, pour servir à l'organisation du deuxième, le troisième étant supprimé.

Premier bataillon du 145e.

Tout ce qui existe des deuxième et troisième sera incorporé dans le premier, et les cadres renvoyés au dépôt, pour servir à l'organisation du deuxième, le troisième étant supprimé.

Premier bataillon du 142e de ligne.

Tout ce qui existe des deuxième et troisième bataillons sera incorporé dans le premier, et les cadres renvoyés au dépôt, pour servir à la réorganisation du deuxième bataillon.

Premier bataillon du 144e.

Tout ce qui existe des deuxième et troisième sera incorporé dans le premier, et les cadres renvoyés au dépôt, pour servir à la réorganisation du deuxième bataillon.

Troisième bataillon du 9e léger.

Tout ce qui existe des quatrième et sixième bataillons sera incorporé dans le troisième, et les cadres renvoyés au dépôt, pour servir à réorganiser le quatrième bataillon.

Deuxième bataillon du 50e de ligne.

Tout ce qui existe des troisième et quatrième bataillons sera incorporé dans le deuxième bataillon, et les cadres renvoyés au dépôt.

Troisième bataillon du 65e de ligne.

Tout ce qui existe du quatrième bataillon sera mis dans le troisième, et le cadre renvoyé au dépôt.

ART. 8..

Il sera incorporé cent conscrits hollandais dans chacun des bataillons dont les noms des régiments suivent:

22e de ligne.
40e de ligne.
59e de ligne.
69e de ligne.
43e de ligne.
136e de ligne.
138e de ligne.
145e de ligne.
142e de ligne.
144e de ligne.
50e de ligne.
65e de ligne.

Les douze cents conscrits hollandais nécessaires seront pris à raison de trois cents dans chacun des quatre bataillons hollandais.

ART. 9..

Cette huitième division sera commandée par le général Ricard; les états-majors d'artillerie et du génie, etc., des troisième et sixième corps, serviront à former ceux du sixième corps.

QUATRIÈME CORPS D'ARMÉE.

ART. 10..

La douzième division sera composée ainsi qu'il suit:

Quatre bataillons du 8e léger. Cinq bataillons du 13e de ligne.
Quatre bataillons du 23e de ligne.
Trois bataillons du 157e de ligne.
Deux bataillons du 5e léger.
Un bataillon du 96e de ligne.

Cette division sera commandée par le général Morand.

ART. 11..

La treizième division sera composée ainsi qu'il suit:

Un bataillon du 1er léger.
Un bataillon du 18e léger.
Un bataillon du régiment illyrien.
Un bataillon du 7e de ligne.
Un bataillon du 42e de ligne.
Deux bataillons du 52e de ligne.
Deux bataillons du 67e de ligne.
Trois bataillons du 101e de ligne.
Trois bataillons du 156e de ligne.
Un bataillon du 95e de ligne.
Deux bataillons du 82e de ligne.
Un bataillon du 54e de ligne.

Cette division sera commandée par le général Guilleminot.

ART. 12..

La trente-deuxième division sera composée ainsi qu'il suit:

Deux bataillons du 33e léger.
Trois bataillons du 36e léger.
Deux bataillons du 131e de ligne.
Quatre bataillons du 132e de ligne.
Un bataillon du 103e de ligne.
Deux bataillons du 66e de ligne.

Cette division sera commandée par le général Durutte.

ART. 13..

La cinquante et unième division sera composée ainsi qu'il suit:

Un bataillon du 10e léger.
Un bataillon du 21e léger.
Un bataillon du 29e léger.
Un bataillon du 17e léger.
Un bataillon du 23e léger.
Un bataillon du 32e léger.
Un bataillon du 39e léger.
Un bataillon du 63e léger.
Deux bataillons du 86e léger.
Deux bataillons du 122e léger.
Deux bataillons du 26e léger.
Deux bataillons du 47e léger.

Cette division sera commandée par le général Sémélé.

CINQUIÈME CORPS D'ARMÉE.

ART. 14..

Le cinquième corps formera la dixième division, qui sera composée des

Premier et deuxième bataillons du 139e de ligne.

Le troisième bataillon sera supprimé.

Premier et deuxième bataillons du 140e de ligne.

Le troisième bataillon sera supprimé.

Premier et deuxième bataillons du 141e *id.*

Le troisième bataillon sera supprimé.

Premier et deuxième bataillons du 152e *id.*

Le troisième bataillon sera supprimé.

Premier et deuxième bataillons du 153e *id.*

Le troisième bataillon sera supprimé.

Premier et deuxième bataillons du 154e *id.*

Le troisième bataillon sera supprimé.

Premier et deuxième bataillons du 135e *id.*

Le troisième bataillon sera supprimé.

Premier et deuxième bataillons du 149e *id.*